Hungerbühler / Scheuthle

PIONIERE

des Automobils

Herausgegeben von
Eberhard Hungerbühler

Inhalt

Einleitung

Auch ein Elefant ist eine Kraftmaschine oder: Wie der Mensch aufs Auto kam

Der Mensch verfügt über ein Achtel PS. Sobald er sich ins Auto setzt, muß er 50, 90 oder gar über 200 Pferdestärken beherrschen. Ohne Auto wiegt er 70 bis – sagen wir einmal – 110 Kilogramm, mit dem Auto bis zu eineinhalb Tonnen, wobei wir schwerere Gefährte einmal ganz außer acht lassen. Ohne motorisiertes Fahrzeug bringen wir es höchstens auf 30 bis 40 Kilometer pro Stunde, und auch dazu müssen wir entweder wie ein Hochleistungssprinter rennen oder doch wenigstens ein Fahrrad unter uns haben. Ein Mensch, der sich normal fortbewegt, kann nur 6 Kilometer in der Stunde zurücklegen. Wenn man es genau nimmt, muß man sagen: Der Mensch ist für das Auto nicht geschaffen.

Trotzdem hat er das Auto für sich geschaffen – eine faszinierende Maschine auf vier Rädern, die wie keine andere unsere Welt verändert hat.

Der Mensch – das sagt bzw. schreibt sich leicht. Schon für das erste Automobil waren so viele Einzelheiten und Ideen notwendig, daß es gar nicht von einem einzelnen erfunden werden konnte. Die Gedanken ungezählter Tüftler und Denker, die Ideen vieler Phantasten auch, mußten zusammengetragen werden. Das Auto hat also nicht einen einzelnen Erfinder, sondern eine lange Erfindungsgeschichte.

Automobil heißt wörtlich übersetzt: das Selbstbewegliche. Dazu gehört zweierlei: ein Wagen und ein Motor. Freilich, wenn man die beiden Dinge zusammenbringt, hat man vielleicht eine Lokomotive, die man auf Schienen setzen kann, aber noch längst kein Auto. Das eigentlich Faszinierende, die freie Beweglichkeit, erhält das Auto erst durch die Lenkung. Und tatsächlich war in der Entwicklung des Automobils die Erfindung der Lenkung das Schwierigste.

Ein Auto ist also eine Kraftmaschine, in die Energie hineingestopft wird, damit nützliche Bewegung dabei herauskommt. Und es muß lenkbar sein. Also ist auch ein Pferd oder ein Elefant ein Automobil, oder etwa nicht? Denn auch diese Tiere fressen und nehmen dabei Energie auf, die sie in Bewegung umsetzen. Vor einen Wagen gespannt, lassen sie sich sogar lenken. Es kommt also nicht von ungefähr, daß man die Leistung eines Motorwagens nach Pferdestärken mißt.

Nur, Pferde, Elefanten oder auch Schlittenhunde haben einige bedenkenswerte Nachteile. Man kann sie nicht bauen, und man muß sie auch dann füttern, wenn sie nicht arbeiten. Bei technischen Kraftmaschinen ist das anders.

Was Wunder also, daß sich die technischen Genies zu allen Zeiten bemüht haben, eine Kraftmaschine zu bauen, die exakt nach den Wünschen und den Bedürfnissen des Menschen funktioniert.

100 v. Chr. erdachte ein Grieche namens Heron eine Kraftmaschine, die bereits die Grundelemente des heutigen Automobilmotors enthielt. Er nahm einen Zylinder, führte von oben einen Kolben ein und hielt diesen durch ein Gegengewicht in der Schwebe. In den Zylinder füllte Heron Wasser, und darunter entzündete er ein ordentliches Feuer. Das Wasser wurde zu Dampf, dehnte sich aus und schob den Kolben in die Höhe. Kaum aber war der Dampf abgekühlt und wieder zu Wasser geworden, senkte sich der Kolben in seinen Zylinder zurück. Dabei half der äußere Luftdruck, die Atmosphäre, nach. Das Gegengewicht hob sich, der Kolben fuhr abwärts. Vermutlich war Heron von seiner ersten Dampfmaschine recht begeistert, denn es gehörte wenig Phantasie dazu, sich auszumalen, wie man diese Bewegung auf Arbeitsabläufe übertragen konnte.

Aber wie so viele tüchtige Erfinder kam auch Heron mit seiner Idee nicht an. Man suchte nicht nach Maschinen, die die Arbeit erleichterten, sondern nach Geräten, mit denen man Kriege gewinnen konnte.

Und so war denn auch die erste Kraftmaschine, die wirklich erfolgreich war, die Kanone. Sie setzte die Energie des Pulvers in die Bewegung einer Kugel um. Das gefiel den Mächtigen schon eher als das Herumprobieren an kraftsparenden Arbeitsmaschinen. Und dennoch traten alsbald auch Techniker auf den Plan, die versuchten, die Pulverkraft sozusagen zivil umzusetzen. Pulvermotoren wurden entwickelt und flogen ihren Erfindern prompt um die Ohren. Dabei waren diese Ohren – um es mit dem Autor Alexander Spoerl zu sagen –, »teilweise an hochgelehrten Köpfen angebracht, die aus dem heutigen Physikunterricht noch immer nicht wegzudenken sind«.

Immerhin – einige dieser hochbegabten Herren wandten sich dem Dampfmotor zu, als sie begriffen hatten, daß man mit Pulver zwar eine Kugel auf den Weg bringen, nicht aber einen Kolben oder gar ein Rad antreiben konnte. Einer dieser klugen Herren war Denis Papin (1647 bis 1714). Auch er hatte sich zuerst am Pulvermotor Finger und Perücke verbrannt. Den Mund hatte er sich übrigens am französischen Hof verbrannt, weshalb er emigrieren mußte. Beim Herzog von Kassel fand der Doktor der Medizin und der Naturwissenschaften schließlich eine neue Bleibe. Der Kasseler Fürst liebte mechanisches Spielzeug über alles, zum Beispiel silberne Enten, die ein Uhrwerk im Bauch hatten und fröhlich über den herzoglichen Tisch hüpften, sobald man sie aufgezogen hatte. Papin entwickelte seine Enten sogar so weit, daß sie piepen, quacken und picken, ja sogar Entendreck hinter sich lassen konnten.

Nun mag so etwas zwar ein ganz netter Zeitvertreib gewesen sein, aber für einen ernsthaften Gelehrten blieben mechanische Enten eben nur Schnickschnack. Um aber ernsthaftere Aufträge zu bekommen, mußte Papin seinem Fürsten die technischen Pläne auch weiterhin als Spielzeug verkaufen. Also bat er eines Tages um eine Audienz und schlug zum Entzücken des Herrschers vor: »Euer Durchlaucht, wie wäre es, wenn wir mit Dampfkraft Wasser in einen hochgelegenen Behälter pumpten, um von dort aus die Springbrunnen zu speisen? Wir wären unabhängig vom Druck der Quellen und könnten beliebig damit spielen.«

Ob der verspielte Herzog vor Freude in die Hände geklatscht hat, wissen wir nicht, auf jeden Fall aber stimmte er dem neuen, gigantischen Spielzeug zu. Und Papin baute die erste Hochdruckdampfmaschine mit einem von Dampf gesteuerten Kolben. Weil sie ja nur Wasser nach oben drückte, brauchte sie weder Schwungrad noch Pleuel, noch eine Kurbelwelle. Aber im Prinzip handelte es sich eben doch um eine Dampfmaschine – den »Dampfkraftwasserheber«.

Vielleicht ist Papin nicht ganz von selbst draufgekommen, denn schon damals tauschte man wissenschaftliche Informationen aus. Und möglicherweise hat der Franzose am Kasseler Hof erfahren, daß im fernen China kurz zuvor – genau im Jahre 1678 – das erste Dampfautomobil am Hofe des dortigen Kaisers durch die herrschaftlichen Parkanlagen rattern sollte. Es hatte einen Dampfturbinenantrieb, der über Zahnräder auf die Antriebsräder wirkte – in der technischen Zeichnung eines Jesuitenpaters namens Verbiest. Der Pater hatte am Hofe des chinesischen Kaisers die Narrenfreiheit, zu konstruieren, was ihm in den Sinn kam. Ausführen mußte er seine Pläne nicht. Denn dem Kaiser von China genügte die Gedankenspielerei, niedergelegt in einer ansprechenden Zeichnung. Und so ratterte das chinesische Dampfauto denn auch nie durch die kaiserlichen Gärten.

Papin und Verbiest waren die Vorläufer von Daimler und Benz, ebenso wie etwa Leonardo da Vinci, der das Zahnrad mit der umlaufenden Kette erfand – wesentliche Voraussetzung für den späteren Automobilbau. Und darüber hinaus gibt es noch eine Legion anderer Forscher, Techniker und Erfinder, die den Weg zum Kraftwagen vorbereiteten.

Um 1400 n. Chr. etwa entwarf der Italiener Fontana einen sogenannten Selbstfahrer. Zwar benutzte er schon Zahnräder für seinen Muskelmotor, aber Kurbel und Pedale waren ihm fremd. So mußte der Fahrer des ziemlich monströsen Autos an Tauen ziehen, die die Antriebswelle bewegten. Das darf uns nicht verwundern, denn wo immer damals der Mensch oder das Tier etwas zu bewegen hatten, wurde an Stricken gezogen.

1460 wird aus Memmingen berichtet, daß ein nicht genannter Erfinder einen Windflügelwagen gebaut habe, der freilich nur bei Seitenwind vorwärtsstrebe. Die Kraft der Windmühlenflügel wurde auch bei diesem Gefährt über Zahnräder an die Antriebsräder weitergegeben.

140 Jahre später entwarf der holländische Mathematiker Simon Stevin einen Segelwagen. Er setzte ihn nur am Strand ein und baute, damit sein Auto nicht einsank, besonders breite Räder. Aber schließlich mußte er zugeben, daß Pferdewagen seinem Gefährt überlegen waren.

Um 1690 baute sich der französische Arzt Richard in La Rochelle einen Pedalwagen, ein Wadenmuskel-Auto. Auf seinen Krankenbesuchen ließ er sich von einem Lakaien transportieren, der mit aller Kraft in die Pedale trat und damit die Hinterräder der Chaise antrieb. Alexander Spoerl stellte fest, daß der Verbrauch von Strampel-Lakaien pro Kilometer nicht überliefert ist.

Wirklich ernst wurde es aber erst, als die ersten Benzinchaisen über die holprigen Straßen rumpelten. Man kann den Beginn der Automobilisierung auf das Jahr 1860 festlegen. Damals baute Étienne Lenoir die erste »horizontale Dampfmaschine«. Dabei verwirklichte er den Gedanken, ein komprimiertes Leuchtgas-Luft-Gemisch im Inneren eines eisernen Zylinders zu entzünden. In dem Zylinder bewegte sich ein exakt eingepaßter Hubkolben, der durch fortgesetzte Explosionen gleichmäßig hin- und herfuhr und über eine Kurbelwelle Räder antrieb. Die gesamte europäische Presse berichtete darüber. Und der erste, der sich davon anregen ließ, einen eigenen Motor zu entwickeln, war der Kölner Kaufmannsgehilfe Nicolaus August Otto (1832 bis 1891). In einer kleinen Werkstatt baute er einen Gasmotor mit einer halben Pferdestärke. Mit dem gleichaltrigen Eugen Langen gründete er eine Firma, die als erster Fabrikationsbetrieb der Welt ausschließlich Verbrennungsmotoren herstellte. Das Unternehmen florierte bald so hervorragend, daß man für die erweiterte Produktionsstätte einen tüchtigen Direktor suchte. Man fand ihn in dem Schwaben Gottlieb Daimler (1834 bis 1900), der damals Werkstättenvorstand der Karlsruher Maschinenbaugesellschaft war. Daimler brachte einen Chefkonstrukteur mit, den damals 26jährigen Wilhelm Maybach (1846 bis 1929). Gemeinsam schufen Langen, Otto, Daimler und Maybach die erste Viertaktmaschine – den berühmten Otto-Motor.

Zu jener Zeit wurde Petroleum in immer größeren Mengen und immer billiger angeboten. Das brachte Daimler auf die Idee, statt Leuchtgas flüssigen Treibstoff zu verwenden. Jetzt mußte der Motor nicht mehr an einer Gasleitung hängen wie an einer Nabelschnur. Er wurde beweglich. Der Weg vom stationären Gasmotor zum Fahrzeugmotor war eröffnet.

Daimler, der 1882 im Streit von Langen und Otto geschieden war, entwickelte gemeinsam mit Maybach in Bad Cannstatt bei Stuttgart den Benzinmotor weiter. 1885 bauten sie das erste funktionierende Motorrad, 1886 die erste vierrädrige Motorkutsche und 1888 das erste Motorboot.

Unabhängig von Daimler, der 1890 die Daimler-Motoren-Gesellschaft gründete, tüftelte Carl Benz (1844 bis 1929) in Mannheim an einem Fahrzeugmotor. Da der viertaktige Otto-Motor mit einem Patent belegt war, machte der Badener aus der Not eine Tugend und baute einen Zweitaktmotor, der 1879 zum ersten Mal lief.

1886 hatte sein dreirädriger Wagen Premiere in den Straßen Mannheims. Erst 1926 fanden die Firmen Daimler und Benz zusammen.

Die ersten Automobile, vom Publikum skeptisch bis ablehnend aufgenommen, regten den Erfindergeist auch in vielen Randbereichen an. Werkstätten und Einzelfirmen spezialisierten sich schon Ende des 19. Jahrhunderts auf Zulieferprodukte. In Augsburg ging ein Mann namens Rudolf Diesel (1858 bis 1913) daran, einen Motor zu entwickeln, der mit billigem Schweröl anzutreiben war. 1897 gelang es ihm – in Zusammenarbeit mit der Maschinenfabrik Augsburg-Nürnberg (MAN) und mit Friedrich Krupp –, einen funktionierenden Prototyp zu bauen, der im Jahr 1900 auf der Weltausstellung in Paris zur Hauptattraktion wurde.

Trotz der hohen Kosten fanden die Automobile schnell ihre Käufer. Die Firmen kamen mit ihrer Produktion den Bestellungen kaum noch nach. Zahllose kleine Firmen wurden gegründet, in denen man Kraftfahrzeuge herstellte. Und manche von ihnen nahmen einen geradezu kometenhaften Aufstieg.

Das Automobil wurde nun auch gewerblich genutzt. Immer mehr Lastwagen rollten aus den Fabriktoren. Privatautos aber blieben lange ein Statussymbol der Oberschicht. Wer damals ein Auto fuhr, wurde im Volksmund als »Herrenfahrer« tituliert. Um 1914 gab es in Deutschland schon rund 55 000 Personen- und 9 000 Lastkraftwagen. Dazwischen ratterten fast 25 000 Motorräder über die gepflasterten Straßen.

Der aufkommende Kraftfahrzeugverkehr hatte aber auch eine Kehrseite. Die »Eroberung der Straße« wurde von den meisten Menschen als lebensgefährlich empfunden. Hermann Glaser schreibt in seinem Buch »Maschinenwelt und Alltagsleben«: »Während auf der einen Seite die Automobilisten beim Dahinrasen über die Landstraßen das Triumphgefühl gewaltiger Motorenkraft voll auskosteten (die ersten Rennen fanden 1894 und 1895 in Frankreich und England statt), empfand die Mehrzahl der Bevölkerung Angst und Schrecken vor einer Entwicklung, die ein weiteres Stück Ruhe, Sicherheit und Geborgenheit wegnahm und damit die allgemeine Nervosität verstärkte.«

Und diese Entwicklung hat eigentlich bis heute angehalten. Zur Zeit transportiert bei uns ein Auto im Durchschnitt 1,3 Personen, und es beansprucht bei einer Geschwindigkeit von 100 Kilometer in der Stunde eine Straßenfläche von 150 Quadratmeter, wobei die Statistiker den Bremsweg und den seitlichen Sicherheitsabstand mit eingerechnet haben. Und weil die Statistiker so gerne rechnen, haben sie auch weiterkalkuliert: Wenn sich die Menschheit zahlenmäßig so weiterentwickelt wie derzeit und wenn jeder erwachsene Mensch auf der Welt ein Auto haben sollte (was ja nur berechtigt wäre), dann brauchten wir bis zur Jahrtausendwende mehr Straßenfläche, als es feste Erdoberfläche gibt.

So gesehen sind unsere Automobile schon heute zum Aussterben verurteilt – »letzte Ausläufer einer köstlichen Romantik und eines herrlichen Egoismus«, wie Alexander Spoerl meint – die Ichthyosaurier unserer Zeit.

Daran sollte man denken, wenn man in die Anfangstage des Automobilbaus zurückgeht. Man muß aber natürlich auch zugeben, daß keine technische Entwicklung so viele Impulse für alle Lebensbereiche gegeben hat wie die Erfindung des Automobils. Unser Jahrhundert wurde wesentlich durch sie beeinflußt. Ohne die Antriebskraft, die im gesamten Automobilbau steckte, wäre die industrielle Entwicklung undenkbar gewesen.

Nikolaus August Otto

Triumph des Amateurs · Erfolg im Viertertakt

16. November 1858. Die Postkutsche von Köln nach Altenkirchen ist um ein Uhr am Mittag losgefahren. Jetzt ist es sieben Uhr abends, und noch ist sie von ihrem Ziel gut und gern sechs Stunden entfernt. Die Fahrgäste sitzen dicht beieinander, um sich gegenseitig ein wenig zu wärmen, denn dicke Kleidung und Decken reichen gegen den harten Frost nicht aus. Die schlechte Straße ist vereist. Immer wieder verlieren die Hufe der Pferde ihren Halt. In der Ecke der Kutsche hat sich ein junger Mann tief in seinem pelzbesetzten Mantel verkrochen. Aber er lächelt still vor sich hin, während die anderen Passagiere ihrem Unmut Luft machen.

»Im Winter sollte man fein hinter seinem Ofen bleiben, und im Sommer benutzt man auch besser die Flüsse, um zu reisen«, sagt ein dicker älterer Mann. Und eine Frau jammert: »Wäre ich doch zu Hause geblieben, meiner Tochter werde ich jetzt sowieso nicht mehr helfen können; wenn ich in Altenkirchen ankomme, ist ihr Kind längst auf der Welt – falls wir überhaupt jemals dort ankommen.«

Der Mann im Pelzmantel sagt mehr zu sich selbst als zu den anderen: »Eines Tages wird das alles nur noch in den Geschichten vorkommen, dann wird es keine Pferdekutschen mehr geben, oder nur noch zum Vergnügen.«

Die anderen sehen ihn an, als ob er nicht ganz richtig im Kopf sei. »Dann fahren wir mit Motorkraft, und jeder steuert seine Kutsche selbst«, fährt er fort, »schneller wird es gehen und bequemer, und wir werden von den Postfuhrwerken unabhängig sein.«

»Ja«, sagt der dicke Mann, »auf solche Phantastereien kann man schon kommen, wenn man mit dieser Chaise durch die Gegend zuckelt und das immer mit einiger Aussicht, umgeworfen zu werden.«

»Nennen Sie's nicht Phantasterei. Der Motor ist schon erfunden, wenn auch noch lange nicht so weit entwickelt, daß man ihn in ein Straßenfahrzeug einbauen könnte, es wird aber ganz sicher bald dazu kommen.«

Der dicke Mann ist froh, daß man einen Gegenstand zur Unterhaltung gefunden hat. »Sie kennen sich da wohl aus, sind womöglich Ingenieur oder Technikus, junger Mann?«

»Das nicht, aber ich interessiere mich dafür. Gestatten Sie, daß ich mich vorstelle. Mein Name ist Nikolaus Otto, Reisender in Kaffee, Tee und Zucker.«

Das macht den jungen Reisenden zwar nicht glaubhafter in dem, was er seinen Mitfahrenden jetzt erzählt, aber sie hören ihm gerne zu; denn so ist doch wieder eine halbe Stunde lang für Kurzweil gesorgt, zumal Otto sich selbst in Begeisterung redet. Er gibt seinen Zuhörern eine kleine Lektion in Technik.

Schon vor einem Jahrhundert war von James Watt die erste Dampfmaschine gebaut worden, eine Erfindung, die das Leben in den Werkstätten und Fabriken völlig umgekrempelt hat. Jetzt brauchten die Arbeiter ihre Maschinen nicht mehr selbst anzutreiben. Und auch dort, wo man bisher mit der Kraft des Wassers oder des Windes Energie erzeugt hatte, erwies sich Watts neue Maschine als weit überlegen. Die Fabriken wuchsen schnell, die Industrie blühte auf. Der kleine Gewerbetreibende aber geriet ins Abseits. Immer mehr Handwerker mußten ihren eigenen Betrieb aufgeben und in den Fabriken nach Arbeit suchen. In den Städten stieg der Reichtum des Bürgertums, auf dem Land verarmten die Menschen. Die Flucht vom Dorf in die Stadt ließ die bäuerlichen Gemeinden verelenden.

»Stellen Sie sich einmal vor«, sagt Nikolaus Otto zu seinen Mitreisenden, »wir hätten eine kleine Kraftmaschine, die jeder Handwerker, jeder kleine Gewerbetreibende für seine Arbeit einsetzen könnte – er wäre auch wieder konkurrenzfähig, könnte genau so schnell, präzise und preiswert liefern wie die Fabriken.«

An der kleinen Kraftmaschine wurde schon lange gearbeitet, das wußte Nikolaus Otto wohl, und es war ihm auch klar, daß die Erfinder in Frankreich, England, Österreich und Deutschland, die sich dieser Aufgabe verschrieben hatten, nicht so sehr an den kleinen Gewerbetreibenden dachten, als vielmehr getrieben wurden von dem Wunsch, die mechanische Kraft zu beherrschen. Auch er hatte ja das Ziel, die Motorkraft zu bändigen, war fasziniert von der Idee, über eine Kraft zu verfügen, die jederzeit ohne große Vorbereitungen eingesetzt werden konnte – eine Kraft, die vielleicht sogar imstande war, auf Straßen ohne Schienen Wagen ohne Pferde voranzutreiben.

Zwei Jahre nach der denkwürdigen elfstündigen Kutschenfahrt im Jahre 1860 gelang es dem Franzosen Lenoir zum erstenmal, einen funktionierenden Gasmotor zu bauen, der freilich einer Dampfmaschine noch recht ähnlich sah. In einem liegenden Zylinder befand sich ein Kolben, der durch eine Öffnung ein Gemisch aus Gas und Luft ansaugte, während er durch eine Hebelvorrichtung durch den Zylinder gezogen wurde. Etwa auf halbem Weg wurde das Luft-Gas-Gemisch durch einen elektrischen Funken gezündet, es explodierte und schoß den Kolben vollends bis ans Ende seiner Bahn. Von dort prallte er zurück und zog auf dem Rückweg durch eine Öffnung wieder neues Gas-Luft-Gemisch nach. Der Vorgang wiederholte sich. Muschelförmige Schieber, wie man sie von der Dampfmaschine her kannte, sorgten für Ein- und Auslaß des Gases beziehungsweise der Verbrennungsrückstände.

*Nikolaus Otto; er erfand gemeinsam mit Eugen Langen den Viertaktmotor, der
zum Vorbild aller Verbrennungsmotoren wurde.*

Jean Joseph Etienne Lenoir verstand von Werbung ebensoviel wie von Technik.
Er pries sein Werk an, als ob er schon alle Probleme gelöst hätte. Sachverständige aus aller Welt reisten nach Paris, um die Wundermaschine zu besichtigen.
Ein begeisterter Reporter schrieb damals: »Jetzt wird man überall die Gasleitun-
gen anbohren können, selbst in den Kammern des einfachen Arbeiters, und man
wird imstande sein, eine bedeutende Kraft zu billigem Preis und unter günstig-
sten Verhältnissen herzustellen; denn dieselbe wird entstehen, wenn man sie haben will, und verschwinden, wenn man sie nicht mehr verlangt . . . Aus den Kammern der Arbeiter und aus den Werkstätten wird die neue Kraft bald auf die
Straßen und öffentlichen Wege herabsteigen, um die Pferde zu ersetzen, deren
Preis immer höher steigt.«

Lenoir unternahm in der Tat auch eine Ausfahrt in einer motorisierten Kutsche. Das Gas führte er in einem Behälter mit. Das erste Automobil rumpelte immerhin mehrere Kilometer über die Chausseen von Paris.

Aber Lenoirs Kraftmaschine hatte viele Tücken. Sie verbrauchte sehr viel Gas, mußte ständig von einem Wärter überprüft werden, weil es zu unregelmäßigen und unkontrollierten Explosionen im Zylinder kam, und sie brachte es nie auf eine ansprechende Leistung. Zwar baute und verkaufte Lenoir eine große Zahl seiner Maschinen, aber sie verrosteten allzuoft in den Werkstätten, weil sie nicht wirtschaftlich genug betrieben werden konnten und zu häufig den Dienst versagten.

Zu den interessierten Technikern, die nach Paris gereist waren, gehörten auch zwei Ingenieure aus Stuttgart: Max Eyth und Gottlieb Daimler. Der eine berichtete in Vorträgen und Artikeln ausführlich über die Lenoirsche Kraftmaschine, der andere begann sie in eigenen Experimenten weiterzubauen. Doch weder Max Eyth noch Gottlieb Daimler gelang der Durchbruch, auch nicht Carl Benz, der auf der Basis von Lenoirs Erfindung an einem eigenen Motor arbeitete. Den Erfolg sollte ein Mann verbuchen, der technisch völlig unerfahren war. Ein Kaufmann aus Köln: Nikolaus August Otto.

Otto, der alle Berichte über Lenoirs Kraftmaschine verschlungen hatte, wandte sich zunächst einem eher äußerlichen Problem zu: Gaskraftmaschinen konnten nur dort gebaut werden, wo eine Gasanstalt den Treibstoff ins Leitungsnetz einspeiste. Aber das machte die Motoren abhängig vom Standort. Otto kannte die Explosionsfähigkeit der feuergefährlichen Dämpfe von Petroleum und Spiritus. Seine Idee war es, diese oder andere flüssigen Kohlenwasserstoffe statt Gas aus der Leitung als Treibmittel zu benutzen.

Ohne jemals zuvor eine Konstruktionszeichnung angefertigt zu haben, machte sich der Kölner Tee- und Kaffeehändler daran, eine Skizze zu zeichnen, nach der er einen Mechaniker namens Michael Zons den ersten Vergaser bauen ließ – ein Behälter mit Spiritus sollte von außen durch eine Lampe erhitzt werden, bis die Flüssigkeit in Gas überging, das dann dem Zylinder zugeführt werden sollte.

Otto probierte seinen Vergaser, und er funktionierte. Prompt reichte er seine Zeichnung und eine genaue textliche Beschreibung beim Berliner Patentamt ein. Er konnte ja nicht wissen, daß außer ihm schon eine ganze Reihe anderer Erfinder auf die gleiche Idee gekommen war. Sein Patentgesuch wurde abgelehnt. Trotzdem ist es bis heute wichtig geblieben; denn es beweist, daß Otto von Anfang an versucht hatte, eine Kraftmaschine zu bauen, die zur Fortbewegung von Fahrzeugen auf Landstraßen fähig war. Später baute Otto nur stationäre Motoren, und Neider unterstellten ihm, auf die Idee, ein Automobil zu bauen, sei er überhaupt nie gekommen.

Aber noch aus einem anderen Grund ist das Patent, vielmehr dessen Ablehnung durch das Berliner Amt, bedeutungsvoll gewesen; Otto mußte nämlich in der Begründung lesen, es sei ein Fehler, daß er zwar den Vergaser exakt beschrieben, die Verbindung mit dem Motor aber völlig außer acht gelassen habe. Das brachte ihn auf eine Idee.

Der Hobbyerfinder setzte sich hin und zeichnete einen Motor. Es handelte sich dabei allerdings keineswegs um eine neue Erfindung, sondern vielmehr um seine eigene Wiedergabe der Lenoirschen Kraftmaschine, wie er sie verstanden hatte. Wieder baute der Techniker Zons den Apparat getreu nach der Skizze des Amateurs Otto.

Zons' Werkstatt lag in der beschaulichen Schildergasse in Köln, dort, wo die Handwerker und Krämer ihre Geschäfte hatten. Immer am Wochenende, wenn die Gasse in ihrer Sonntagsruhe vor sich hindöste, erklang aus Michael Zons' Werkstatt ein seltsames Rattern und Knattern. Mancher Kölner Bürger regte sich über die Mißachtung der Sonntagsruhe auf, aber Michael Zons ließ sich davon überhaupt nicht beeindrucken. »Was hier geschieht, ist viel zu wichtig, als daß ein paar Leute aus der Schildergasse uns aufhalten können«, pflegte er zu sagen.

Ein Sonntagnachmittag im Mai 1868. Otto geht die Schildergasse hinunter, er hält sich in der Mitte der Straße. Er ist so in Gedanken versunken, daß er nicht auch noch auf Treppenstufen, Ecksteine und Bordsteinkanten achten kann. Zu oft ist er schon gestolpert, und so hat er es sich eben zur Angewohnheit gemacht, die gefährlichen Gassenränder zu meiden. Auch an jenem milden Maisonntag stapft er gedankenverloren, die Hände auf dem Rücken, den Kopf weit nach vorne gestreckt, die Schildergasse entlang. An diesem Tag hat er es noch eiliger als sonst, denn Meister Zons hat ihn wissen lassen, daß der Nachbau der Lenoir-Kraftmaschine mit dem angeschlossenen Otto-Vergaser fertiggestellt sei. Otto betritt die Werkstatt. Da steht sie, seine atmosphärische Gaskraftmaschine, hoch und schlank wie eine Säule, auf der ein großes Schwungrad mit sechs Speichen montiert ist. Zons erwartet ihn bereits. Stolz steht der großgewachsene dreißigjährige Meister neben der Maschine.

Otto gibt ihm kurz die Hand. »Also, dann los!« sagt er knapp. Seine Stimme klingt gepreßt. Zons greift nach dem Rad und dreht es mit gewaltigem Schwung. Schon beim ersten Mal springt der Motor an. Otto will seinen Ohren und Augen zunächst gar nicht trauen, aber es ist kein Zweifel möglich: Was Zons da nach seinen Angaben gebaut hat, dreht sich schneller, gleichmäßiger und runder als jeder Lenoir-Motor, den er bisher gesehen hat. Und er macht auch weniger Lärm und verbraucht, wie er und Zons bald merken, weit weniger Treibstoff.

Nach diesem denkwürdigen Sonntag geschah etwas, was bei zielbewußten Erfindern, geschulten Technikern und studierten Ingenieuren kaum denkbar gewesen wäre. Für Nikolaus Otto war sein Motor wie ein Spielzeug, das er ziemlich willkürlich immer wieder veränderte, um gespannt darauf zu warten, was geschah.

Die Zusammenhänge von Ursache und Wirkung blieben für ihn weitgehend verborgen. Er ließ sich von dem überraschen, was geschah. Daraus darf man allerdings nicht schließen, Otto habe sich nur laienhaft mit seiner eigenen Maschine beschäftigt. Er konnte sich in seinen Motor hineinfühlen; ganz genau registrierte er, worauf er freundlich ansprach und wann er Tücken zeigte. Er entwickelte ein unvergleichliches Fingerspitzengefühl und kam oft ohne die Hilfe wissenschaftlicher Analysen treffsicher auf die nächstmögliche Verbesserung. Zons hielt ihn manchmal für einen Hellseher, denn auch ihm war ja nicht entgangen, daß er es im Grunde mit einem technischen Laien zu tun hatte.

Ottos Lenoir-Maschine aus dem Jahr 1861 war ein gutes Versuchsobjekt. An ihr schulte sich der Handlungsreisende selbst. Und immer war es wie ein Spiel. Otto änderte ohne Plan den Zeitpunkt der Zündung. Immer wieder versuchte er es, und mit geradezu nachtwandlerischer Sicherheit kam er bei aller Fülle der Möglichkeiten genau auf jene, die für die Zukunft des Motorenbaus wegweisend werden sollte.

Es ist wieder ein Sonntagnachmittag. Otto hat sich einen grauen Mantel über den Anzug gestreift. Vorsichtig stellt er die Steuerung auf »große Füllung«. Langsam dreht er das Schwungrad, der Kurbeltrieb geht mit und schiebt den Kolben bei verschlossenem Zylinder in Richtung Totpunkt. »Jetzt wollen wir einmal sehen«, sagt Otto wie zu sich selbst. Der Kolben hat den Totpunkt erreicht. Otto löst die Zündung aus. Er läßt das Rad los und starrt es an. Wie von Geisterhand getrieben dreht es sich, dreht sich und dreht sich immer wieder. Eine einzige Zündung hat vier Umdrehungen geschafft.

»So geht es«, ruft er ganz und gar überzeugt, »Zons, so geht es! Wir brauchen einen ganzen Hub zum Füllen mit dem Luft-Gas-Gemisch, den folgenden Hub zum Komprimieren, dann haben wir den ganzen nächsten Hub zur Kraftübertragung zur Verfügung und beim vierten Hub schieben wir das verbrannte Gas hinaus.«

Der Viertaktmotor war geboren.

Doch die Lenoir-Maschine eignete sich für den Vierertakt nicht, eine völlig neue Steuerung mußte geschaffen werden. Und weil er die Vier nun schon für seine Glückszahl hielt, baute Otto gar nicht erst eine einzylindrische Maschine, sondern gleich einen Vierzylinder.

Im Januar 1862 war der erste Viertaktmotor der Welt fertig. Am 12. Januar schrieb Otto an seine Braut Anna Gossi, die schon immer großes Interesse an seiner technischen Liebhaberei gezeigt hatte: »Ehe ich wegfuhr, war ich noch mehrere Stunden bei Zons. Wir erzielten noch recht günstige Resultate und denke ich, bald ganz in Ordnung damit zu kommen.«

Drei Monate später schrieb er an Anna: »Ich freue mich, daß ich nun schon bald von meinen Touren erlöst bin und hoffe baldigst, meinen Plan glücklich zu beenden.«

Nikolaus Otto baute den ersten Viertaktmotor der Welt, der im Januar 1862 fertiggestellt war.

Vier Wochen darauf, im Mai 1862, gibt er seine Arbeit als Handelsvertreter auf – ein bißchen vorschnell, wie sich bald herausstellte.

Der neue Viertaktmotor lief stotternd und ruckelnd, blieb immer wieder stehen und ließ sich dann nur widerwillig wieder in Gang setzen. Dabei vibrierte, rüttelte und schüttelte er so sehr, daß sein baldiges Ende schon abzusehen war.

Im September 1862 reist Otto zur Industrieausstellung nach London. Zwei Fragen beschäftigen ihn: Wird er irgendwelche Hinweise darauf finden, wie er seinen ungenügenden Motor so verbessern kann, daß er endlich gebrauchsfähig wird? Und: Wird er womöglich dort einer neuen Maschine begegnen, bei der all diese Probleme bereits gelöst sind? Das würde bedeuten, daß ihm jemand zuvorgekommen und all sein Einsatz umsonst gewesen wäre. Beide Fragen sind mit Nein beantwortet, als er nach Köln zurückkehrt.

Zons ist inzwischen in eine größere Werkstatt in der Herzogstraße umgezogen. Vom Bahnhof aus geht Otto dorthin. Der Meister ist nicht da. Otto steht allein in der Werkstatt und sieht seinen Motor an. Wie früher schon bewegt er spielerisch das Schwungrad. Er erinnert sich an seine ersten Versuche. Wie war das gewesen? Wenn er nur ganz wenig Gasgemisch in den Zylinder einließ, gab es natürlicherweise auch nur eine schwache Explosion, die den Kolben ein klein wenig heraustrieb. Dann aber senkte sich der Kolben wieder langsam in den Zylinder hinein. Die Erklärung dafür lag auf der Hand: Die Gase hatten sich abgekühlt, und dadurch hatte sich auch ihr Druck verringert, im Zylinder war ein Unterdruck entstanden, der den Kolben sozusagen hineinsog, die Außenluft hatte mehr Druck, man konnte also auch sagen, daß sie den Kolben in den Zylinder zurückschob. Konnte man diese Beobachtung vielleicht zum Prinzip einer neuen Maschine machen? Wäre es so vielleicht möglich, die Kraftentwicklung in den Griff zu bekommen? Im Grunde hatten ja auch Watts Dampfmaschinen nach diesem Prinzip funktioniert.

Otto ist erregt. Die ungewöhnliche Art, an das Problem heranzugehen, war ebenso typisch für ihn wie seine Begeisterungsfähigkeit. Die neue Idee mußte sofort in die Tat umgesetzt werden.

»Das Jahr 1863 wohl und recht vergnügt angefangen«, vermerkt seine Braut Anna ein Vierteljahr später fröhlich in ihrem Tagebuch, »ein Gläschen getrunken, daß dieses Jahr uns endlich unseren heißen Wunsch erfüllen möge.«

Es ist nicht ganz klar, woran Anna gedacht hat, an den Motor oder an ihre Hochzeit mit Nikolaus Otto. Freilich hing beides eng miteinander zusammen, denn Otto wollte die Ehe erst eingehen, wenn er auf eigenen Füßen stand und mit seinen Motoren gutes Geld verdiente. Soweit war es aber noch lange nicht. Um seine neuen Vorstellungen zu verwirklichen, mußte er Geld leihen. Die kleine Erbschaft, die ihm seine Mutter hinterlassen hatte, war verbraucht. Und seine Hochzeit rückte wieder einmal in weite Ferne.

Im März lief der Motor, der erste nach dem neuen atmosphärischen Prinzip. Zwar lief er puffend und ratternd, aber ohne auszusetzen. Otto beantragte Patentschutz in Preußen, in England und in Frankreich. Die Briten und die Franzosen gewährten ihm das Patent, die Preußen nicht. Solange die Maschine dort aber nicht geschützt war, konnte sie in Deutschland jedermann nach Belieben nachbauen. Otto war deshalb ängstlich darauf bedacht, seinen neuen Motor geheimzuhalten und ihn vor den Blicken Neugieriger zu schützen. Für notwendige Verbesserungen fehlte ihm jetzt das Geld. Er hatte teure Werkzeuge und Maschinen für Zons' Werkstatt gekauft, von guten Freunden Geld geliehen und sein ganzes eigenes Vermögen in seine Motorenentwicklung gesteckt. Doch jetzt war das Kapital aufgebraucht. Zwar erteilten nun auch andere Länder Otto das Patent auf seine neue Gaskraftmaschine, aber solange Preußen, das Land mit den weitaus meisten Gewerbebetrieben, sich zurückhielt, sah der Erfinder keine Möglichkeit, seinen Motor in Deutschland in Serie zu bauen. Otto trennte sich deshalb auch von Zons; denn er befürchtete, daß der Mechaniker, der die Maschine mindestens so gut kannte wie er selbst, nun den Motor auf eigene Faust bauen könnte. Maschinen, Material und der Motor wanderten in eine Werkstätte am Gereonswall, die Otto angemietet hatte. Mit Zons schloß er einen freien Arbeitsvertrag.

Am 9. Februar 1864 stand plötzlich ein junger, elegant gekleideter Mann in der

Tür zu Ottos Werkstatt. Er stellte sich mit dem Namen Eugen Langen vor und musterte ohne Umstände die Gaskraftmaschine, die in der Mitte des Raumes auf einem Sockel montiert war.

Otto sah ihn mißtrauisch an. »Verstehen Sie etwas davon?«

»Na, ja«, sagte Langen, »ich bin Ingenieur, studiert habe ich am Polytechnikum in Karlsruhe, ich habe auch ein paar Sachen erfunden, einen Etagenrost für Kesselfeuerungen zum Beispiel – nichts so Kompliziertes wie Sie, aber er hat mir immerhin ein paar tausend Taler eingebracht.«

Otto wunderte sich über die Offenheit des jungen Mannes. Und er sollte gleich noch mehr Grund zum Staunen bekommen. »Wissen Sie«, sagte Langen, »ich überlege mir, ob wir uns nicht zusammentun sollten. Ich habe Kapital, Sie haben den Motor, natürlich müßte man eine Fabrik gründen.«

So unwahrscheinlich diese Begegnung heute anmutet, für die damalige Zeit war sie gar nicht so ungewöhnlich. Wer Kapital hatte, suchte eine erfolgversprechende Erfindung, die sich in Serie fertigen und in großen Stückzahlen verkaufen ließ.

Es dauerte nur wenige Tage, bis die beiden Kölner handelseinig waren. Sie schlossen eine Kommandantistgesellschaft auf Zeit ab und gaben ihr den Namen »N. A. Otto & Co«. Otto brachte seine Erfahrungen und die vorhandenen Sachwerte ein, Eugen Langen 10 000 Taler. In der Servasgasse, nahe dem Rheinufer, fanden sie ein Gebäude, in dem sie ein paar Räume anmieten und als Werkstatt einrichten konnten: die Nikolaus-Mühle. Sehr solide war das mittelalterliche Haus nicht mehr. Wenn ein Motor zur Probe lief, zitterten die Wände, und von den alten Fruchtböden rieselte der Staub herab.

Otto war wieder ganz optimistisch. Er verkaufte sogar schon einige Motoren, obwohl die Probeläufe bei weitem noch nicht zufriedenstellend waren. Er hatte vorgehabt, Einzelteile seines alten Viertaktmotors zu verwenden. Aber jetzt erwies sich die 0,5 PS starke Maschine als noch nicht lebens- und leistungsfähig. Der Kurbelmechanismus funktionierte nicht. Langen hatte es schnell erkannt. »Die Kurbel schreibt dem auf- und abgehenden Kolben seine Bewegungen vor, aber die Explosion im Zylinder kümmert sich darum herzlich wenig, sie entwickelt ihre eigenen Bewegungsgesetze. Der Kolben muß während der Explosion vom Getriebe der Maschine getrennt werden.«

Drei Jahre lang experimentierten Langen und Otto ohne sichtbaren Erfolg. Langen hatte auch einen Freund in Zürich, Professor Reuleaux, um Hilfe gebeten, aber so recht kamen sie dennoch nicht voran.

Mittlerweile eroberte sich langsam die Lenoir-Maschine, die man eigentlich schon abgeschrieben hatte, den deutschen Markt. Trotz ihrer großen Schwächen und ihres hohen Gasverbrauchs fand sie immer mehr Käufer. Mit flotten Werbesprüchen hatte Lenoir allein im Jahr 1865 über 200 seiner Maschinen in Deutschland untergebracht.

»Diese Maschinen«, so las man in den entsprechenden Annoncen, »bedürfen weder eines Heizers noch eines Schornsteins, noch eines großen Wasserkessels, noch der Kohlen. Die einzige bewegende Kraft ist das Gas.«

Langen und Otto verdoppelten ihre Anstrengungen. Es mußte doch zu schaffen sein, während der Explosion den Kolben vom Getriebe abzukuppeln und das Rad frei laufen zu lassen. Langen gelang es schließlich, einen Freilauf zu konstruieren, wie wir ihn heute in jedem Fahrrad finden. Sein Bericht darüber an Professor Reuleaux läßt ein wenig ahnen, wie sehr die Erfinder auf ungewöhnliche Ideen und Improvisation angewiesen waren:

»Endlich ist nicht ewig, können wir sagen«, schreibt Langen, »denn endlich ist es uns gelungen, unserer Maschine ein Schaltwerk zu geben, welches, wenn auch nicht vollständig stumm, so doch hinreichend geräuschlos arbeitet und auch in jeder anderen Beziehung unseren Zwecken entspricht. – Einem glücklichen Einfall verdanke ich diesen Mechanismus, dessen dem Verschleiß unterworfenen Stücke in Röllchen von Weißbucheholz bestehen ... die Kurbel fällt fort und die Bewegung des Kolbens auf die Axe [Langen schrieb das Wort damals tatsächlich mit ›x‹] wird übertragen dadurch, daß die Stange gezahnt in ein auf der Axe befindliches Zahnrad eingreift ...«

Natürlich waren Röllchen aus Weißbuche keine haltbaren Maschinenelemente, sie wurden dann auch bald durch Rollen aus hochwertigem Stahl ersetzt, aber die Rollen taten ihren Dienst; sie drückten auf die Nabe der Schwungradwelle und übertrugen so die Kraft des hin- und herfliegenden Kolbens, während der Explosion schoben sie das Rad in den Leerlauf, danach – im Augenblick der Umkehr des Zahnrades – schafften sie einen neuen Reibungsschluß. Die Kupplung war erfunden.

Und so funktionierte nun der Otto-Motor:

Der Arbeitstakt begann damit, daß der Kolben durch den Steuermechanismus etwas angehoben wurde und dabei das Gas-Luft-Gemisch ansaugte. Dann wurde gezündet. Die Explosion schoß den Kolben bis ans obere Ende des Zylinders, das Zahnrad drehte sich auf der Motorwelle mit. Die Gase kühlten ab, es entstand ein Unterdruck gegenüber der Außenluft, so daß der äußere Luftdruck den Kolben langsam herunterschieben konnte; während dieses Arbeitsganges griff der Freilauf auf der Hauptwelle und trieb sie an (siehe auch unsere Zeichnung), bis nach der nächsten Explosion.

Die elektrische Zündung ersetzte Otto durch einen neuen Steuerschieber und eine ständig brennende Gasflamme, die er im Zündmoment in den Zylinder schlagen ließ.

Man kann sich den Jubel von Otto und Langen kaum vorstellen, als im März 1867 der Motor endlich so lief, wie sie es sich immer vorgestellt hatten. Drei Jahre lang hatten sie gearbeitet, getüftelt, experimentiert, verworfen und immer wieder von neuem begonnen. Wie oft hatten sie aufgeben wollen. Immer wieder mußten sie neue Gelder beschaffen. Und alles war ausgerichtet auf die Hoffnung, daß sie diesen Tag erleben würden und dies möglichst vor dem 1. Mai 1867. Denn im Mai sollte die große Weltausstellung in Paris beginnen – ein Stelldichein aller technischen Kapazitäten der Welt und natürlich der Industrie.

Tag und Nacht arbeiten die beiden Erfinder nun mit ihren Mechanikern und Schlossern. Es ist ein Wettlauf mit der Zeit. Die Maschine leistet jetzt 1,6 PS, und sie braucht nur ein Drittel der Gasmenge, die Lenoirs Motor verbrennt.

Und dann ist es soweit. Die Menschen aus aller Herren Länder strömen nach Paris. In den mit Blumen, Fahnen und Palmenarrangements geschmückten Hallen drängen sich die Schaulustigen. Überall rattern und knattern Maschinen. In der Halle der Norddeutschen Staaten verharren viele Besucher vor dem Stand, über dem ein helleuchtendes Schild verkündet: »Le moteur à Gaz, système Otto & Langen.« Die beiden Deutschen wirken nervös. Immer wieder recken sie die Köpfe. Wann kommt die Kommission, die ihr Urteil über die ausgestellten Neuerungen abgeben muß? Weltberühmte Professoren aus allen Erdteilen gehören ihr an. Endlich kommt das Preisrichterkollegium, endlich!

Die Gruppe der ehrwürdigen Herren in ihren dunklen Gehröcken verharrt nur kurz am Stand von Otto und Co. und strebt dann weiter. Doch eines der Mitglieder besteht darauf, daß man sich die seltsam stampfende Maschine aus Deutschland, die auf der Nachbildung einer griechischen Säule montiert ist, näher ansieht: Professor Reuleaux, der Freund Langens. Er hat inzwischen einen Ruf an die Berliner Universität erhalten und ist hier in Paris der offizielle Vertreter Preußens in der technischen Kommission. Reuleaux verlangt, daß sich seine Kollegen die Maschine nicht nur ansehen, sondern auch Leistungs- und Verbrauchsmessungen vornehmen lassen. Die Experten wollen nicht glauben, wie wenig Gas der Motor verbraucht. Einer behauptet sogar, Otto führe durch eine versteckte Gasleitung zusätzlichen Treibstoff heran. Das Kollegium verlangt einen Dauerlauf über sechs Stunden. Bei der Lenoir-Maschine sei dies nicht nötig, verkünden die Professoren, denn die kenne man ja seit Jahren schon, im übrigen sei sie allüberall auf der Ausstellung vertreten als Antrieb für Bäckereimaschinen etwa, für Pumpen und für Sägewerke. Otto läßt seinen Motor laufen. Stunde um Stunde. Er leistet seine Arbeit zuverlässig und gleichmäßig. Immer mehr Leute scharen sich um die Maschine. Der Zeiger des Gaszählers klettert nur sehr langsam. Ingenieure der Firma Lenoir wollen es immer noch nicht glauben, wie sparsam der Otto-Motor arbeitet. Sie suchen erneut nach einer verborgenen Zuleitung – ohne Erfolg. Schließlich bestätigt die internationale Kommsission die Überlegenheit des Otto-Motors gegenüber allen anderen Gaskraftmaschinen. Otto und Langen wird die Goldmedaille der Weltausstellung zuerkannt und im Beisein von Napoleon III. und Kaisern Eugénie verliehen.

Die Nachricht verbreitet sich wie ein Lauffeuer. Schon bei der Rückkehr aus Paris finden die beiden Kölner einen ganzen Stapel Anfragen auf ihren Schreibtischen vor. Alle technischen Zeitschriften berichten ausführlich. Langen und Otto werden zu Vorträgen eingeladen. An den Universitäten und Polytechniken ist der Otto-Motor Thema Nummer eins. Das Eis ist gebrochen. Geduld, Fleiß und Zähigkeit der beiden Erfinder haben sich gelohnt.

Natürlich ist nicht daran zu denken, daß die vielen Bestellungen in der Nikolaus-Mühle, die unter der Arbeitswut der Motorenbauer ächzt und stöhnt, erledigt werden können. Schon im Jahr 1868 werden 46 Motoren verkauft. Diese Zahl kann man nur richtig beurteilen, wenn man weiß, daß die Firma mit einer Mannschaft von einem knappen Dutzend Mitarbeitern und mit unzulänglichen Räumen und Maschinen auskommen mußte. Zwar versuchte Langen, die Produktion der Motoren anderer Fabriken zu übertragen, aber bald schon merkte er, daß nur in den eigenen Werkstätten die neue Gastkraftmaschine sachgerecht gebaut und getestet werden konnte. Fast jede Woche verließen die Werkstatt auch Motoren, die eine weite Reise vor sich hatten – nach Amerika, Rußland, England oder Ungarn zum Beispiel.

1869 zieht die Firma um. Vor den Toren des rechtsrheinischen Vorortes Deutz findet sich ein Gelände, auf dem eine schrittweise Erweiterung möglich ist.

Zuvor aber hat Nikolaus Otto ein anderes Ereignis zu feiern. Endlich kann er seine Anna heiraten, die Frau, die ihn auf seinem ganzen bisherigen Weg als Erfinder mit geradezu unglaublicher Zuversicht begleitet hat. Viele Briefe Ottos an seine über alles geliebte Braut, die sie ja zehn Jahre lang war, und Anna Gossis Tagebuchnotizen zeugen von der Standfestigkeit und von dem unerschütterlichen Glauben der jetzigen Frau Otto an den Erfolg ihres Mannes.

Doch bis zum endgültigen Durchbruch war auch jetzt noch ein schwieriges Stück Weg zurückzulegen. Trotz des Erfolges in Paris und der zunehmenden Bestellungen steckten Langen und Otto noch immer in einer Geldklemme. Oft deckte der Erlös aus dem Verkauf der Maschinen nicht einmal deren Herstellungskosten. Die von anderen Werkstätten bezogenen Maschinenteile erwiesen sich als schlecht verarbeitet und waren in der Regel überteuert. Und der Motor hatte immer noch Mucken. Allzuoft mußten die Monteure zu kostenlosen Reparaturen bei Kunden freigestellt werden. Verbesserungen in der Fabrikation hätten aber Investitionen verlangt – Geld also, das nicht vorhanden war.

Da wollte es der Zufall, daß Langen auf einer Englandreise, die er unternahm, um Werkzeugmaschinen zu kaufen, einen alten Bekannten wieder traf, einen jungen Hamburger Geschäftsmann, der jetzt in der aufstrebenden Industriestadt Manchester wohnte. Er hieß Roosen-Runge, hatte einen sehr vermögenden Vater und eine Menge Mut zum Risiko. Beide Eigenschaften ließen ihn besonders geeignet erscheinen, um als dritter Mann in die Firma Otto & Co. einzutreten. Langen führte einen ausführlichen und langwierigen Briefwechsel mit Roosen. Es gelang ihm, den Wahlengländer zu gewinnen. ». . . Die Sache, das heißt die Gasmaschine, ist eine Manneskraft wert«, schrieb er abschließend im Juni 1868,

».. . und das ist zunächst die Hauptsache, also verscheuchen Sie einstweilen jeden Schatten und kommen mit frischem Mut hierher, ich denke, es läßt sich alles zur Zufriedenheit lösen . . .«

Roosen-Runge ließ sich überzeugen. Im Herbst 1868 kam er nach Deutz und arbeitete zunächst ohne eigene Verantwortung mit. Am 1. Januar 1869 übernahm er die Geschäftsführung der neugegründeten Handelsgesellschaft Langen, Otto & Roosen. Er brachte 22 500 Taler ein und machte damit das schwer angeschlagene Firmenschiff wieder flott.

Otto konnte seine Enttäuschung nicht verhehlen. Sein Motor war es gewesen, der in Paris einen wahren Triumph gefeiert hatte. Auf dieser Basis, so glaubte er, konnte man weiterbauen. Er war überzeugt, es wäre zu schaffen gewesen, nach dem technischen auch den wirtschaftlichen Durchbruch aus eigener Kraft zu erreichen. Statt dessen hatte man ihm nun einen Geschäftsführer vor die Nase gesetzt. Anderseits war er sich aber durchaus auch der Vorteile dieser neuen Firmenkonstruktion bewußt. Seine Zukunft war gesichert. Als leitender Angestellter erhielt er ein ansehnliches Gehalt.

Doch Otto sollte noch mehr ins Abseits geraten. Obwohl die Firma nun florierte und erstaunliche Produktionszahlen erzielte (1869 baute man 87 Maschinen, 1870 waren es schon 118 und im Jahr darauf 197), sah sich der zielstrebige Langen auch im technischen Bereich nach einem neuen Fachmann um. Im Oktober 1871, nachdem der Deutsch-Französische Krieg beendet war und jeder mit einem gewaltigen industriellen Aufschwung rechnete, lagen in Deutz nicht weniger als 515 feste Bestellungen für Motoren vor. Jetzt mußte ein Mann her, der nicht nur ein Experte im Motorenbau war, sondern der es auch gelernt hatte, eine technisch komplizierte Fabrik souverän zu leiten. Vor allem aber suchte Langen einen Mann, der eine wirtschaftlich rentable Produktion aufziehen konnte.

Schon lange war er auf den Direktor der Maschinenbau-Gesellschaft Karlsruhe aufmerksam geworden, von dem man in Fachkreisen mit größter Hochachtung sprach: Gottlieb Daimler.

Einstweilen hatten Langen und Roosen beschlossen, eine Aktiengesellschaft zu gründen, die dann auch am 5. Januar 1872 unter dem Namen »Gasmotorenfabrik Deutz AG« ins Leben gerufen wurde. Otto, der natürlich damit rechnete, technischer Direktor dieses neuen Unternehmens zu werden, verpflichteten sie als kaufmännischen Leiter. Für den gesamten Bereich der Produktion aber wurde Gottlieb Daimler gewonnen. Daimler schickte gleich nach dem Vertragsabschluß seiner Frau eine Zeichnung von dem neuen Direktoren-Wohnhaus der Motorenfabrik. Über das Dach zeichnete er einen Stern und schrieb dazu: »Von hier aus wird ein Stern aufgehen, und ich will hoffen, daß er uns und unseren Kindern Segen bringt.« Der Stern ist geblieben und ziert heute noch jedes Automobil, das die Daimler-Benz-Werke verläßt.

Der Schwabe Gottlieb Daimler baute in Gemeinschaft mit Wilhelm Maybach eines der ersten Automobile.

Daimler und Otto lebten nun Wand an Wand in dem Doppelhaus, das auf dem Fabrikgelände für die Direktoren gebaut worden war. In den großen Gärten spielten die Kinder der beiden Direktoren miteinander. Sowohl Otto als auch Daimler waren große Naturliebhaber, und sie unterhielten sich gerne über die Pflanzen, die sie in den einander benachbarten Beeten zogen. Weniger einig waren sie sich über die technischen Fragen, die sich aus der täglichen Arbeit und der Weiterentwicklung des Motorenbaus ergaben.

Daimler erwies sich als ein Chef, der mit unnachsichtiger Härte seinen Mitarbeitern alles abverlangte. Otto war da ganz anders: nach außen verschlossen, oft mißtrauisch, im Innern empfindlich. Nur in seiner Familie und unter den besten Freunden gab er sich offen und gelöst. Sonst aber grübelte er viel, begann wieder eigene Konstruktionen zu entwerfen, an Verbesserungen herumzuprobieren, neue technische Wege zu suchen. Daimler wollte davon nichts wissen, und er hatte dabei zunächst Langen und Roosen auf seiner Seite. Niemand im Werk wollte mehr forschen und erfinden – Geld verdienen wollte man, und das konnte man mit der Gaskraftmaschine, die von 1868 bis 1874 in immer größeren Stückzahlen gebaut wurde. Daimler achtete darauf, die Produktionsprozesse zu rationalisieren und den einmal durchkonstruierten Motor in allen seinen festgelegten Details immer perfekter und widerstandsfähiger zu machen.

1874 aber lief der Patentschutz für den Otto-Motor ab. Ein neues Patent war nur zu erhalten, wenn die Maschine auch neue Konstruktionsmerkmale aufwies. Doch auch damit wurde nicht etwa der Erfinder des Motors, Nikolaus Otto, beauftragt, sondern ein junger, begabter Ingenieur, den Daimler nachgezogen hatte: Wilhelm Maybach. Ihm war von Anfang an klar, daß es ganz falsch gewesen wäre, am grundsätzlichen Aufbau und an der Wirkungsweise des Otto-Motors Änderungen anzubringen. Aber dem »König der Konstrukteure«, wie man Maybach später nannte, gelangen ein paar andere elegante Verbesserungen. Die Steuerwelle verwandelte er in einen Wellenstumpf mit einer Kurbel, der zentrisch in der Hauptwelle gelagert war. Außerdem baute er einen Regulator ein, der die Gaszufuhr bei Überschreitung einer bestimmten Drehzahl unterbrach. Die Kolbenstange erhielt eine Schwalbenschwanzführung an einer senkrechten Stütze. Das genügte, um die Patentbehörde in Berlin zu überzeugen. Und es brachte eine Verbesserung der Leistung. Der Motor leistete nun 3 PS statt wie bisher nur 2 PS. Sonst aber änderten die Leiter der Deutzer Motorenwerke tunlichst nichts.

Der Otto-Motor verkaufte sich so hervorragend, daß die Rendite Jahr um Jahr stieg. Bald schon erhielten die Aktionäre auf ihre Papiere pro Jahr 15 und mehr Prozent Dividende. Wer wollte da neue Wege gehen? Aus den meisten Fabriken hatte Ottos Kraftmaschine die Dampfmaschine vertrieben. Pumpen, Mühlen, Druckmaschinen, Sägewerke wurden nun rasch auf die energie- und kostensparende Gaskraftmaschine umgestellt. Otto-Motoren galten bald als unverwüstlich. Die »Flutschmaschinen«, wie sie vom Kölner Volksmund getauft worden waren, rasselten und polterten zwar, aber sie blieben nicht stehen. »Machine à diable«, Teufelsmaschine, hatten die Franzosen den Otto-Motor getauft. Eine von ihnen arbeitete 50 Jahre lang in einer Kesselschmiede, ohne auch nur einmal den Dienst zu versagen. Und als viele Jahrzehnte später die Deutzer Maschinenfabrik diesen Motor für ihr eigenes Museum erwarb, genügte es, die vergessene und völlig verstaubte Maschine zu reinigen und neu zu ölen, und schon startete sie wieder und lief in ihrem alten Rhythmus rund und genauso leistungsfähig wie fast ein Jahrhundert davor, als sie unter Daimlers penibler Aufsicht gebaut worden war.

Die Deutzer Motorenwerke stiegen nun schnell zu einer bedeutenden Weltfirma auf. 1875 wurden 634 Maschinen gebaut. 240 Arbeiter, darunter viele Schwaben, die sich Daimler geholt hatte, arbeiteten nun in Deutz. In Paris, Wien und Mailand wurden Zweigwerke errichtet.

Technische Probleme wurden mit Findigkeit und Sachverstand gelöst. Als sich einmal eine Werkstatt als zu niedrig für die hochschießende Kolbenstange erwies, bohrten Daimlers Leute Löcher in die Decke, stülpten einen Metallkasten darauf und stellten einen Tisch darüber, auf dem schon der nächste Schraubstock montiert wurde. Unter dem Tisch rumorte die Kolbenstange weiter.

Die Deutzer Gasmotorenfabrik war zu jener Zeit konkurrenzlos. Alle Hoffnungen hatten sich erfüllt.

Aber der Erfolg konnte über innere Spannungen in der Firma nicht hinwegtäuschen. Als das Berliner Patentamt Maybachs Konstruktionsänderungen schützte und damit die konkurrenzlose Produktion für weitere Jahre gesichert war, verlangte Daimler brüsk, daß dieses Patent nun seinen Namen tragen und in seinen Besitz übergehen sollte. Langen lehnte ab. Monatelang stritten Langen und Otto gegen Daimler. Schließlich trat Langen dem Schwaben Aktien im Wert von 10 000 Mark ab, um den Betriebsfrieden wiederherzustellen.

Otto, der sich nie damit abfinden konnte, an den Schreibtisch des kaufmännischen Direktors verbannt worden zu sein, begann wie zu Anfang seiner Erfinderlaufbahn wieder selbst herumzuprobieren. Und er wandte sich nun seinem alten Viertaktmotor zu. Das Problem war, daß die plötzliche Zündung des komprimierten Luft-Gas-Gemischs unkontrolliert ablief, schlagartig mit einem gewaltigen Stoß, der die ganze Maschine erschütterte. Otto stellte sich deshalb immer wieder die Frage: »Wie kann ich die Explosion eines starken Gemischs zu allmählicher Kraftäußerung bringen, und wie kann ich ein immer schwächer werdendes Gemisch immer weiter zünden?«

Wie er zur Lösung dieses Problems kam, schildert sein Biograph, Gustav Goldbeck, äußerst anschaulich:

»An einem trüben Wintertag stand Otto am Fenster seines Arbeitszimmers, jenseits des Rheins sank im Dunst der Stadt die Sonne als Scheibe in den Abend. Ermüdet von der Arbeit des Tages wollte er sich zum Gehen wenden, als ihm der kräftige Qualm eines Fabrikschornsteins drüben auf der Kölner Seite des Rheins auffiel. Merkwürdig berührte ihn die Ähnlichkeit des Rauchs mit dem oft gesehenen Rußen seines Motors bei schlechter Verbrennung. Das war doch auch ein Verbrennungsgemisch, was dort langsam in der Luft verwehte! Dicht quoll der Rauch aus der Mündung des Kamins, der schwache Wind zog die Rauchfahne lang hin. Vom schwächer werdenden Schwarz veränderte sich die Farbe bis zum hellgrauen zerflatternden Ende der Rauchfahne. Er sagte sich: Wenn dies ein Explosionsgemisch wäre, wie würde dann die Flamme sich bis in die weiteste Ferne hin fortpflanzen? Am Anfang, im dichten, schwarzen, fetten Gemisch würde eine heftige Explosion stattfinden, deren Wellen sich dann verlangsamend ausdehnen würden. Das war ja die Lösung des Problems! Er sagte sich, daß er ein Explosionsgemisch in vorher angesaugter oder im Zylinder verbliebener Luft zer-

Mehr als nur die rechte Hand Gottlieb Daimlers war der geniale Konstrukteur Wilhelm Maybach.

streuen müsse, dann würde sich ein Gemisch bilden, wie es der Rauch zeigte. An der Ansaugöffnung (vergleichbar der Mündung des Kamins) würde sich das reiche Gemisch leicht und sicher entzünden, die Explosionsstöße würden über das Kissen der verdünnten Luft stoßfrei den Kolben erreichen. Die Viertaktarbeitsfolge hatte er schon vor fünfzehn Jahren erfunden, jetzt wußte er, wie er ein schichtweise gelagertes Gemisch entzünden und den früher ungebändigten Stoß auf den Kolben beherschen konnte!«

Otto selbst hat einem Freund seine Erkenntnisse noch anschaulicher vermittelt: »Wie muß man es verwerflicherweise anstellen, ein mit zahlreichen Stockwerken und Wohnungen ausgestattetes Haus mit den geringsten Mitteln vollständig und unrettbar in Brand zu setzen? Ich würde Sorge tragen, daß in den unteren Stockwerken des Hauses, dann in der ersten und zweiten Etage jeder Raum und jeder Winkel mit leidlich brennbaren Stoffen versehen wäre. Aber den Hausflur würde ich füllen mit Heu und mit Stroh und mit petroleumgetränkten Lappen. Um die oberen Stockwerke brauchte ich mich dann wenig zu kümmern.«

Otto hatte das Erfinderfieber wieder gepackt – schlimmer noch als zwei Jahrzehnte zuvor. Er zeichnete Tag und Nacht, Skizze auf Skizze folgte, oft warf er seine neuen Ideen mit hastig geführtem Bleistift nur auf Zettelchen oder Briefumschläge. Von Langen forderte er ein eigenes Versuchslabor. Langen stimmte zu und gewährte Otto sogar einen Mitarbeiter, einen geschulten Ingenieur, der nichts anderes zu tun hatte, als dem Erfinder zur Hand zu gehen.

Daimler und Maybach waren skeptisch. Sie experimentierten mit einem neuen Treibstoff: Benzin. Das war nicht ungefährlich. Einmal kam es sogar zu einem Werkstattbrand, und als Maybach wieder einmal Versuche mit den leicht entflammbaren Benzindämpfen machte, kam es fast zur Katastrophe. Er selbst erzählt: »Herr Otto und Herr Daimler standen dabei, und ich lag niedergebeugt am Boden, eine von mir eingerichtete Einflammzündung genau zu beobachten, als plötzlich der aus Weißblech hergestellte Apparat explodierte und der ausgeschlagene Deckel über die Köpfe der Herren Otto und Daimler hinweg einem Arbeiter an den Kopf flog. Man baute daraufhin Sicherungen ein, experimentierte aber weiter.«

Otto aber konzentrierte sich ganz auf seinen Viertakter. Nach seinen Zeichnungen montierte der Ingenieur einen alten Dampfmaschinenzylinder auf den Experimentiertisch, darin sollten Kolben und Zylinder nach dem neuen Prinzip arbeiten. Sorgfältig wurden Lager, Zahnräder, Kolbenstange montiert. Otto gab Anweisungen fast wie im Traum. Er prüfte nicht, ob seine Ideen technisch abgesichert waren oder ob sie den bisherigen Erkenntnissen widersprachen. Ob Fachleute wie Daimler ihm abrieten oder das Ganze als Hirngespinst abtaten, war ihm egal. Er war sicher, auf dem richtigen Weg zu sein.

Am 9. Mai 1876 versammelt er die leitenden Männer der Deutzer Gasmotorenfabrik in seinem Versuchslabor um sich. Er wirkt sehr ruhig, obwohl sein Gesicht angespannt und bleich ist. Daimler mustert die Maschine nicht ohne Hochachtung. Widerwillig sagt er: »Das ist eine hervorragende technische Arbeit.«

Ottos Gesicht entspannt sich ein wenig. Er erklärt: »Der Kolben saugt durch das geöffnete Einlaßventil das zündfähige Gas-Luft-Gemisch an. Das ist der erste Takt. Jetzt folgt der zweite Takt: Das Gemisch wird auf etwa ein Sechstel seines Ansaugvolumens zusammengedrückt. Das ist die Kompression oder Verdichtung. Jetzt zünde ich das Gemisch. Der Verbrennungsdruck bewegt den Kolben aufwärts. Das ist der dritte Takt. Schließlich öffnet sich der Auslaß, die Gase verpuffen und der Kolben schiebt das Restgas hinaus. Das ist der vierte Takt. Und alles beginnt wieder von vorne.«

Die Umstehenden nicken ungeduldig. Das Prinzip kennen sie ja längst.

Otto legt seine Hand auf das Schwungrad des Motors. »Durch die Kompression erreichen wir höhere Arbeitsdrücke und höhere Verbrennungstemperaturen, also einen besseren thermischen Wirkungsgrad, und der Motor wird wesentlich leichter als unsere bisherigen Maschinen.«

»Vorausgesetzt, er funktioniert«, sagte Daimler.

Aber Otto läßt sich nicht mehr aus der Ruhe bringen. »Ich habe ein Diagramm gezeichnet, das den Verlauf zeigt. Wir werden sehen, ob der Motor bestätigt, was ich mir gedacht habe.«

Im gleichen Augenblick wirft Otto das Schwungrad an. Der Motor zündet und läuft sofort: gleichmäßig, rund, ruhig und so leise und erschütterungsfrei, wie noch nie zuvor ein Motor gelaufen ist. Voller Bewunderung sehen die Umstehenden dem gleichmäßigen Gang des Kolbens zu. Es ist eine Sensation! Der Kaffeehändler hat es den gelernten Konstrukteuren einmal mehr gezeigt. Das Erstaunlichste aber: Ottos Diagramm entspricht fast genau den Werten, die beim Probelauf gemessen werden.

Konstruktion, Erprobung und Fertigung des neuen Otto-Motors wurden Daimler und Maybach übertragen. Die Produktion des atmosphärischen Motors, wie er bisher gebaut wurde, ließ man langsam auslaufen. Immerhin waren 2 649 Stück davon hergestellt worden. Doch der neue Viertakter erzielte ganz andere Zahlen. 20 Jahre lang wurde er ohne wesentliche Konstruktionsänderungen gebaut und brachte es dabei auf die stolze Stückzahl von 8 321.

Der atmosphärische Motor hatte sich nur in einem kleinen Bereich der Industrie durchsetzen können. Der neue Viertakter eroberte sich die Fabrikhallen nun auf breiter Front. Daimler und Maybach gelang es, seinen Wirkungsgrad beständig zu steigern. Schon 1881 wurden Zwillingsmotoren mit nicht weniger als 50 PS Leistung verkauft. Viele Firmen schafften ihren zentralen Dampfmaschinenbetrieb ab und stellten auf den kleinen, leisen und vielseitig verwendbaren Otto-Motor um.

Die menschlichen Spannungen zwischen Daimler und Otto wurden freilich durch den neuen großen Erfolg nicht geringer. Der Streit verschärfte sich sogar noch. Daimler drängte nun darauf, den Motor auch für Fahrzeuge einzusetzen. Doch davon wollte Otto, obwohl er ursprünglich ja gerade von dieser Idee ausgegangen war, nichts wissen. Auch Langen winkte ab. Man machte so hervorragende Geschäfte, verkaufte Lizenzen in alle Welt, kam mit der Lieferung ortsfester Motoren kaum nach, was sollte man da auf ein ungewisses neues Feld vordringen und womöglich hohe Geldsummen einsetzen? Schließlich trennte man sich.

Nikolaus Otto war ein Pionier des Automobilbaus, obwohl er nie ein Auto gebaut hat; aber er hat wesentliche Voraussetzungen geschaffen, ohne die Daimler und Benz ihre ersten Automobile nicht hätten bauen können.

Vierzig Jahre nach Ottos Tod stand der Amerikaner Henry Ford vor dem ersten Viertaktmotor, der nun längst schon ein Museumsstück war. »Ohne diesen Motor«, sagte auch er voller Hochachtung, »hätte ich vielleicht nie ein Auto gebaut, er war ein Grundstein für meine Arbeit.« Eine Nachbildung des ersten Otto-Vier-takters steht auch in der Kraftmaschinenhalle des Deutschen Museums. Auf einer einfachen Tafel die Erklärung:

»Sein Motor mit verdichteter Ladung, erdacht 1861 und geschaffen 1876 in Köln-Deutz, beendet die Zeit der Vorläufer und begründet die Motorentechnik der Welt.«

Am 26. Januar 1891 stirbt Nikolaus Otto, 59 Jahre alt, in Köln.

Gottlieb Daimler und Wilhelm Maybach

Der schwäbische Dickkopf und der König der Konstrukteure

»Ich glaube, wir haben es geschafft!« Der Mann, der dies schrie, so laut er konnte, um das geräuschvolle Knattern eines Motors zu übertönen, war fünfzig Jahre alt, trug einen vornehmen blauen Anzug und hatte ölverschmierte Hände und ein rußgeschwärztes Gesicht.

Der andere Mann nickte nur. Er war zehn Jahre jünger, ebenfalls gut gekleidet und nicht weniger ölverschmiert und rußgeschwärzt als sein Gegenüber.

Zwischen den beiden stand ein seltsames hölzernes Gefährt, das von dem kräftig stampfenden Motor gerüttelt wurde.

Noch einmal rief der Ältere triumphierend: »Wir haben es geschafft!«

Das erste Motorrad, ja überhaupt das erste Fahrzeug, das mit einem Benzinmotor getrieben wurde, ratterte im Leerlauf und wartete nur darauf, zur ersten Ausfahrt gestartet zu werden. Seine beiden Schöpfer Gottlieb Daimler, der Fünfzigjährige, und Wilhelm Maybach sahen einander stolz an.

Daimlers achtzehnjähriger Sohn Paul kam aus dem Haus. Er trug eine dicke Lederjacke und einen mächtigen Schal um den Hals. Er stieg auf den breiten Ledersattel des holzrädrigen Gefährts. Behutsam schob er einen kleinen Hebel nach vorne. Ein Lederriemen, der das Hinterrad mit der Antriebsachse am Motor verband, rutschte auf eine kleine Scheibe an der Hinterachse. Das Motorrad setzte sich in Bewegung.

In einer eleganten Kurve lenkte Paul sein zweirädriges Gefährt den Gartenweg hinunter und durch das Tor auf die Taubenheimstraße im Zentrum des Städtchens Bad Cannstatt hinaus. Nervös sahen ihm Daimler und Maybach nach. Mit wehenden Haaren donnerte Paul Daimler die Straße hinunter bis zum Neckar und lenkte sein Fahrzeug dann am Fluß entlang Richtung Untertürkheim. Immer wieder betätigte der junge Mann den Schalthebel, um auszuprobieren, wie er jederzeit in eine andere Geschwindigkeit umschalten konnte. Die Menschen an den Straßenrändern glaubten, der Teufel reite persönlich daher. Ohne daß sich der junge Mann bewegte und ohne daß ein Pferd dem Fahrzeug vorauslief, knatterte es an ihnen vorbei. Schneller, als selbst der schnellste Mensch hätte laufen können. Und ausdauernd. Gefährlich sah es aus, wie hinten blaue Rauchwölk-chen herauspufften, noch gefährlicher, wie der Junge auf den hart aufschlagen-den Rädern in die Kurve ging, wobei er sich auf die Seite legte und doch nicht herunterstürzte.

Bis Untertürkheim fuhr er. Kurz bevor er umkehrte, mußte er einen Anstieg überwinden, aber auch das schaffte seine Maschine leicht. Schließlich wendete er nach drei Kilometer und steuerte sein Motorrad auf dem gleichen Weg am Nek-kar entlang zurück. Seine Augen tränten vom kalten Fahrtwind, und er konnte nur schemenhaft erkennen, wie die Menschen zusammenliefen und ihre Fäuste reckten. Wortfetzen wehten zu ihm herüber: »Teufelszeug, Höllenmaschine, Stinkrad!«

Doch Paul war viel zu glücklich, um weiter darauf zu achten. Er sang laut gegen den scharfen Fahrtwind an. Im Garten in der Taubenheimstraße standen Daim-ler, Maybach, ihre Frauen und die Kinder, die inzwischen hinzugekommen wa-ren, und warteten.

»Es wird ihm doch nichts passiert sein«, sagte Emma Daimler eins ums andere Mal.

»Wie lange er weg bleibt«, auch Berta Maybach wirkte besorgt, »ob die Ma-schine ausgefallen ist?«

»Nie und nimmer«, sagte Daimler im Brustton der Überzeugung.

»Jetzt könnte er aber langsam wieder kommen«, meinte endlich auch Maybach, dem seine Unrast zu schaffen machte.

»Ich höre etwas«, rief Daimler.

Das Motorengeräusch kam jetzt schnell näher.

Daimler und Maybach sahen einander kurz an. Sie stellten befriedigt fest, daß der Motor gleichmäßig rund lief. Jetzt erschien Paul auf seinem Motorrad, noch einmal schaltete er in den schnelleren Gang, dann in den Leerlauf. Die Maschine holperte den Gartenweg herauf und blieb dicht bei Daimlers Gartenhaus stehen.

»Wo warst du bloß«, rief Emma Daimler. Die Angst, die sie ausgestanden hatte, war ihr noch anzusehen.

»Einmal Untertürkheim und zurück«, sagte Paul lachend.

»Ein seltsames gasmotorgetriebenes Fahrzeug, das in der Daimlerschen Werk-statt zu Cannstatt gebaut wurde, machte gestern seine erste Fahrt«, schrieb an-derntags die Cannstatter Zeitung. Und weiter: »unter dem Sitze des Velozipeds befindet sich der Motor, der eine halbe Pferdekraft stark ist; er findet zwischen den Beinen des Reiters bequem Platz. Der Motor saugt das zum Betriebe not-wendige Petroleum selbständig aus dem Reservoire ein, und der Radfahrer braucht nur die Menge des Zuflusses durch einen Hahn zu regulieren. Wenn der Motor in Gang gesetzt werden soll, so wird unter dem Glührohr eine kleine Lampe entzündet und der Motor mittels der Kurbel kurz angedreht. Diese Vor-bereitung ist in einer Minute geschehen. Der Motor arbeitet ruhig, da zur Dämp-

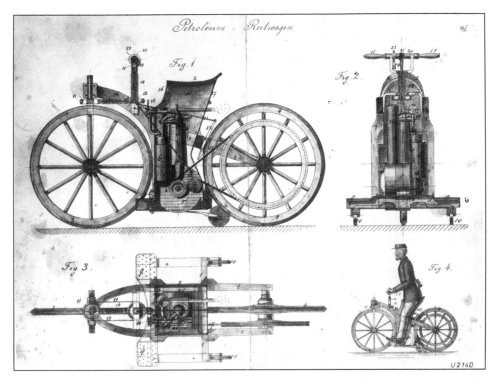

Auszug aus einer Patentanmeldung Daimlers, die dem Reichspatentamt in Berlin einiges Kopfzerbrechen bereitete.

fung des Auspuffes in die Auspuffleitungen ein Auspufftopf eingeschaltet ist. Das Rad steht noch still. Soll es in Bewegung gesetzt werden, so besteigt der Radfahrer dasselbe, ergreift das Steuer und bringt den Motor mit dem Velozipedrade in Verbindung. Dies geschieht durch den Hebel, die Schnur und die Spannrolle; durch diese wird nämlich der Treibriemen gegen die Scheiben angezogen. Die Riemenscheiben dienen zur Erzielung verschiedener Geschwindigkeiten; wird der Treibriemen in die obere Lage gebracht, so fährt das Fahrrad langsam, von der unteren Lage aus erzielt er ein schnelleres Fahren. Die Bremse wird durch eine Schnur angezogen, die für den Fahrer bequem erreichbar ist. Will man das Fahrzeug zum Stillstand bringen, so schaltet man durch einen Hebel zwischen Sitz und Lenkrad den Treibriemen aus und alle Bewegung hat ihr Ende.«

»Wir haben es geschafft«, hatte Gottlieb Daimler seinem Freund Maybach zugerufen. Darin freilich täuschte er sich. Der Motor lief zwar, und das Veloziped bewegte sich auch, aber geschafft hatten sie »es« noch lange nicht. Denn eine Erfindung zu machen und zu erproben war eine Sache, Anerkennung damit zu finden und Geld damit zu verdienen eine andere. Zwar steckte in diesem Veloziped, das gerade mit immerhin 18 Kilomter pro Stunde durch Cannstatt und Untertürkheim gebraust war, die Keimzelle der Motorisierung des gesamten Straßenverkehrs, aber Daimler und Maybach hatten noch einen langen Weg vor sich, bis ihre motorisierten Fahrzeuge allgemeine Zustimmung fanden. Ob sie die Bedeutung ihrer gemeinschaftlichen Erfindung damals am 10. November 1885 erahnen konnten, wissen wir nicht. In jedem Auto, das heute gebaut wird, vom 2 CV bis zum Zwölfzylinder Turbolader, steckt noch ein Stück des Velozipeds von damals. Die beiden Konstrukteure hatten im Prinzip alles bereits erfunden, was ein Automobil ausmacht.

Und sie hatten viel dafür geopfert. Ihr Geld und ihre gut bezahlten festen Anstellungen hatten sie riskiert, um ihre Idee, selbstfahrende Kutschen zu bauen, zu verwirklichen.

Der junge Gottlieb Daimler hatte zudem keine Gelegenheit ausgelassen, sich aus- und fortzubilden. Nie blieb er in einer Firma länger, als bis er alle wichtigen Kenntnisse erworben hatte, die es dort zu erwerben gab. Ganz gezielt suchte er sich auch Anstellungen in Frankreich und Großbritannien und dort jeweils in den technisch fortgeschrittensten Unternehmen. In England beispielsweise arbeitete er von 1861 bis 1863 nacheinander in einer Kesselschmiede, einer Fabrik für mechanische Webstühle und schließlich bei einer Firma, die Präzisionsinstrumente herstellte. Wo immer sich die Gelegenheit bot, besuchte er Vorlesungen an technischen Hochschulen und Universitäten, er las regelmäßig die wichtige Fachliteratur und korrespondierte mit Ingenieuren und Professoren in aller Welt.

Als Daimler 1863 nach Deutschland zurückkam, arbeitete er, ebenso wie in England, nacheinander in verschiedenen Firmen. 1869 schließlich wurde er als Vorstand aller Werkstätten – heute würden wir sagen als technischer Direktor – in die Maschinenbau-Gesellschaft Karlsruhe berufen. Er war dort zuständig für den Bau von Lokomotiven und Dampfmaschinen, mußte sich um die Fabrikation von Werkzeugmaschinen und Turbinen kümmern und entwarf selbst technisch komplizierte Eisenkonstruktionen für kühne Brückenbauten.

Gottlieb Daimler arbeitete oft 16 Stunden am Tag und mehr. Aber trotzdem setzte er sich zu Hause Abend für Abend hin, um an seinem »leichten und schnellaufenden Motor« herumzutüfteln. Aber so begabt er als Techniker war, so sehr hatte er Schwierigkeiten mit dem Umsetzen seiner Ideen in exakte Konstruktionszeichnungen. Da erinnerte er sich an einen jungen Mann, den er schon als Lehrling kennengelernt hatte: Wilhelm Maybach. Ihn holte er zu sich nach Karlsruhe. Die beiden ergänzten einander ideal, und sie blieben nun fast bis zu Daimlers Tod zusammen.

Was die beiden in Karlsruhe entwarfen und konstruierten, wurde bald in ganz Deutschland bekannt. Daimler hatte viele Freunde an den technischen Hochschulen und in den Konstruktionsbüros der führenden Industrieunternehmen. So wurde man auch in Köln-Deutz auf ihn aufmerksam. Dort zeichnete sich zu jener Zeit die wichtigste Entwicklung auf dem Gebiet des Verbrennungsmotors ab. Nikolaus Otto, Teilhaber und Mitbegründer der Firma »Gasmotorenfabrik Deutz«, ein ehemaliger Reisender in Lebensmitteln, der sich sein ganzes technisches Wissen im Selbststudium angeeignet hatte, führte in Deutz das Regiment. (Siehe Kapitel 1.) Er hatte, gemeinsam mit seinem Kompagnon Eugen Langen, 1867 den ersten brauchbaren Gasverbrennungsmotor entwickelt und dafür auf der Weltausstellung in Paris die Goldmedaille erhalten. Um die Produktion im großen Stil anzukurbeln, brauchte man einen Ingenieur, der Erfahrung im Konstruieren hatte und dem man auch die Organisation einer Großproduktion zutrauen konnte. Daimler war dafür der Richtige.

Langen, der kaufmännische Direktor in Deutz, lud Daimler zu einem Gespräch ein. Er dachte, Daimler würde sofort geschmeichelt zusagen. Aber er mußte schnell feststellen, daß er es mit einem sehr selbstbewußten schwäbischen Dickkopf zu tun hatte.

»Ich könnte mir schon überlegen, zu Ihnen zu kommen«, sagte Daimler beim ersten Gespräch, »aber da muß alles stimmen.«

»Das wollen wir ja auch«, sagte Langen freundlich.

»Also«, gab Daimler zurück, »ich verlange, daß ich Mitglied des Direktoriums werde und daß Sie mir die Werkstätten, die Zeichenbüros und alle Entscheidungen über das Personal und die Materialbeschaffung unterstellen und daß mir in diesen Bereichen niemand dreinreden wird!«

»Das ist aber ziemlich viel.«

»Aber noch lange nicht alles«, sagte Daimler. »Sie zahlen mir jährlich 1 500 Taler Gehalt.«

Langen hob entsetzt die Hände. »Unmöglich.«

Aber Daimler fuhr unbeirrt fort. »Außerdem will ich 5 Prozent vom Reingewinn des Unternehmens.«

»Über das Gehalt könnte man ja vielleicht reden«, sagte Langen vorsichtig, aber ...«

Daimler unterbrach ihn: »Was den Gewinn anbetrifft, so werden Sie mir auf jeden Fall pro Jahr 1 500 Taler garantieren, auch wenn die 5 Prozent vom Reingewinn darunter liegen sollten.«

Langen erhob sich und ging nervös auf und ab. »Herr Daimler, es ist wirklich mein sehnlichster Wunsch, Sie für uns zu gewinnen, aber ...«

Daimler unterbrach ihn erneut. »Und wenn Sie dann noch meinen bewährten Mitarbeiter Maybach einstellen, ihm die Leitung des Konstruktionsbüros übertragen und jährlich 600 Taler bezahlen, können wir möglicherweise handelseinig werden.« Langen diskutierte noch eine ganze Weile mit Daimler, aber der wich in keinem Punkt von seinen Forderungen ab. Am Ende wurden ihm auch alle erfüllt.

Am 1. August 1872 fing der neue technische Chef in Deutz an. Er fand eine kleine Fabrik mit 20 Arbeitern vor, aber neue Werkstätten waren bereits im Bau. Sie wurden nun nach Daimlers Angaben ausgerüstet. Schon in den ersten Wochen machte sich Daimler bei Langen und bei Otto unbeliebt. »Die Gaskraftmaschine ist ein derart empfindliches Instrument, daß sie mit sehr viel mehr Genauigkeit konstruiert und gebaut werden muß, als dies bisher hier geschehen ist«, sagte er zu Langen. Das bedeutete aber nichts anderes, als daß bisher geschludert worden sei.

Das wollten sich Otto und Langen natürlich nicht nachsagen lassen. Aber Daimler blieb stur. Er ließ seine Vorgesetzten wissen, daß »die Arbeiter, die mir in Köln und Deutz zur Verfügung stehen, meinen Anforderungen nicht genügen. Ich bin gezwungen, diese Leute zur Arbeitsgenauigkeit zu erziehen und teilweise durch Maschinenbauer zu ersetzen, die ihr Handwerk besser verstehen.«

Ungerührt stellte Daimler für die leitenden Positionen Landsleute ein. Bald schon wurde in Köln, Deutz und Mühlheim, wo unter Daimlers Leitung immer bessere und immer mehr Otto-Motoren gebaut wurden, mehr schwäbisch als rheinisch gesprochen. Die neuen Leute waren fleißig und in der Herstellung und Bearbeitung der Motoren fast schon übergenau. Nikolaus Otto sagte einmal widerstrebend: »Es ist seltsam mit diesen Schwaben, die reden die Hälfte und arbeiten das Dreifache von unseren Leuten.« Die heimischen Arbeiter aber ärgerten sich über das »Schwabennest« in ihrem Betrieb, und sie sahen es mit Verdruß, wie Daimler seine Landsleute geradezu als Familienangehörige behandelte. Anderseits verschafften sich die Neulinge aus Schwaben aber auch Respekt. Daimler hatte zahlreiche Verbesserungen an der Maschine erreicht; und die sorgfältige Art, mit der er jedes einzelne Stück ausführen ließ, brachte den Otto-Motoren schnell den Ruf ein, sie seien die besten und haltbarsten auf dem Markt. Schon in seinem ersten Arbeitsjahr im Rheinland brachte es Daimler auf 25 Maschinen pro Monat (davor waren es knapp die Hälfte gewesen). Im darauffolgenden Jahr schaffte er mit seiner Mannschaft 50 Maschinen pro Monat, im November 1874 waren es dann bereits 70 und wieder ein Jahr später 100. Daimler hatte in drei Jahren die Produktion verzehnfacht.

Zäh und zielsicher verbesserte er den Otto-Motor. Am 13. Mai 1874 reichte er beim Patentamt in Berlin eine Weiterentwicklung des bisherigen Zweitakters ein. Auf zwölf Seiten beschrieb er den neuen Motor, der bei gleichem Zylinderdurchmesser die doppelte Wirkung erzielte. Daimler hatte es geschafft, statt 30 nunmehr 60 Kolbenhübe pro Minute zu erzielen. Dabei brauchte er fast nur noch die Hälfte Gas. Er hatte die Zündung wesentlich verbessert und einen Regulator eingebaut, der die Maschine gleichmäßiger laufen ließ. Zudem war es ihm und Maybach gelungen, die Geschwindigkeit der Kolbenbewegungen zuverlässiger zu steuern. Selbstbewußt schrieb Daimler an den Minister für Handel, Gewerbe und öffentliche Arbeiten, Dr. Achenbach, in Berlin: »Solche Fortschritte erwachsen nur aus langer Arbeit und mühevollen, kostspieligen Versuchen.«

In dieser kleinen Werkstatt in der Cannstatter Taubenheimstraße entstand das »Veloziped«.

Der neue Motor zeigte, was Daimler auf lange Sicht vorhatte. Er wollte die Kraftmaschine immer leichter und einfacher machen. Sein Ziel war ein schnell-laufender Motor, der nicht nur 60, sondern 600 oder gar weit über 1 000 Kolben-hübe in der Minute schaffte.

Daimler hatte inzwischen auch Versuchsstände gebaut. Und er bestand darauf, daß keine Maschine das Werk verließ, die nicht im Probelauf bewiesen hatte, daß sie ohne den geringsten Fehler lief. Zu Langen sagte er einmal: »Solange ich hier bin, verlassen nur Maschinen das Haus, die durch ihre Vortrefflichkeit für immer neue Bestellungen werben« – ein Prinzip, dem er ein Leben lang treu ge-blieben ist. Auch später, als er sein eigenes Werk in Cannstatt hatte, bestand er darauf, daß jedes einzelne Gerät, das durch die Fabriktore hinausging, im Ver-gleich mit der Konkurrenz besser abschloß.

Daimler konnte dabei unglaublich stur sein. So kam es vor, daß Langen und Otto für die Erweiterung der Fabrik Pläne bereits gutgeheißen und verabschiedet hatten und Daimler alles trotzdem noch einmal umwarf. Er bestand darauf, daß die Werksanlagen nur nach seinen Vorstellungen gebaut wurden und setzte sich jedesmal gegen Otto und Langen durch.

Den beiden wurde das freilich mit der Zeit zuviel. Immer häufiger kam es zu Reibereien. Otto fühlte sich zurückgesetzt und nicht genügend respektiert. Schließlich war es ja seine Erfindung, um die es ging, und sein Werk, das mit seinem Geld begonnen worden war. Doch wenn er dies zu Daimler sagte, konterte der: »Ich bin hier angestellt, um die bestmöglichen Motoren zu bauen. Und solange ich dafür zuständig bin, wird es halt so gemacht, wie ich es sage und kein Haar anders.« Nikolaus Otto war nicht gewillt, sich dies auf Dauer gefallen zu lassen. Otto, der selbst kein ausgebildeter Techniker, aber ein genialer Erfinder war, fühlte sich von Daimler an die Wand gedrückt. Daimler brachte es sogar fertig, Otto vor allen anderen zu blamieren, wenn dieser sich in einer technischen Frage einmal nicht fachmännisch genug ausdrückte.

Da erfuhr man in Deutz, daß es im Juli 1875 einem sächsischen Konstrukteur namens Sternberg gelungen sei, eine Hochdruckkraftmaschine zu konstruieren, die angeblich ungleich leistungsfähiger war als der Otto-Motor. Demnächst werde diese neue Konstruktion wohl das Patent erhalten. Ein Freund Langens, der diese Nachricht als erster erfuhr, schrieb: »Für euch heißt das: Der Krieg ist da! Alle Mann auf Deck und das schnell, ehe die Katastrophe von außen euch nötigt. Ihr müßt jetzt in aller Stille an Experimente herangehen. Noch weiß niemand außer einem kleinen Kreis von der Verbesserung und ihr habt einen Vorsprung, da doch Otto eine Reihe von Ideen vorbereitet hat. Ihr müßt sofort neue Versuchsapparate in Angriff nehmen.«

Otto kramte alte Konstruktionszeichnungen hervor. Er hatte schon einmal die Idee gehabt, einen Viertaktmotor zu bauen. Dabei sollten vier Zylinder mit einer Welle verbunden werden. Der Arbeitskolben wurde durch ein Schwungrad zunächst in Gang gebracht, hob sich dabei vom Zylinderboden und bewegte sich in Richtung Kurbel. Dabei saugte er durch eine Öffnung unten am Zylinder das Gas-Luft-Gemisch an. Dann senkte sich der Kolben wieder und preßte dieses Gemisch zusammen. Sobald die Mischung aus Gas und Luft genügend zusammengedrückt war, wurde ein elektrischer Funke in den Zylinder hineingeschickt, der das Gemisch zündete und es zur Explosion brachte. Der Kolben wurde hochgepeitscht. Beim Zurücksinken schob er das verbrannte Gas durch eine Öffnung aus dem Zylinder hinaus. Nun konnte neues Gas einströmen. Otto plante, vier Zylinder nebeneinander zu montieren. In jedem Zylinder sollten zwei Kolben tätig sein. Ein Arbeitskolben und ein freifliegender Kolben, der den starken Explosionsdruck abmildern sollte.

Aber die Maschine hatte nie richtig funktioniert. Sie ratterte und polterte, lief ungleichmäßig und war so schwer in Gang zu bringen, daß Otto davon abgesehen hatte, die neue Idee eines Viertaktmotors weiterzuverfolgen. Nun griff er die Gedanken von damals wieder auf. Gemeinsam mit Daimler und Maybach versuchte er, die Fehler seiner ersten Maschine zu beheben.

Es gelang durch immer neue Verbesserungen, dem Viertakter mehr Laufruhe zu geben. Auch das Anwerfen wurde immer einfacher. Die Konstrukteure entwikkelten einen Schieber, der den Zündfunken im idealen Moment in den Zylinder hineinließ. Aber noch immer war dies ein Motor, der an der Gasleitung hing, die von einer Gasanstalt gespeist wurde und Kohlegas heranführte. Daimler aber hatte schon lange die Idee, daß es möglich sein müßte, im Motor Gas zu erzeugen. Als der Viertaktmotor gerade so weit entwickelt war, daß er einer staunenden Öffentlichkeit vorgestellt werden konnte, war Gottlieb Daimler auch mit einer Nebenarbeit fertig: Er hatte eine »Atmosphärische, doppelwirkende Gas- und Petroleum-Kraftmaschine« entworfen, die dem späteren Benzinmotor schon sehr nahekam. Daimlers Idee war es, die Zylinderfüllung automatisch im Motor aufzubereiten und dazu ein explosives Gemenge aus Petroleum-Destillaten (heute nennen wir das Benzin) und Luft herzustellen. Nichts anderes geschieht in den Vergasern unserer heutigen Motoren.

Doch zunächst trat Ottos feststehender Viertaktmotor seinen Siegeszug an. Nikolaus Otto war mit Recht stolz auf seine neue Maschine, die auf seinen Namen patentiert wurde. Daimler, der nie mit etwas ganz zufrieden war, begann aber sogleich an dem Motor herumzuverbessern. Ihm ging es vor allem darum, zuverlässigere Zündmechanismen zu finden. Ideal wäre es gewesen, wenn die Zündung im Zylinder hätte stattfinden können und keine besondere Steuerung durch den Schieber mehr verlangt hätte. Nur so wäre es möglich gewesen, die Explosion im Innern des Zylinders noch zu verstärken und ohne Kraftverlust voll zu nutzen. Gleichzeitig war ein solcher Zünder auch die Voraussetzung für einen Motor, der überall zu verwenden war und nicht mehr an einer festen Gasleitung hängen mußte wie an einer Nabelschnur.

Nikolaus Otto wollte von Daimlers Idee nicht viel wissen. Überhaupt war ihm der Schwabe inzwischen von Herzen zuwider. Als der Viertaktmotor fertiggebaut war und unter dem Namen »Ottos neuer Motor« zum Patent angemeldet werden sollte, erhob Daimler Einspruch, weil er der Meinung war, daß er mindestens genausoviel Anteil an dieser Entwicklung hatte wie Otto. Nun ging er dem Firmengründer mit seinen ständig neuen Verbesserungsvorschlägen auf die Nerven. Otto sah darin eine unzulässige Kritik an seiner Schöpfung. Schließlich sprach alle Welt mit größter Hochachtung von Ottos neuem Motor, und die Maschine verkaufte sich über alle Erwartungen gut. Was sollte er da mit Daimlers neuen Ideen?

»Die beiden sind wie Feuer und Wasser«, schrieb Langen an einen Freund, »und können sich nie befreunden, weder geschäftlich noch persönlich, trotzdem sie dieselben Interessen haben.«

Im Jahr 1881 reiste Daimler auf Wunsch des Deutzer Direktoriums nach Rußland, um dort die Absatzmöglichkeiten für Otto-Motoren zu erforschen. Er besuchte Moskau, Riga und St. Petersburg, die damalige Hauptstadt. Dabei betrieb er nicht nur die Geschäfte der Deutzer Gasmotorenfabrik. Er knüpfte viele Kontakte, unter anderem auch für einen Fabrikanten aus Rottweil, der Schießpulver herstellte und für den er in mühevollen Verhandlungen die Voraussetzungen für den Bau von zwei Zweigwerken in Rußland schaffte. Dieser Pulverfabrikant namens Duttenhofer sollte später Daimlers Geschäftspartner werden. Daimler, der nicht nur verhandelte, sondern in St. Petersburg auch die Theater, das Ballett und Konzerte besuchte und sein Skizzenbuch mit Zeichnungen füllte, beschäftigte sich auch mit der Erdölförderung und der Herstellung von Petroleum in Rußland, denn die Idee, eines Tages einen Motor mit Benzin anzutreiben, verließ ihn nie.

Nach dreimonatiger Reise kam Gottlieb Daimler am 15. Dezember 1881 wieder in Deutz an. Sofort unterrichtete er das Direktorium von seinen Beobachtungen und Erfahrungen. Er muß sehr begeistert gewesen sein. Und da kam Nikolaus Otto die Idee, wie man den lästigen Rivalen elegant loswerden könnte. Er bot Daimler an, in St. Petersburg ein Zweiggeschäft zu errichten, dessen Leitung er übernehmen sollte.

Daimler schien zunächst nicht abgeneigt zu sein. Auch er hatte die Nase voll von den ständigen Auseinandersetzungen mit Otto. Und er wußte nur zu genau, daß niemand in Deutz daran dachte, seinen schnellaufenden, ortsunabhängigen Motor zu bauen. Für ihn ging es vermutlich nur noch darum, sich so geschickt wie möglich von der Deutzer Motorenfabrik zu lösen. Hätte er nämlich selbst gekündigt, dann hätte er auf lange Jahre nicht auf dem Gebiet des Motorenbaus arbeiten dürfen, das verlangte eine sogenannte Konkurrenzausschlußklausel in seinem Vertrag. Wenn aber er von der Firmenleitung gekündigt wurde ... Gottlieb Daimler legte bei der nächsten Sitzung des Direktoriums einen Arbeitsvertrag für seine neue Position in St. Petersburg vor, der völlig unannehmbar war. So verlangte er, daß der Vertrag nach seinem Tod automatisch auf seine Erben überginge und daß er nur einseitig von ihm gekündigt werden könne. Man trennte sich.

Nun war Daimler ohne Arbeit, herzkrank, aber auch sehr wohlhabend, denn die Deutzer zahlten ihm eine hohe Abfindung. Andere hätten sich in dieser Situation zur Ruhe gesetzt, aber Daimler war eben nicht der Typ eines Frührentners. Und so beschloß er, mit achtundvierzig Jahren, noch einmal von vorne anzufangen. Daß Maybach mitmachen würde, war für ihn selbstverständlich, Maybach selbst hatte seine Bedenken. Er hatte an Daimler einige Charaktereigenschaften festgestellt, die ihm gar nicht paßten, obwohl er dank seines Könnens und seines verträglichen Wesens nie in die Schußlinie Daimlers geraten war.

Da ihn aber weder Otto noch Langen zum Bleiben in Deutz aufforderten (sie hätten ihn gerne behalten, dachten aber, daß er selbstverständlich mit Daimler gehen würde), biß Maybach in den sauren Apfel und folgte Daimler in eine ungewisse Zukunft. Die lag, der Mineralquellen wegen, die Daimlers Herzleiden lindern sollten, in Cannstatt bei Stuttgart, und hier ging es erst richtig los.

Daimler erwarb eine Villa an der Taubenheimstraße und begann sofort das Gartenhaus zu einer Werkstatt umzubauen. Im Garten legte er eine Grube für Benzinfässer an, die über eine Winde hinuntergelassen und heraufgezogen werden konnten – die erste Tankstelle der Welt. Die Wege ließ er vorsorglich so breit und fest anlegen, daß darauf Fahrversuche mit motorisierten Kutschen unternommen werden konnten – die erste Versuchsstrecke der Welt. Zwischen der Villa und dem Gartenhaus ließ er einen Holzschuppen bauen – die erste Garage der Welt.

Im geräumigen Gartenhaus des Anwesens Taubenheimstraße 13 richteten die beiden nun ihre Werkstatt ein. Die Fenster verhängte Daimler sorgfältig; denn er wollte den Fortschritt seiner Arbeit streng geheim halten.

Daimlers Hausdiener, ein braver Mann namens Weinbuch, freilich war alles, was sein Herr trieb, absolut ungeheuer. In dem verhängten Gartenhaus klopfte, hämmerte und knatterte es in einem fort, und er durfte nicht einmal hinein, um sauberzumachen.

Sommer 1883. Auf der kleinen Polizeiwache in Cannstatt erscheint ein Mann und stellt sich als Joseph Weinbuch, Hausdiener bei Gottlieb Daimler in der Tau-

Die Daimler-Werkstatt, in der der übereifrige Polizeiwachtmeister Erhardt eine Falschmünzerei vermutete.

benheimstraße vor. »Ich muß etwas anzeigen«, sagt er zu Wachtmeister Erhardt und Unteroffizier Sieger, die an diesem Tag Dienst haben. »Mein Herr hat sein Gartenhaus ausgebaut, aber dann gleich alle Fenster und Türen verhängt. Tag und Nacht arbeitet er da drin zusammen mit seinem Freund, dem Herrn Maybach.«

»Da ist doch nichts Besonderes dabei, wenn einer fleißig ist«, sagt Wachtmeister Erhardt.

»Aber es klopft und rattert, brummt und knattert da drin. Nicht einmal durchs Schlüsselloch kann ich was erkennen, und wenn ich zu nahe an das Gartenhaus herangehe, werde ich geschimpft.« Ja, was er denn vermute, fragt der Unteroffizier Sieger. »Ich glaube, daß der Herr Daimler Falschgeld herstellt.«

Jetzt werden die beiden Polizisten aufmerksam. »Aber der Herr Daimler ist ein angesehener Mann«, sagt Erhardt, »er ist vermögend und hat als Ingenieur einen guten Ruf.«

»Ja dann fragen Sie sich doch einmal, warum er so vermögend ist«, fährt Weinbuch dazwischen. »Und wenn er nichts zu verbergen hat, warum dann alle diese Heimlichkeiten?«

Die beiden Polizisten beschließen, daß man einmal nach dem Rechten sehen sollte, aber keiner von ihnen traut sich, einfach zu Gottlieb Daimler hinzugehen und das Gartenhaus zu durchsuchen. Erhardt veranlaßt deshalb Weinbuch, einen Nachschlüssel zu besorgen. Man will nachts unbemerkt den Tatort aufsuchen.

Die Nacht ist wolkenverhangen. Es nieselt ein wenig, als die beiden Polizisten am Gartentor des Daimlerschen Anwesens erscheinen. Weinbuch wartet schon. Er hat den Wachhund bei sich und beruhigt ihn mit sanften Worten, damit er beim Anblick der beiden Uniformierten nicht bellt.

Erhardt nimmt den Nachschlüssel und geht auf das Gartenhaus zu. Vorsichtig dreht er den Schlüssel, die Tür gibt quietschend nach. Schnell hält Erhardt inne. Er sieht zu Weinbuch hinüber und flüstert: »Die Tür müßte einmal geölt werden.« Weinbuch zischt zurück: »Ich darf ja nicht heran an das Haus, da kann ich auch die Angeln nicht schmieren.« Sieger zündet jetzt die Blendlaterne an, die gebündeltes Licht in den dunklen Raum hineinwirft. Nacheinander holt der Lichtstrahl Gegenstände aus der Nacht: einen Schmiedeofen mit einem Blasebalg, daneben einen kleinen Amboß, auf einem Tisch liegen Zirkel, Hammer, Meißel und Schraubenschlüssel; am Boden stehen ein paar Räder. Mitten im Raum, auf einem alten Rupfensack, liegt ein ölglänzender Zylinder aus Gußeisen. In der Ecke steht ein Kanonenofen, darauf ein Topf mit Essensresten.

Nirgendwo ist ein Gerät zu finden, mit dem man Münzen hätte prägen können, auch sonst wirkt der Raum nur wie die Werkstatt eines Schlossers. Erhardt und Sieger können nichts Verdächtiges entdecken. Schnell ziehen sie sich zurück, schließen sorgfältig die Tür und schleichen durch den weitläufigen Garten zu-

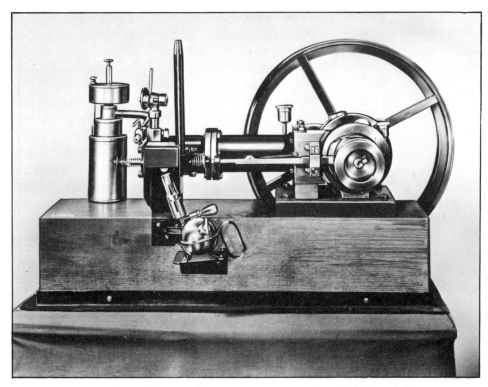

Der erste liegende Daimler-Motor war im Jahr 1883 betriebsbereit.

rück. Sieger leuchtet noch die Umgebung ab. Da ist eine Grube, in der Fässer liegen, eine Gasleitung führt, halbverdeckt von Laub und Gras, von der Grundstücksgrenze bis zum Gartenhaus, die Wege sind ungewöhnlich breit angelegt.
Aber all das kann den Wachtmeister nicht davon überzeugen, daß da Unrechtmäßiges geschieht. Am Gartentor treffen die drei Männer wieder zusammen. Am
Horizont zeigt sich die erste Morgenhelligkeit. »Nichts«, sagt Erhardt. »Da haben wir uns die Nacht umsonst um die Ohren gehauen«, brummt Sieger.
Aber Weinbuch scheint erleichtert zu sein. »Ich bin ja so froh«, sagte er, »daß
mein Herr nichts Unrechtmäßiges treibt.«
Die drei Männer geben sich die Hand und versprechen, niemandem etwas von
ihrer nächtlichen Suchaktion zu erzählen. Tatsächlich schwiegen sie auch –
30 Jahre lang. Dann erst, lange nach Gottlieb Daimlers Tod, erzählte der inzwischen pensionierte Unteroffizier Sieger in einer Wirtschaft davon, nachdem er
ein paar Gläser zuviel getrunken hatte.
Die Geschichte machte schnell die Runde, denn Daimler war jetzt weltberühmt,
seine Automobile fuhren auf den Straßen in ganz Europa und in Amerika. In
Cannstatt stand ein großes Werk – die Daimler Motoren Aktiengesellschaft.

In jener Nacht, als der Hausdiener Weinbuch mit den beiden Polizisten in das Gartenhaus eingedrungen war, hatten Daimler und Maybach bereits große Fortschritte gemacht. Sie waren schon soweit, einen Zweitaktmotor so auszustatten, daß mitgeführtes Benzin in einem Vergaser für die Kolbenexplosion aufbereitet werden konnte. Nach Maybachs Plänen wurde in einer Glockengießerei ein Motor gegossen, der wie eine Standuhr aussah und später auch so genannt wurde und den Daimler in eine Kutsche einbauen wollte.

Der wesentliche Fortschritt war ein neuer Zündungsmechanismus, den Daimler in seiner Patentschrift selbst so beschrieb: »Die Neuerungen in Gas- und Ölmotoren bestehen in dem Verfahren, in einem geschlossenen, wärmegeschützten oder nicht gekühlten Raum am Ende eines Zylinders Luft mit brennbaren Stoffen (Gasen, Dämpfen, Öl usw.) gemischt durch einen Kolben so zusammen- oder gegen die heißen Wände des Raumes zu pressen, daß am Ende des Kolbenhubes durch die Wirkung der Kompression eine Selbstzündung . . . und rasche Verbrennung der ganzen Masse des Gemisches eintritt.«

Damit hatte Daimler eine wesentliche Voraussetzung für die Entwicklung eines kleinen, leichten und schnellaufenden Motors geschaffen.

Am 15. August 1883 wurde die »Standuhr« von der Gießerei Kurtz geliefert. Der Motor leistete 900 Umdrehungen in der Minute. Im gleichen Jahr gelang es Daimler, diesen Motor zum erstenmal mit Gas aus einem eigenen Vergaser in Gang zu setzen, der ein Benzin-Luft-Gemisch herstellte. Daimler ging jetzt daran, »jedermann sein eigenes Pferd« zu schaffen, wie er es ausdrückte – ein Fahrzeug, das die Kraftquelle selbst mit sich führte. Er schaute sich nach einem geeigneten Fahrzeug um, in das er seinen Motor einbauen konnte. Zu der Zeit war gerade das Veloziped – ein Vorläufer unseres Fahrrads – beliebt, aber es hatte ein sehr hohes Vorderrad und ein kleines Hinterrad und wirkte viel zu zerbrechlich, um neben seinem Fahrer auch noch einen Motor zu verkraften.

Im Frühjahr 1885 kam zum erstenmal ein sogenanntes Niederrad auf den Markt. Und schon am 29. August 1885 reichte Daimler ein Patentgesuch für das erste Motorrad ein, das nichts anderes war als die Motorisierung dieses Niederrades. Das Fahrzeug war ganz aus Holz gebaut, die Räder waren mit einem Eisenreifen beschlagen.

Das neue Motorrad ratterte zunächst auf den Wegen des weitläufigen Daimlerschen Gartens auf und ab. Meistens bei Nacht, denn sein Erfinder wollte nicht, daß es schon Zeugen für die Fahrten gab, ehe er alle Mängel beseitigt hatte.

Dann aber war es soweit. Am 10. November 1885 bestieg Daimlers ältester Sohn Paul die Maschine und startete zu jener ersten Fahrt über die Straßen Cannstatts und Untertürkheims.

Für Daimler war die erste größere Ausfahrt mit seinem Motorrad eine ganz entscheidende Sache. Jetzt hatte er bewiesen, daß sein neuer Motor in der Lage war, jedes Fahrzeug anzutreiben.

Schon ein paar Wochen später erschien er bei der Stuttgarter Firma W. Wimpff & Sohn, Königlicher Hoflieferant für Wagenbauten aller Art. Er wurde vom Seniorchef persönlich beraten.

»Meine Frau hat am 29. April ihren 43. Geburtstag«, sagte Daimler, »da möchte ich ihr einen besonders schönen Wagen schenken.«

Wimpff empfahl das Modell »Americain«. Das Fahrgestell sei besonders stabil, sagte er, »es ist erst am 23. März mit der Eisenbahn in Stuttgart angekommen und stammt von einer Hamburger Firma. Die Rädle sind aus Amerika. Jedes einzelne kostet mich 75 Mark.«

Daimler hatte noch ein paar Sonderwünsche. Er wollte eine bessere Polsterung »aus schwarz Leder und statt Schnür mit lauter Stäben gefaßt«, außerdem verlangte er »eine Laterne mit weitreichendem Schein« und eine neue Lackierung »dunkelblau und doppelt rot eingefaßt«.

»Das ist aber unmöglich bis zum Geburtstag der gnädigen Frau Daimler zu schaffen«, sagte Wimpff.

»Dann macht's auch nichts«, erwiderte Daimler und ging davon. In den nächsten Wochen tauchte er aber so oft in der Wimpffschen Werkstatt auf, daß es dem Besitzer bald lästig wurde und er sich besonders beeilte, mit dem Wagen fertig zu werden.

Endlich, am 29. August war es soweit. Auf der städtischen Waage wurde das Fahrzeug gewogen. Es war genau sechs Zentner schwer. Für Achsen, Federn und Räder leistete Meister Wimpff zwei Jahre Garantie. Und er rechnete Daimler vor, daß ihn selbst der Wagen alles in allem 718 Mark und 30 Pfennig gekostet hatte. Daimler überließ er ihn für 795 Mark.

»Und jetzt brauchen Sie nur noch ein paar schöne Pferde davor«, sagte Wimpff zu Daimler. Der aber sah ihn nur an, ging um den Wagen herum, prüfte die Federung noch einmal nach und deutete dann unter die Hinterachse: »Da sperr' ich die zwei Pferde hinein.«

Der »Americain« aus Meister Wimpffs Werkstatt wurde das erste Fahrgestell und die erste Karosserie für das erste vierrädrige Automobil mit Benzinmotor, das im Herbst 1886 seine Probefahrten aufnahm.

Im Grunde war in diesem ersten Kraftfahrzeug alles schon vertreten, was auch heute noch ein Automobil ausmacht. Der Motor wurde mit einem Ventilator gekühlt, und die Auspuffgase nützte auch Daimler schon, um das Gasgemisch vorzuwärmen und die Karosserie zu beheizen. Sogar eine Art Ausgleichsgetriebe – wir nennen es heute Differential – hatte Daimler eingebaut: Auf einem Hinterrad war ein sogenannter »Trieb« angebracht – Lederscheiben, die zwischen kleine Ritzel geklemmt waren. Fuhr der Wagen in eine Kurve, so daß die Innen- und die Außenräder mit unterschiedlichen Geschwindigkeiten laufen mußten, dann ergaben sich am Trieb Widerstände, das Leder begann zu schleifen und verlangsamte so die Umdrehungen der Innenräder, die langsamer laufen mußten.

Die berühmte Motorkutsche von 1886 ist noch heute der Mittelpunkt des Daimler-Benz-Museums.

Die ersten Fahrten wurden protokolliert, und diese Protokolle wurden von glaubhaften Zeugen unterschrieben. Da heißt es dann etwa: »Der Wagen lief gut und machte bis zu 18 Kilometer in der Stunde. Wir hatten eine gewisse Sitzfestigkeit und machten mit dem Automobil eine weite Tour.«

Daimler hat seinen Wagen niemals selbst gesteuert. Das hatte ihm sein Arzt wegen seines kranken Herzens verboten. Aber er war überglücklich, wenn seine Söhne Paul und Adolf das Fahrzeug über die Straßen lenkten und er auf der Rückbank dabeisein konnte. Weniger glücklich waren die Cannstatter Bürger. Sie glaubten, das Teufelsding würde jeden Augenblick explodieren. Man wußte ja, daß Daimler seinen Motor mit dem gefährlichen und hochexplosiven Benzin betrieb. Auf ihren Probefahrten wurden Daimlers Söhne und Maybach beschimpft, mit Steinen und Eiern beworfen und bedroht.

Daimler wollte deshalb seine Motoren in ungefährlicheren Gefilden ausprobieren. Schon kurz nach dem »Americain« rüstete er ein Boot aus. Am 5. November

1886 schrieb die Cannstatter Zeitung: »In der letzten Zeit hat ein auf dem Nekkar fahrendes von etwa acht Personen besetztes Boot, das sich, wie von unsichtbarer Kraft getrieben, mit großer Geschwindigkeit stromauf- und stromabwärts den Weg durch die Fluten bahnt, bei den Vorübergehenden nicht geringes Aufsehen erregt.«

Aber die Cannstatter blieben skeptisch. Zwar erwartete man keine allzu große Katastrophe, wenn ein Schiff mitten auf dem Fluß in die Luft flog, aber ängstlich blieben die Leute dennoch. Daimler trug dem Rechnung. Er stellte die Fahrten ein bis nach dem Sommer.

Als er dann im Herbst die Bootsfahrten wieder aufnahm, war das Schiffchen seltsam verändert. Rings um den Schiffskörper liefen Drähte, die an weißen Porzellanisolatoren befestigt waren. Die Zuschauer glaubten prompt, das Schiff werde elektrisch angetrieben. Jetzt konnte Daimler die Probefahrten mit dem neuen schnellaufenden Motor, den er unter einer Haube verborgen hatte, ohne Schwierigkeiten durchführen. Die Leute trauten sich nun auch näher heran, um das ungewöhnliche und schnelle Boot zu begutachten. Erst als die Zuschauer sich an den elf Meter langen Nachen mit seiner Schraubenwelle am Heck gewöhnt hatten, befreite ihn Daimler von den falschen Drähten.

Jetzt konnte jedermann sehen, daß es sich in Wirklichkeit um ein benzingetriebenes Motorboot handelte. Der Widerstand gegen das neue Wasserfahrzeug war aber nun schon verpufft, zumal bedeutende Personen des öffentlichen Lebens aus Stuttgart und Cannstatt gerne die Einladung Daimlers zu seinen motorisierten Kahnpartien Folge leisteten.

Bald schon berichteten die Zeitungen in ganz Deutschland über die erstaunlichen Erfolge mit dem schwäbischen Bootsmotor. Die Schiffahrt begann sich für die neue Entwicklung zu interessieren. Die Vorteile fielen jedem Fachmann schnell ins Auge: Neben den geringen Anschaffungskosten für den Motor sprach vor allem für die Neuentwicklung, daß ein Mann genügte, um den Motor zu betreuen *und* das Schiff zu führen. Gemessen an dem Aufwand, den ein dampfgetriebenes Boot erforderte, war dies eine ungeheure Einsparung. Dazu kam das geringe Gewicht des Motors.

Als vorteilhaft galt auch, daß Daimlers Schiffsmotor keinen Rauch entwickelte. Jetzt hagelte es nur so Einladungen für Bootsvorführungen im ganzen Reich. Freilich ging nicht immer alles nach Programm. Im Frühjahr 1887 sollte das neue Boot bei einer Veranstaltung des Frankfurter Regatta-Vereins vorgeführt werden. Wilhelm Maybach hatte die Demonstrationsfahrt übernommen. Tausende säumten das Ufer, um den sensationellen Start des Motorbootes mitzuerleben. Aber kurz bevor Maybach seinen Motor anwerfen wollte, erschien ein Polizist und überbrachte das amtliche Startverbot, in dem es hieß: »Die Fahrt werde nicht gestattet, weil alle maßgeblichen Stellen erklärten, der mit Benzin vollgepumpte Kahn müßte in die Luft fliegen und das würde beim Feste störend wirken.«

Die als »Elektro-Boot« getarnte »Rems« erregte in der örtlichen und in der überregionalen Presse einiges Aufsehen.

Maybach, ein ruhiger und besonnener Mann, nickte nur und machte Anstalten, sein Boot wieder ans Ufer zu bringen. Zufrieden stapfte der Polizist davon. Im gleichen Augenblick stieß Maybach das Fahrzeug ins Wasser, sprang hinein, drehte die Kurbel mit aller Kraft, und schon zündete der Motor. Der Polizist warf sich herum und begann zu rennen. Aber da drehte sich schon die Schiffsschraube, der Bug hob sich ein wenig aus dem Wasser und das Boot schoß mit hoher Geschwindigkeit über den glatten Wasserspiegel des Mains. Das Publikum brach in lauten Jubel aus. In einer eleganten Kurve wendete Maybach sein schnelles Motorboot und flog förmlich über das Wasser zurück. Die Zuschauer waren aus dem Häuschen und verlangten noch eine Runde. Knapp vor den Füßen des Polizeibeamten riß Maybach sein Schiff noch einmal in eine Kurve, donnerte wieder den Main hinunter und kehrte schließlich zum Ausgangspunkt zurück, wo ihn der erboste Hüter des Gesetzes bereits mit Handschellen erwartete. Der berühmte Ingenieur wurde abgeführt und arretiert. Freilich mußte er nur zwei Tage sitzen.

Kurze Zeit später wollte bei einer Regatta am Berliner Wannsee die Polizei ein weiteres Mal eine Vorführung des Daimler-Bootes verhindern. Diesmal saß Paul Daimler am Steuer, sein Vater hatte im hinteren Teil des Bootes Platz genommen. Das Schiffchen dümpelte schon im Wasser, und Paul hatte gerade begonnen, den Motor anzuwerfen, als ein Ruderkahn erschien, in dem ein Polizist und ein Gerichtsvollzieher saßen. Der Uniformierte ruderte mit aller Kraft auf das Motorboot zu.

Der Motor startete und drehte blubbernd im Leerlauf. Immer näher kam der Ruderkahn, in dem sich nun der Gerichtsvollzieher erhoben hatte, um seinen schriftlichen Bescheid zu übergeben. Paul Daimler legte den Gang ein. Das Motorboot gewann schnell an Fahrt und brachte bald 100 Meter zwischen sich und den Ruderkahn. Wild gestikulierend folgten die Beamten. Daimler schaltete den Motor auf Leerlauf. Langsam näherte sich unter den Ruderschlägen des Polizisten der Kahn. Der Gerichtsvollzieher rief so laut er konnte: »Ein gerichtlicher Bescheid für Herrn Gottlieb Daimler!«

Der alte Daimler legte die Hand hinter das Ohr und schien den Berliner nicht zu verstehen. Wieder zog sein Boot davon, und noch immer ruderten die Beamten hinterher. Erneut stoppte Daimler, der Kahn kam näher, aber bevor sich der Gerichtsvollzieher verständlich machen konnte, knatterte das Daimler-Boot weiter. Und so ging es noch ein paarmal, bis der uniformierte Ruderer erschöpft aufgab. Das ganze Katz- und Mausspiel vollzog sich vor den Augen einer großen Menge, unter der sich auch der Kaiser befand, der an dieser überzeugenden Demonstration so viel Gefallen fand, daß er nicht nur die beiden Daimler zu sich bat, sondern auch gleich ein Boot für sich selbst bestellte.

Mit Hilfe seiner Motorboote hatte Daimler nun in wenigen Monaten seinen Motor und dessen vielseitige Verwendbarkeit weithin bekannt gemacht. Nun konnte er darangehen, eine eigene Fabrik aufzubauen, in der er seine Motoren in Serie herstellen wollte.

Im Juli 1887 erwarb er für 30 200 Mark am Seelberg in Cannstatt ein rund 3 000 Quadratmeter großes Grundstück, auf dem die stillgelegten Werkstätten und Hallen einer einstigen Vernickelungsanstalt standen. Die Anlagen waren groß genug, um hier nicht nur Motoren, sondern auch die dazugehörigen Fahrzeuge aller Art bauen zu können.

In den nächsten Wochen beschäftigte sich Daimler intensiv damit, die richtigen Mitarbeiter zu suchen. Jeder, der bei ihm arbeiten wollte, mußte ganz besondere Qualifikationen aufweisen, und Daimler selbst unterzog die Bewerber einer strengen Prüfung. Viele meldeten sich, denn es hatte sich herumgesprochen, daß

»beim Daimler« Höchstlöhne bezahlt wurden – damals 4,50 Mark pro Arbeitstag.

Rastlos beschäftigte sich Daimler auch mit der Ausstattung der Fabrik. Jede Drehbank, jeden Amboß, jeden Schraubstock nahm er selbst unter die Lupe, ehe er dem Kauf zustimmte.

Wilhelm Maybach bekam nun ein schönes und helles Konstruktionsbüro. Daimlers alter Buchhalter, Karl Linck, wurde zum kaufmännischen Direktor ernannt.

Gleichzeitig bemühte sich Daimler unermüdlich, für seine Motoren und deren Anwendungsmöglichkeiten zu werben. Schon während er am Seelberg die Fabrik einrichtete, bat er den Gemeinderat von Cannstatt um die Erlaubnis, »vom Wilhelmsplatz durch die Königstraße bis zum Kursaal Schienengeleise mit 45 cm Spurweite zu legen und diese Geleise durch kleine Wagen mit 10 bis 12 Sitzen und einer Lokomotive nach eigenem Patent befahren zu lassen«.

Das Daimler-Bähnle fuhr zum ersten Mal anläßlich des Cannstatter Volksfestes und wurde zur Hauptattraktion, denn »man konnte auf ihr fahren, ohne zu wissen, wie es betrieben wurde, eine Lokomotive hatte es ja nicht«, schrieb die Zeitung.

Schon wenige Monate später verkehrte zwischen Stuttgart und Cannstatt eine solche Motorbahn regelmäßig. Die Wagen trugen die Aufschrift »Stuttgarter Pferdeeisenbahn«, obwohl kein Pferd mehr vor den Schienenwagen trotten mußte. Die Erklärung konnte man am Dachaufbau lesen: »Motorwagen System Daimler«.

Die neuen Straßenbahnen waren vor allem wichtige Propagandamittel für den »rauchfreien Motor«, wie ihn die Zeitungen nannten. Jetzt konnte Daimler auch den nächsten Schritt tun, um den Straßenverkehr zu verändern. Er hatte dafür allerdings andere Pläne als sein Chefkonstrukteur Wilhelm Maybach. Daimler sah die Zukunft vor allem in einem Motor, den er ständig weiter verbesserte und der – wie er glaubte – jedes vorhandene Fahrzeug antreiben konnte. Maybach dagegen wollte ein spezielles Fahrzeug für die Straße konstruieren. Einen Motorwagen, der von Grund auf neu entwickelt werden und eine geschlossene Einheit bilden sollte.

Es gab heftige Auseinandersetzungen zwischen den alten Freunden. Im Herbst 1888 betrat der Firmenchef wieder einmal Maybachs Büro, um sich eine neue Pleuelstange anzuschauen. Auf Daimlers Frage, ob die Konstruktionszeichnung fertig sei, nickte Maybach nur abwesend. Er war über eine Zeichnung gebeugt, die offensichtlich seine ganze Aufmerksamkeit in Anspruch nahm.

Daimler reagierte gereizt. »Könnten Sie vielleicht die Freundlichkeit haben, mir die Zeichnung zu erläutern, Herr Maybach?«

»Die ist leicht zu verstehen«, gab Maybach beiläufig zurück.

»Muß ich Sie daran erinnern, daß Sie hier für mich und die Firma tätig sind?« fuhr Daimler seinen Konstruktionschef an. Jetzt hob Maybach den Kopf.

»Ja, was glauben Sie, was ich hier mache?«

Daimler trat einen Schritt näher. Auf dem Reißbrett war eine Zeichnung befestigt, die einen ganz neuen Fahrzeugtyp zeigte. Maybach wollte erklären: »Ich halte diese Neukonstruktion eines speziellen Stahlradwagens...«

Aber weiter kam er nicht.

»In einem Jahr schon ist die Weltausstellung in Paris, und wir haben bis dorthin noch soviel zu tun, Sie aber beschäftigen sich mit dem Hirngespinst eines Stahlradwagens.«

Maybach blieb wie immer ruhig. Er tippte mit dem Zeigefinger ein paarmal auf seine Zeichnung.

»Das da wäre etwas für Paris. Ich habe den neuen V-Motor ideal untergebracht, der Antrieb läuft über Zahnräder und Ketten, ein völlig neuer Steuerungsmechanismus erlaubt uns elegante engste Kurvenfahrten. Die Sitze werden besonders gefedert.« Daimler schien wenig beeindruckt.

»Für Paris habe ich Pläne genug. Schon jetzt habe ich Wettfahrten zwischen unserer Straßenbahn und Motorbooten entlang der Seine organisiert. Wir haben einen Ausstellungsstand entworfen, der alle anderen in den Schatten stellen soll. Unsere Motoren werden von aller Welt mit größtem Interesse erwartet, und Sie tüfteln an einem Stahlradwagen herum.« Maybach konterte kühl.

»Ich bin bei Ihnen, um neue Entwicklungen zu entwerfen. Wenn ich immer nur Bootsmotoren hätte bauen wollen, hätte ich auch in Deutz bleiben können.«

»Sie können ja wieder hingehen, wenn es Ihnen hier nicht paßt«, fuhr Daimler den Konstrukteur unbeherrscht an, »wir wollen saubere Arbeit machen und gutes Geld verdienen, und immer noch bestimme ich, wie wir das machen.«

Der Chef ging hinaus und schlug die Tür hinter sich zu. Maybach wandte sich wieder seiner Zeichnung zu. Am nächsten Tag stand der Chefkonstrukteur an einer Werkbank und besprach mit einem der Vorarbeiter die Fertigung der neuen Pleuelstange, als Daimler die Halle betrat. Ausnehmend freundlich begrüßte er Maybach und den Vorarbeiter.

»Na, wie ist die neue Pleuelstange?«

»Hervorragend«, antwortete der Arbeiter. Maybach lächelte, »der Stahlradwagen übrigens auch, Herr Daimler.«

Sie gingen nebeneinander ins Konstruktionsbüro, als ob nichts gewesen wäre. Daimler sagte:

»Glauben Sie im Ernst, Sie könnten den neuen Wagen bis zur Pariser Weltausstellung noch schaffen?«

»Mit ein paar Überstunden vielleicht schon«, sagte Maybach. Damit war alles geklärt, und Maybach begann nun mit Hochdruck an dem ersten Daimler-Motorwagen zu arbeiten. Weder er noch Daimler konnten ahnen, daß nur rund 150 Kilometer entfernt in Mannheim der Konstrukteur Carl Benz ebenfalls damit begonnen hatte, ein integriertes Automobil zu bauen.

Rechtzeitig zur Pariser Weltausstellung wurde Maybachs Stahlradwagen fertig – eine revolutionäre Neuentwicklung. Es war ein vierrädriger Wagen, dessen Gestell aus Stahlrohren zusammengesetzt war, die zugleich als Kühlkörper für das Kühlwasser des Motors dienten. Eine Zirkulationspumpe trieb das Wasser durch diese Rohre, so daß das Wasser, das am Motor erhitzt wurde, während des Durchlaufs wieder heruntergekühlt werden konnte. Unter der Sitzbank, dicht bei den Hinterrädern, war Maybachs neuer V-Zylindermotor eingebaut. Die Achse des Motors wurde mit der ersten Antriebswelle durch eine Reibungskupplung verbunden. Von der ersten Zwischenwelle wurde die Bewegung durch eines von zwei Zahnräderpaaren auf die Hinterachse übertragen. Mit dieser Art der Kraftübertragung konnten vier verschiedene Geschwindigkeiten eingestellt werden: 6, 9, 12,5 und 19 Stundenkilometer. Die Zahnräder wurden durch zwei verschiedene Hebel ein- und ausgerückt. Die Lenkvorrichtung war so angeordnet, daß die Vorderräder beim Kurvenfahren nicht parallel zueinander, sondern auf einer Tangente zur Kurve gesteuert wurden. Das neue Automobil mit seinen schönen Drahtspeichenrädern war für zwei Personen ausgelegt und machte einen eleganten, ja zierlichen Eindruck.

Maybach hätte am liebsten gleich mit der Serienfertigung begonnen. Aber Daimler war gar nicht damit einverstanden. Bei der vorausgegangenen Weltausstellung in Philadelphia hatte der französische Professor Reuleaux geschrieben: »Die deutsche Industrie zeichnet sich dadurch aus, daß sie billig und schlecht produziert.« Seitdem Daimler diesen Satz gelesen hatte, wollte er der ganzen Welt beweisen, daß dies nicht stimmte. Deshalb verkündete er seinen Mitarbeitern immer wieder: »Wir liefern nur das Beste aus oder gar nichts.« Sein Werk durften nur Produkte verlassen, die er selbst so umschrieb: »Hochwertiges Material in Verbindung mit erstklassiger Werkmannsarbeit.« Eigensinnig und starrköpfig erlebten ihn seine Leute, wenn er diesen Anspruch durchsetzen wollte. So konnte sich Daimler zum Beispiel mit Maybachs Zahnradantrieb, den er barbarisch nannte, gar nicht anfreunden.

Maybach reagierte wie immer gelassen. Er rüstete seinen Stahlradwagen mit einem Lederriemenantrieb aus, obwohl für ihn ganz außer Zweifel stand, daß den Zahnrädern die Zukunft gehörte.

Doch alle Querelen und Auseinandersetzungen waren vergessen, als der Stahlradwagen am Eröffnungstag der Pariser Weltausstellung unter dem Eiffelturm seine ersten Runden drehte und dabei von einer vieltausendköpfigen Menschenmenge begeistert gefeiert wurde.

Daimler stand ein wenig abseits. Neben ihm seine französischen Partner Monsieur Emile Levassor und Madame Louise Sarazin. Frau Sarazin, eine gute Freundin Daimlers, der schon mit dem verstorbenen Mann der Französin eng zusammengearbeitet hatte, vertrieb die Patente Daimlers auf dem französischen Markt. Emile Levassor leitete die Firma Panhard & Levassor, die Bandsägen,

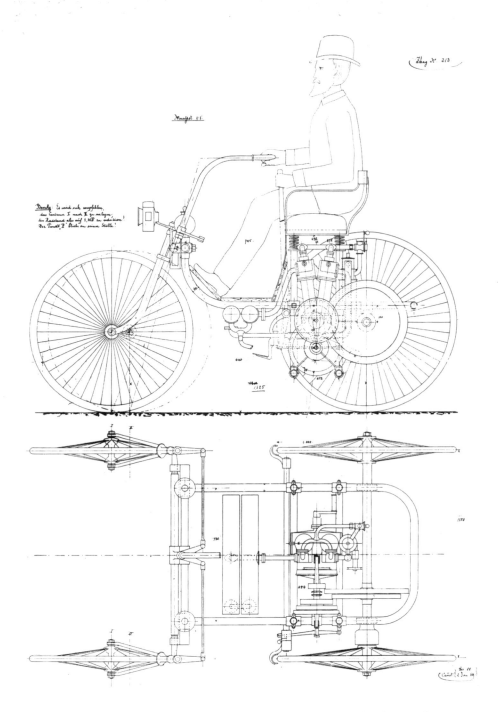

So sah der Stahlradwagen von 1889 auf Daimlers und Maybachs Reißbrett aus.

Hobel- und Parkettmaschinen herstellte und sich nun auch dem Automobilbau zugewandt hatte.

Levassor, später einer der erfolgreichsten Autorennfahrer, war restlos begeistert von dem neuen Automobil, und auch Madame Sarazin konnte das elegante Gefährt nicht genug loben. Man ging gemeinsam zum Ausstellungsstand zurück, um über einen künftigen Kontrakt zu verhandeln. Daimler, der gut Französisch sprach, war freilich nicht ganz bei der Sache. Nur wenige Wochen vor seinem großen Auftritt in Paris war seine geliebte Frau Emma gestorben. Der sonst so zupackende und konzentrierte Daimler hing schwermütigen Gedanken nach. Madame Sarazin freilich tat das einzig Richtige, sie kannte seinen Kummer und trieb gerade deshalb die Geschäftsverhandlungen besonders voran.

Sie war es auch, die alle Reklamegags, die sich Daimler noch ausgedacht hatte, in die Tat umsetzte. In der Nähe der Ausstellung kreuzten fast ständig Daimlers Motorboote »Violette« und »Passe-Partout«, gesteuert von Daimlers Sohn Adolf und von Maybach. Die besondere Attraktion aber waren die Wettfahrten zwischen den beiden Booten und dem Stahlradwagen, der an der Seine entlangratterte und versuchte, in der Geschwindigkeit mit den Booten mitzuhalten.

Als die Ausstellung zu Ende ging, waren Daimlers Motoren praktisch jedem französischen Ingenieur bekannt. Nahezu alle führenden Industrieunternehmen bewarben sich um die Auswertung der Daimlerschen Patente für den französischen Markt. Aber Daimler hielt an der Freundschaft zu Frau Sarazin fest. Vor seiner Abreise gab er ihr schriftlich die Zusage, ihr »die Verwertung seiner französischen und belgischen Patente für Gas- und Petroleum-Motoren zu überlassen«. Die Gebühren dafür wollte der sonst so geschäftstüchtige Daimler erst haben, »wann Sie damit verdient haben werden«. So schrieb er es selbst in den Vertrag.

Auf dieser Vereinbarung basierte die gesamte französische Automobilindustrie, die nach der Pariser Weltausstellung einen ungeahnten Aufschwung nahm und sich dabei fast ausschließlich der Patente von Daimler bediente.

Während der Motorenstand der Firmen Daimler und Levassor in Paris ständig umlagert war, sah man nur wenige Meter entfernt in der gleichen Ausstellungshalle einen anderen Deutschen verlassen neben seinem Automobil stehen. Niemand schien ihn zu beachten. Es ist nicht bekannt geworden, ob Daimler seinen Landsmann kennengelernt hat, ja, ob er den Konkurrenten überhaupt wahrnahm. Verbittert und erfolglos reiste jener Deutsche wieder ab. Er hieß Carl Benz.

Wieder in Cannstatt, wollte Maybach sofort darangehen, seinen Stahlradwagen in Serie zu produzieren. Außerdem hatte er aus Paris einige Ideen mitgebracht, wie er den Motor noch wesentlich verbessern könnte. Daimler allerdings wehrte entsetzt ab. Er denke überhaupt nicht daran, ein Automobil zu bauen. Das Risiko sei ihm zu groß, sagte er. Tatsächlich war die Firma zwar recht erfolgreich,

Vor dem Cannstatter Kursaal fährt »dem Daimler sein Bähnle« mit seinem Schöpfer als prominenten Fahrgast.

für größere Investitionen aber fehlte das Geld. Fertigungsanlagen für den Stahlradwagen wären in die Hunderttausende gegangen.

Maybach schlug vor, nach kapitalkräftigen Partnern zu suchen. Daimler war skeptisch. Er hatte bei anderen Firmen erlebt, wie es gehen konnte. Sobald sich eine Erfindung bewährte und gute Zukunftsaussichten hatte, kamen Leute mit Geld und drängten den Technikern große Summen geradezu auf. In den meisten Fällen wurden die Unternehmen dann in Aktiengesellschaften umgewandelt und so unter die Kontrolle der Finanziers gebracht. Wollte man den Erfinder und eigentlichen Gründer der Firma loswerden, gab es da einen ganz einfachen Trick: Die Aktionäre manövrierten das Unternehmen in finanzielle Schwierigkeiten und verlangten, daß jeder Mitbesitzer zur Überwindung der Krise eine große Summe einzahlen sollte. Der Techniker verfügte über eine solche Summe nicht, also wurde er ausbezahlt, oder das Unternehmen wurde aufgelöst, um kurz darauf mit neuem Namen neu gegründet zu werden, diesmal freilich ohne den ursprünglichen Gründer.

Daimler kannte diesen Fall von der Karlsruher Maschinenfabrik, die früher einer Familie Kessler gehört hatte und wo finanzkräftige Aktienbesitzer den einstigen Unternehmer genau auf diese Weise losgeworden waren. Dennoch nahm nun auch er Gespräche auf. Schon seine Frau Emma hatte kurz vor ihrem Tod immer häufiger dazu geraten, Partner in die Firma aufzunehmen. Sie hatte gesehen, daß ihr Mann, der ja mit einem schweren Herzleiden geschlagen war, nicht mehr lange die Kraft haben würde, alle Entscheidungen selbst zu tragen.

Max Duttenhofer, jener Pulverfabrikant aus Rottweil, dem Daimler einst in St. Petersburg die Wege geebnet hatte, bot jetzt sein Kapital an, und als er merkte, daß Daimler zögerte, schlug er vor, einen weiteren finanzkräftigen Partner aufzunehmen: Wilhelm Lorenz aus Karlsruhe.

Daimler kannte Lorenz, der soeben seine Metallpatronenfabrik ebenfalls in eine Aktiengesellschaft umgewandelt hatte. »Das ist einer«, sagte er zu Maybach, »der sich genau wie ich aus eigener Kraft heraufgearbeitet hat und von dem ich deshalb Verständnis erwarten kann für mein Ringen um mein eigenes Werk.« Und mit Duttenhofer verband Daimler eine persönliche Freundschaft. Die Voraussetzungen waren also gut, als sich die drei Männer darauf einigten, eine Gesellschaft zu gründen. Am 14. März 1890 schlossen sie einen Vertrag.

Aber es dauerte nur wenige Wochen bis zur ersten Krise. Die neuen Partner Daimlers brachten ihren eigenen technischen Direktor mit. Außerdem hatten sie für Daimlers treuesten Mitarbeiter Maybach einen Arbeitsvertrag vorbereitet, den dieser nur entrüstet ablehnen konnte. Daimler weigerte sich, diesen Vertrag zu akzeptieren, aber seine neuen Partner machten ihm klar, daß sie ihn mehrheitlich gutgeheißen hätten. Daimler war überstimmt und konnte nichts mehr unternehmen.

Maybach verließ das Unternehmen. Für ihn wurde ein Vertrauensmann Duttenhofers eingestellt. Dasselbe geschah mit Daimlers kaufmännischem Direktor Linck. Gottlieb Daimler hatte nun niemand mehr in der Leitung der Gesellschaft, der zu ihm stand. Duttenhofer wollte schnell Geld verdienen. Er sah, daß Daimlers penible Art, jedes Werkstück und jedes Gerät lieber dreimal zu testen, als einen Fehler zu riskieren, die Firma viel Geld kostete und tat dieses Verhalten als »geschäftlich unvernünftige Marotten« ab. Daimler geriet immer mehr ins Abseits. Die neuen Gesellschafter wollten von seinem leichten, schnellaufenden Motor nichts wissen. Sie warfen sich ganz auf die Fabrikation stationärer und langsamlaufender Motoren. Während in Frankreich Daimlers Patente voll ausgewertet wurden, sein Zweizylinder-V-Motor schon die Straßen zu erobern begann und ganz neuen Industriezweigen zu einem enormen Aufschwung verhalf, bastelten Duttenhofers Ingenieure in Cannstatt an Neuerungen für einen Einzylindermotor für Molkereien.

Gleichzeitig begann Duttenhofer Daimler zu schikanieren. In Direktoriumssitzungen forderte er die beiden neuen Betriebsleiter Vischer und Schroedter dazu auf, »genau Angaben darüber zu machen, in welcher Weise Herr Daimler die technische Oberleitung des Werkes führt, wie viele Stunden er arbeitet, wann er kommt und geht«.

Auch das bewährte Mittel, dem Firmengründer immer neue finanzielle Opfer abzuverlangen, wurde eingesetzt. Daimler gab schließlich auf. Im Frühjahr 1893 zog er sich von der Daimler-Motoren-Gesellschaft zurück. Wilhelm Maybach hatte sofort nach seinem Ausscheiden eine eigene Versuchswerkstätte im Gartensaal des stillgelegten Hotel Herrmann aufgebaut. Daimler war von Anfang an davon unterrichtet gewesen. Er finanzierte das Unternehmen, obwohl dies zu Beginn arbeitsrechtlich sehr problematisch war. Die beiden Männer trafen sich heimlich, tauschten ihre Erfahrungen aus, und Daimler brachte bei solchen Gelegenheiten auch die Lohngelder für Maybachs Mitarbeiter in der Rocktasche mit. Maybach, der nun befreit von allen Querelen ungehindert arbeiten konnte, machte riesige Fortschritte. Und als Daimler 1894 von seinen früheren Partnern vertraglich zugesichert bekommen hatte, daß er »in jeder Weise frei seiner eigenen geschäftlichen Tätigkeit nachgehen« könne, arbeitete auch er im Hotel Herrmann mit.

Ein ganz neuer Motor entstand, dessen entscheidende Verbesserung darin lag, daß nun das Luft-Gas-Gemisch nicht mehr in einem Oberflächen-, sondern in einem von Maybach erfundenen Spritzdüsenvergaser hergestellt wurde. Dieser Spritzdüsenvergaser ist auch in unseren heutigen Benzinmotoren zu finden.

Der neue Motor mit dem Namen »Modell N« arbeitete nahezu geräuschlos und leistete 500 Umdrehungen in der Minute. Daimler nahm den neuen Motor sieben Monate lang auf den Prüfstand, über 200 Tage lang lief er ohne auszusetzen. Dann wurde er auseinandergenommen. Eine sorgfältige Prüfung aller Einzelteile ergab, daß »an Kolben, Zylinder, Lager und Kurbelwellen keine meßbare Abnutzung wahrzunehmen war«.

Emile Levassor und Louise Sarazin erkannten sofort, daß dieser Motor allen Konkurrenten haushoch überlegen war. Als Maybach den beiden, die inzwischen geheiratet hatten, sein Werk vorführte, fiel ihm Madame Levassor-Sarazin begeistert um den Hals und küßte ihn auf beide Wangen, was den biederen Maybach so verlegen machte, daß er noch eine Stunde später rot im Gesicht gewesen sein soll.

Levassor taufte den neuen Motor »Phoenix«, nachdem ihn Maybach so verbessert hatte, daß er mit verschiedenen Betriebsstoffen laufen und sowohl für stationäre als auch für mobile Einsätze verwendet werden konnte.

Der neue Phoenix-Motor eroberte sich in Frankreich schnell den ganzen Markt. Amerikanische und englische Firmen meldeten sich und wurden Abnehmer von Maybachs und Daimlers Patenten. In geradezu unheimlich schneller Folge erarbeiteten Daimler und Maybach nun immer neue Verbesserungen. Und alle wurden patentiert. Ein neues Vierganggetriebe, ein völlig veränderter »Bienenkorb-

Kühler« und leistungsfähigere Bremsen gehörten ebenso dazu wie die entscheidende Verbesserung der Steuerung und der Federung des Wagens.

Daimlers Gegner Duttenhofer und Lorenz mußten nun auch die Überlegenheit ihres einstigen Partners anerkennen. Vor allem seine Erfolge im Ausland zeigten ihnen, wie falsch es gewesen war, diesen Mann aus dem eigenen Werk hinauszudrängen. Frederic Simms, Englands bedeutendster Automobilfachmann, schrieb in einem Brief: »Die neuen Daimler-Motoren sind die besten und vollkommensten Motoren der Gegenwart, das Ergebnis von mehr als zwanzigjähriger erfolgreicher Tätigkeit in dieser Branche.«

Dieser Brief, der an einen Hamburger Unternehmer gerichtet war, wurde Duttenhofer hinterbracht. Sicher hat er mit gemischten Gefühlen gelesen, was darin stand. »Während der Zeit«, schrieb Simms, »in der Daimler als Betriebsdirektor der Deutzer Motorengesellschaft unter seiner eigenen Aufsicht deren Fabrik baute und in ihr tätig war, wurde diese vielleicht eine der schönsten und technisch vollkommensten Fabriken in der ganzen Welt. Aber nicht nur das. Daimler

Diese Daimler-Feuerspritze war von 1896 bis 1925 in Erfurt im Einsatz. Ihre »Feuerprobe« hatte sie schon 1892 bei einem Großbrand in der Cannstatter Innenstadt bestanden.

half in jener Zeit auch den Herren bei Crossley-Brothers hier in England und lehrte sie nach seinen Zeichnungen und nach Erfahrungen, die er selbst gesammelt hatte, die Herstellung ihrer jetzt gut bekannten Gasmaschinen.«

Simms kam persönlich nach Cannstatt. Er war von der British Motor-Syndicate Ltd. beauftragt worden, die gesamten Daimler-Patente für Großbritannien zu erwerben. Er setzte den Herren Duttenhofer und Lorenz die Pistole auf die Brust. Seine Auftraggeber seien bereit, bar zu bezahlen, aber nur unter der Voraussetzung, daß Gottlieb Daimler selbst wieder die Leitung des Cannstatter Werks übernehme. Den Widersachern Daimlers setzte er schonungslos auseinander, wie dumm es gewesen sei, auf Daimler zu verzichten. Die Patente, über die das Werk verfüge, seien nichts wert ohne die Neuschöpfung aus dem Hotel Herrmann. »Die vielen und sehr wichtigen Verbesserungen des Phoenix-Motors«, sagte er, »müßten Sie doch am besten kennen: Erstens das vollkommene Ladungssystem durch den Spritzdüsenvergaser, zweitens die ausgezeichnete Art der Kraftübertragung, drittens die hervorragende Lösung der Kühlung, viertens den geräuschlosen Auspuff sowie fünftens die Festigkeit und Eleganz der Konstruktion.« Kein Fahrzeug fahre überdies so leise und vibrationsfrei wie Maybachs Phoenix-Wagen.

350 000 Mark in bar wollte Simms für die Patente auf den Tisch legen, wenn seine Forderung, Daimler wieder an die Spitze des Werkes zu stellen, erfüllt würde. Das überzeugte auch die Kapitalisten Duttenhofer und Lorenz. Jetzt nahmen sie neue Verhandlungen mit Gottlieb Daimler auf. Der aber weigerte sich, in seine alte Position zurückzukehren, wenn nicht das Unrecht an Maybach und Linck gutgemacht würde. Diesmal formulierte Daimler selbst den Vertrag. Und darin hieß es: »Die Herren Daimler, Duttenhofer und Lorenz verpflichten sich, Herrn Maybach je 10 000 Mark in Aktien á 1 000 Mark der Daimler-Motoren-Gesellschaft gratis zu übergeben, außerdem werden die Herren Ingenieur Maybach als ›Erster technischer Direktor‹ und Linck als ›kaufmännischer Direktor . . .‹ auf mindestens fünf Jahre angestellt.«

Diesmal setzte sich Daimler durch. Am 1. November 1895 unterschrieben er und Duttenhofer den »Wiedervereinigungs-Vertrag«, am 4. November unterschrieb auch Lorenz. Daimler erhielt dafür, daß er die Arbeitsergebnisse aus dem Hotel Herrmann mit einbrachte, eine Barvergütung von 200 000 Mark.

Als Daimler an seine alte Wirkungsstätte zurückkam, war er bereits ein kranker Mann. Aber in den wenigen Jahren, die er noch wirken konnte, erlebte er, wie der »Phoenix« seinen Siegeszug durch die ganze Welt antrat. Daimler setzte seine verbliebenen Kräfte ganz dafür ein, daß seine Maßstäbe wieder gültig wurden. Als Max Duttenhofer einmal einen Wagen zum Sonderpreis verkaufen wollte, lehnte Daimler ab: »Niemand darf sich von der Ansicht leiten lassen, den billigsten Motor kaufen zu wollen; denn nach meiner Ansicht muß die Daimler-Motoren-Gesellschaft streng daran festhalten, daß in Cannstatt nur der beste

Motor erzeugt wird, selbst wenn er auch etwas teurer kommt. Ein solcher Motor ist dann aber auch um so viel mehr wert und wird gegen die Konkurrenz, welche sich mit der Herstellung billiger Marktware beschäftigt, doch den Sieg behaupten.«

Carl Benz

Ein genialer Tüftler und seine couragierte Frau

Der Apotheker in Wiesloch, einem kleinen Ort in Baden, rümpfte etwas herablassend die Nase. Selbstverständlich hatte er Ligroin vorrätig. Schwungvoll stellte er die Halbliterflasche mit dem Fleckenwasser auf den Ladentisch. »Bitte sehr, die Dame«. Das Wort »Dame« zog er leicht spöttisch in die Länge.

Die Kundin hatte ihm aber gar nicht zugehört, sondern war ans Fenster getreten. Neugierig sah der Apotheker ebenfalls hinaus und erblickte eine Kutsche, um die ein paar Dutzend Leute herumstanden. Verwundert stellte er fest, daß sie nur drei Räder hatte und daß keine Pferde vorgespannt waren.

»Was ist denn da los?« fragte er die junge Frau, die tatsächlich wenig damenhaft wirkte mit ihrem ölverschmierten Gesicht und den zerzausten Haaren.

Ohne eine Antwort abzuwarten, trat der Apotheker einen Schritt zurück und hüstelte diskret in sein Taschentuch. Die Dame roch ganz eindeutig nach Fleckenwasser. »Benutzen Sie das Ligroin eigentlich als Parfüm?«

Die Frau drehte sich um und lachte. »Rieche ich so streng? Macht nichts, das bin ich heute abend wieder los. Wenn wir Glück haben. Haben Sie mein Ligroin?«

»Bitte sehr, die Dame!« Der Apotheker deutete auf seinen Ladentisch.

Die Dame kniff die Augen zusammen, als wäre die Halbliterflasche mikroskopisch klein. »Das ist aber zuwenig!«

»In Wiesloch reicht so eine Flasche einer ganzen Familie ein halbes Jahr.« Der Apotheker ging vorsichtshalber hinter seinen Ladentisch zurück. Die Sache wurde ihm langsam unheimlich.

Aber die Kundin lächelte ihn freundlich an: »Die Wieslocher benutzen das Ligroin ja auch nicht zum Fahren.«

»Sie etwa?« fragte der Apotheker fassungslos.

»Jetzt geben Sie mir zehn Liter, und ich zeige Ihnen, wie man das macht. Die Rechnung schicken Sie bitte an die Firma Benz in Mannheim.«

»Zehn Liter?« Der Apotheker kam aus dem Staunen nicht mehr heraus. »Ich glaube nicht, daß ich soviel vorrätig habe. Ich schaue mal nach.« Kopfschüttelnd ging er ins Hinterzimmer. Frau Benz stand schon wieder am Fenster.

Die Versammlung auf der Straße war noch größer geworden. Zwei halbwüchsige Jungen schütteten eben einen Eimer Wasser in einen Behälter, der seitlich an der Kutsche befestigt war. Der größere der beiden versuchte den Umstehenden zu erklären, was es mit diesem Gefährt auf sich hatte. Frau Benz öffnete die Ladentür ein wenig und hörte den Jungen sagen:

»... im oberen Totpunkt wird gezündet, das gibt dann eine Art Explosion, und die Kolben werden nach unten gedrückt«.

Die Wieslocher schauten den Jungen verständnislos an. Man sah ihnen an, was sie dachten: Das ist natürlich Unsinn, der Lausbub will uns bloß auf den Arm nehmen. Schließlich wußten sie alle, wie das mit Kutschen und Heuwagen ist. Man spannt Pferde oder Kühe davor, und die ziehen das Ganze. Basta. Anderseits hatten sie mit eigenen Augen gesehen, wie die »Kutsche« von allein die Straße zum Apotheker hinaufgefahren war. Hinauf, das war das Entscheidende, hinunter konnten's auch die Wieslocher ohne fremde Hilfe.

Frau Benz schaute sich die verwirrten Leute nachdenklich an. Sie lachte nicht über diese ratlosen Gesichter. Mit demselben Gesichtsausdruck war ihr Mann vor nicht allzulanger Zeit neben derselben »Kutsche« gestanden. Sie erinnerte sich noch genau an den Winter 1879/80, es war am Silvesterabend gewesen...

Carl Benz hatte bis in die Nacht hinein an seinem Zweitaktmotor gearbeitet. Immer wieder hatte er das Schwungrad angeworfen, worauf der Motor ein paar Sekunden lustlos stotterte und – stillstand. Carl Benz war ratlos. Seine Berechnungen stimmten, unzählige Male hatte er sie überprüft. Er pustete noch einmal durch das Ventil am Kolben und kontrollierte, ob genug Ligroin, das er als Treibstoff verwendete, vorhanden war. Wieder nichts. Er wischte sich die Hände an einem Stück Putzwolle ab, löschte das Licht und verließ niedergeschlagen die Werkstatt.

»Gerade wollte ich dich holen«, sagte seine Frau einige Minuten später in der Küche ein wenig vorwurfsvoll. »Du kannst mich doch nicht den ganzen Silvesterabend allein lassen. Das bringt Unglück, weißt du das nicht?« Ganz ernst meinte sie das aber nicht, denn sie lachte ihren Mann schon wieder an.

»Komm, setz dich, du hast seit dem Frühstück nichts mehr gegessen.« Doch Benz schüttelt nur den Kopf.

»Mir ist weder zum Essen noch zum Feiern zumute.« Er geht ans Fenster und sieht in die Nacht hinaus. Einzelne Raketen, von ungeduldigen Kindern lange vor Mitternacht gezündet, erhellen in unregelmäßigen Abständen das nächtliche Mannheim.

Carl Benz ist tatsächlich nicht zum Feiern zumute. Das letzte Jahr hat ihn entmutigt. Geschäftlicher Mißerfolg, Erfindungen, die niemand haben will, das ganze Werkzeug weggepfändet. Er erwartet das neue Jahr viel geduldiger als die Mannheimer Kinder; er verspricht sich nichts davon.

Frau Benz unterbricht seine Grübeleien: »Jetzt wird erst mal was gegessen, und

Der Karlsruher Ingenieur Carl Benz erfand in Mannheim den Einzylinder-Viertakt-motor.

dann feiern wir das neue Jahr. Das wird besser als das alte, glaub mir, ich hab's im Gefühl.«

Benz lächelt resigniert, aber der Optimismus seiner Frau tut ihm gut. Er ißt ein paar Bissen, legt dann aber das Besteck wieder weg.

»Der Motor rührt sich nicht.«

»Aber deine Berechnungen stimmen?«

»Ich glaube schon ... aber sie müssen doch falsch sein, sonst würde er ja laufen.« Benz schüttelt nachdenklich den Kopf: »Ich komme einfach nicht drauf.«

Frau Benz steht auf und bindet sich ihr Kopftuch um.

Ihr Mann sieht sie fragend an.

»Komm, wir versuchen es nochmal.«

Benz winkt müde ab. »Zwecklos, ich hab's den ganzen Abend probiert.«

Seine Frau geht zur Tür. »Dann versuch ich's halt allein; du kannst ja weiter Trübsal blasen, dazu brauchst du mich nicht.«

Benz erhebt sich ebenfalls: »Du bist mir schon eine Nervensäge.« Aber er geht mit in die Werkstatt.

Benz geht langsam um seinen Motor herum. Er hat Angst vor einem neuen Mißerfolg. Seine Frau wird allmählich ungeduldig.

»Jetzt fang halt an. Wenn er läuft – gut, wenn nicht, dann eben nächstes Jahr.«

Benz greift zum Schwungrad, wirft noch einen skeptischen Blick auf seine Frau, die ihm ermunternd zunickt. Der Motor beginnt zu stottern und – setzt wieder aus. Carl Benz sieht seine Frau an, als wolle er sagen: Ich hab's doch gewußt. Trotzdem versucht er es noch einmal. Der Motor beginnt zu laufen, zwei Sekunden, fünf, zehn, dann setzt er aus.

Benz richtet sich auf. Trotz der Kälte in der schlechtgeheizten Werkstatt ist ihm warm geworden. Zehn Sekunden! Solange ist der Motor noch nie gelaufen. Er zieht seine Jacke aus und versucht es ein drittes Mal. Nach zehn Sekunden setzt das Stottern wieder ein, verschwindet, der Motor läuft, sauber und rund. Frau Benz öffnet wegen der Abgase das Fenster. Die Glocken von Mannheim haben zu läuten begonnen, werden aber vom Geräusch des laufenden Motors übertönt. Raketen zischen in den Himmel und fallen als Kaskaden in allen Farben auf die Erde zurück. Die Mannheimer feiern die Geburt des Zweitaktmotors. Sie wissen es nur nicht.

Der Ingenieur Benz hatte einen Motor erfunden, der funktionierte, aber niemand interessierte sich dafür. Die Nachwirkungen des Wiener Börsenkrachs von 1873 waren immer noch zu spüren: Keiner wollte investieren, am wenigsten in einen neuen Motor.

Zudem hatte Benz alle Hände voll zu tun, um mit den unzureichenden Werkzeugen, die ihm seit der Pfändung der Werkstatt geblieben waren, das Geld fürs tägliche Leben zu verdienen. Oft stand er vierzehn Stunden an der Werkbank, für die Weiterentwicklung seines Motors blieb ihm keine Zeit.

So wäre der Motor vielleicht in einer Ecke der Werkstatt verstaubt, wäre nicht eines Tages der Hofphotograph Emil Bühler erschienen, um ein paar »hochfein polierte Stahlplatten« zu bestellen. Andere Firmen hatten den Auftrag als technisch undurchführbar abgelehnt, Benz war seine letzte Hoffnung.

Als Bühler wenige Tage später die fertigen Platten abholte, erkundigte er sich – eher aus Höflichkeit, ein Photograph hat schließlich anderes im Kopf – nach dem Motor, auf dem sich inzwischen eine Staubschicht angesammelt hatte.

Das sei ein Zweitaktmotor, erklärte Benz, etwas überrascht über das Interesse des Photographen.

»Ah so, ein Otto-Motor!« Von dem berühmten Motor aus Deutz hatte sogar der technisch wenig bewanderte Bühler gehört.

»Nein, das ist ein Benz-Motor.«

»Den haben Sie gebaut?« Der Photograph war verblüfft. Er wußte, daß Benz Stahlplatten hochfein polieren konnte, aber Motoren bauen ...

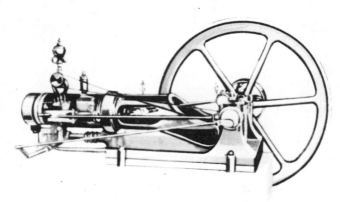
Anders als sein »Erfinderkollege« Daimler zog es Benz vor, seine Kunden »seriös« zu informieren, wie etwa durch diesen Prospekt.

Carl Benz hatte die Maschine abgestaubt und brachte sie nun mit Putzwolle auf Hochglanz. Das Interesse des Photographen tat ihm gut.

»Der Otto-Motor ist ja ein Viertakter«, erklärte er, während er Ligroin nachfüllte und die Ventile durchpustete, »der ist patentrechtlich geschützt. Aber so einen Zweitakter gab es noch nie. Ein Engländer hat es mal versucht, ist aber nicht weit damit gekommen. Schauen Sie, das ist die Luftpumpe und das die Gaspumpe. Bei Clerk, das ist der Engländer, waren die beiden Pumpen nicht getrennt, deswegen explodierte der Motor leicht, von den Fehlzündungen ganz zu schweigen.«

Sprachlos vor Staunen ließ der Photograph den Redeschwall über sich ergehen; er verstand rein gar nichts, aber Benz war nicht zu bremsen.

»Durch die getrennten Pumpen werden die Ausströmgase zunächst durch die reine Luft ausgetrieben, bevor die eigentliche Gas-Luft-Ladung in den Zylinder strömt. Spülluft nennt man das, auch eine Neuentwicklung von mir.«

»Und wozu braucht man einen solchen Motor?«

»Ach Gott, zu allem möglichen, für Pumpen zum Beispiel. Man könnte den Motor aber auch in Kutschen einbauen und ohne Pferde damit fahren.«

Das mit der Kutsche beeindruckte Bühler weniger, aber Motoren für Pumpen ... Das hörte sich an, als könne man damit Geld verdienen.

Benz griff nach dem Schwungrad: »Passen Sie auf, ich lasse ihn jetzt mal laufen.« Bühler trat vorsichtshalber einige Schritte zurück, und Benz drehte das Schwungrad. Der Motor lief rund wie in der Silvesternacht.

Das Interesse Bühlers hatte Folgen. Als Hofphotograph kannte er die gesamte Mannheimer Prominenz, darunter einige finanzkräftige Unternehmer. Als Bühler sie mit dem Erfinder des Zweitakters zusammenbrachte, waren sie sofort Feuer und Flamme: Der Benzsche Motor verhieß das ganz große Geschäft.

Carl Benz hatte eher an einen großzügigen Kredit gedacht, mit dem er seine Erfindung weiterentwickeln konnte; seine neuen Geschäftspartner bestanden jedoch auf der Gründung einer Aktiengesellschaft.

Von Stund an ließ Benz alles liegen und stehen und arbeitete nur noch an der Verbesserung des Motors. Bis zur Gründung der Firma zahlte Bühler der Familie ein »Überbrückungsgeld« in wöchentlichen Raten.

Am 14. Oktober 1882 wurde die Aktiengesellschaft als »Gasmotorenfabrik« in Mannheim gegründet. Knapp drei Monate später schied Benz aus der Gesellschaft aus und stand wieder einmal vor dem Nichts, nur seine alte Werkstatt war ihm geblieben.

Benz war es ergangen wie vielen Erfindern, die zwar gute Ideen haben, aber kein Geld. Finanzkräftige Interessenten hatten ihn zur Gründung einer Firma überredet mit dem Versprechen, seine Entwicklungen mit ihrem Kapital zu fördern. Kaum war der Vertrag unter Dach und Fach, war den Hauptaktionären nur noch der Gewinn wichtig. Störte der ehemalige Alleininhaber mit neuen Erfindungen und Ideen, die doch nur Geld kosten würden, ekelte man ihn eben aus der Firma, meist auf dem Umweg über eine Kapitalaufstockung. Der Erfinder, der ja nur aus Geldmangel der Gründung einer Aktiengesellschaft zugestimmt hatte, war in der Regel nicht in der Lage, Geld für eine Kapialaufstockung aufzubringen und dann – »Guten Tag, der Herr!«

Bei Benz hatten es sich die Herren vom Vorstand noch einfacher gemacht. Sie stellten einen Techniker ein, Wendelin Bouquet, der Zweitakter war seiner Meinung nach nur Schrott, den er, Bouquet, noch bis zur Produktionsreife verbessern mußte. Der Vorsitzende des Aufsichtsrates, Leopold Odenheimer, stand voll hinter Bouquet. Als Benz die Atmosphäre in der Fabrik – sie war gegen seinen Willen in die Schwetzinger Gärten verlegt worden – nicht mehr aushielt, kündigte er. Diese Kündigung, eher als Warnschuß gedacht, nahmen die Herren vom Aufsichtsrat sofort an und »bestätigten diese noch am selben Tag in verletzender Eile«, wie Carl Benz später erzählte.

Die Situation war also wieder einmal ziemlich hoffnungslos für die Familie Benz, als eines Tages zwei Herren erschienen, die Benz flüchtig aus dem Ruderclub kannte, Max Caspar Rose und Friedrich Wilhelm Esslinger. Die beiden hatten mit der Alleinvertretung der »Krupp'schen unverbrennlichen Schlackenwolle« viel Geld verdient und wollten es nun anlegen.

Der Benzsche Motor hatte es ihnen angetan, und Benz selber war nach anfänglichem Mißtrauen schnell von der Anständigkeit der beiden überzeugt. Schon am 1. Oktober 1883 gründeten die drei die »Benz & Cie, Rheinische Gasmotorenfabrik« in Mannheim. Als Zweck der Gesellschaft war im Gründungsvertrag genannt: die Herstellung von Verbrennungskraftmaschinen nach den Plänen von Carl Benz. Esslinger erhielt die Prokura, Benz und Rose teilten sich die Kollektivprokura.

Die Werkstatt in T6, 11* wurde ausgebaut, ein angrenzendes Grundstück dazugekauft, und Benz konnte nun ohne finanzielle Sorgen an die Verbesserung seines Motors gehen. Von einem Motorwagen aber wollten auch seine neuen Geschäftspartner nichts wissen.

»Erst nachdem auf dem Boden fester Wirklichkeit so viele Werte geschaffen sind, daß die Weiterentwicklung des Geschäfts auf sicherer Grundlage ruht, wollen wir den Sprung in die Zukunft wagen«, meinte Max Rose zu diesem Thema, und Carl Benz mußte ihm recht geben.

Aber nach Feierabend – das war in der Regel nach zwölf Stunden Arbeit in der Fabrik –, da durfte er ungestört und auch mit dem Segen seiner Partner an seiner »fixen Idee«, wie sie es nannten, weiterbasteln.

Bereits ein Jahr nach ihrer Gründung waren 25 Arbeiter in der Rheinischen Gas-

---

* In Mannheim wurden damals und werden heute noch die Straßen mit Buchstaben und Zahlen benannt.

motorenfabrik beschäftigt. Der Benzsche Zweitakter war in der Zwischenzeit nicht gerade berühmt, wohl aber über Mannheim hinaus bekannt geworden. Der erste Mannheimer, der sich einen Benz-Motor leistete, war der Besitzer des Gasthauses »Zur goldenen Gerste«, August Erle.

»Ich benutze den von Ihnen im vorigen Jahr erhaltenen Gasmotor täglich zum Wasserpumpen«, schrieb er an Benz, »und kann Ihnen nur meine vollste Zufriedenheit über die ökonomische und gute Leistung dieser Maschine ausdrücken.«

Die Firma erhielt immer mehr Aufträge – Motoren, nicht nur für Pumpen, sondern auch für Fahrstühle, Druckmaschinen, und für den Antrieb von Dynamos –, so daß die erweiterte Werkstatt in T6, 11 nicht mehr ausreichte. Ein 4 000 Quadratmeter großes Grundstück in der Waldhofstraße wurde hinzugekauft.

Carl Benz konnte es sich nun endlich leisten, auch tagsüber an seinem Motorwagen zu tüfteln, freilich immer noch ohne Billigung seiner Partner, die sich davon überhaupt nichts versprachen.

Die Firma Otto in Deutz verlor in dieser Zeit einen Patentprozeß nach dem anderen, so daß Benz mit gutem Gewissen an die Entwicklung eines Viertaktmotors gehen konnte. Gleichzeitig arbeitete er an einem motorgetriebenen Veloziped, dem legendären »Modell III«.

1. Juni 1886. Frau Benz versorgt in der Küche die beiden Jüngsten, die neunjährige Klara und die fünf Jahre jüngere Thilda, als sie plötzlich erschrocken herumfährt: Die Söhne, Eugen, vierzehn Jahre, und Richard, dreizehn, stürzen aufgeregt herein. »Mama, Mama, komm schnell, der Papa will fahren.«

Frau Benz bindet sich die Schürze ab, nimmt die beiden Mädchen an die Hand und geht schnell nach draußen. Dort ist die Sache praktisch schon gelaufen. Das Veloziped steht mitten im Hof. Benz kniet daneben, seine beiden engsten Mitarbeiter, Lipfert und Spittler, beugen sich zu ihm hinab und lauschen gespannt seinen Ausführungen.

»Die Riemen haben sich schon nach ein paar Minuten gelockert, die muß man gleich nachspannen.«

»Fährst du noch mal?« fragt Berta Benz ihren Mann.

Der winkt ab. »Für heute ist's genug. Ich bin ja schon drei Runden im Hof gefahren. Jetzt müssen wir den Motor ein bißchen ausruhen lassen.«

»Aber ich würd' auch gern mal fahren, und zwar auf der Straße.«

»Ein anderes Mal. Außerdem müssen wir noch die Riemen nachstellen.« Meister Lipfert mischt sich in die Unterhaltung ein: »Schon geschehen, Herr Benz. Theoretisch können Sie schon wieder fahren. Ligroin müßte noch nachgeschüttet werden.«

Unternehmungslustig steigt Berta Benz auf das Velo und schaut ihren Mann auffordernd an. Meister Spittler schüttet noch Ligroin in den Kolben – einen Tank gibt es noch nicht, der Motor läuft nur eine »Kolbenfüllung« lang.

»Jetzt könnten Sie fahren.«

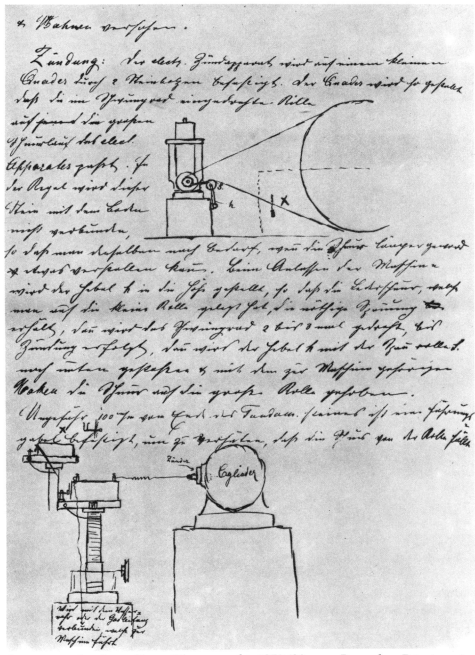

Lange vor der legendären Silvesternacht 1879/80 war Benz das Prinzip seines Zweitaktmotors klar. Mit diesen Notizen bereitete er sich auf seinen großen Wurf vor.

»Nach ein paar Metern ist das Ligroin wieder alle, dann stehen wir mitten auf der Straße und können nicht weiter«, gibt Benz zu bedenken.

Sohn Eugen hat eine Idee: »Dann lauf ich halt mit ein paar Flaschen nebenher und füll' nach, wenn der Kolben leer ist.«

Frau Benz ist begeistert. »So wird's gemacht!«

Benz ist überstimmt und klettert schließlich ebenfalls aufs Velo. Spittler wirft den Motor an, Richard öffnet das Hoftor, und Benz fährt mit Schwung auf die T6 hinaus. Eugen schnappt sich ein paar Flaschen Ligroin und spurtet hinterher.

Ein paar 100 Meter fährt das Velo ohne Schwierigkeiten an den fassungslosen Passanten vorbei, Eugen im Laufschritt immer einige Meter hinterher. Dann setzt – wie erwartet – der Motor aus. Eugen schüttet Ligroin nach, dreht das Schwungrad, und Benz wendet.

Seine Frau hat dafür überhaupt kein Verständnis. »Was machst du denn? Warum drehst du um?«

Doch Benz ist von der Heimfahrt nicht abzubringen. Von weitem hat er einen Schutzmann die Straße herunterlaufen sehen. Der Obrigkeit will er aber auf keinen Fall in die Quere kommen, obwohl es kein Gesetz gibt, das das Fahren auf »selbstbeweglichen Fahrzeugen« verbietet. Aber alles, was nicht ausdrücklich erlaubt ist, ist verboten. So knattert er wieder zur Werkstatt zurück.

Die erste Ausfahrt eines Autos in der Geschichte der Menschheit ist glücklich beendet, wenn man davon absieht, daß die letzten Meter doch noch geschoben werden mußte. Der Motor hatte kurz vor dem Hoftor seinen Geist aufgegeben und konnte nicht mehr dazu bewegt werden anzuspringen. Es war wohl auch fürs erste Mal ein bißchen viel für ihn gewesen.

Auch den Mannheimern reichte es. »So eine Unverschämtheit, dieser Stinkkarren verpestet ja die ganze Luft, die Pferde kommen ganz durcheinander ... Und was ist, wenn das Teufelsding explodiert?«

Der Wirt vom »Goldenen Ochsen«, dem die Pferde fast durchgegangen waren, redete nicht lange, sondern ging zur Polizei. Der Polizeihauptmann Bierbaum aber war überfragt. Er kannte kein Gesetz, das solche Fahrten verbot. Da kam er beim Wirt aber an den Falschen.

»Wenn ich meine Polizeistunde um fünf Minuten überziehe, dann ist die Polizei sofort da. Aber wenn einer mit so einer Kutsche ganz Mannheim unsicher macht, dann gibt es kein Gesetz. Aber so ist das ja immer: Ein kleiner Wirt darf nichts, der Herr Fabrikant darf alles.«

So sei das ja nun auch wieder nicht, verwahrte sich Bierbaum.

»Vielleicht können Sie mit ›grobem Unfug‹ was machen«, schlug der Ochsenwirt vor, »wie bei den Schulkindern.«

»Ein grober Unfug ist das nicht«, entschied der Polizeihauptmann, »höchstens, daß so ein Auto ein großer Blödsinn ist. Aber da kann ich nicht einschreiten.«

Er griff zum Gesetzbuch. »Aber irgendein Gesetz wird es schon dagegen geben.

Das wäre ja gelacht! Sonst könnte ja eines Tages jeder kommen und mit so einem Karren die Straßen unsicher machen.« Der Polizeihauptmann schüttelte sich bei diesem Gedanken.

Schon am nächsten Tag fährt Carl Benz wieder mit dem Velo aus, und natürlich ist Berta Benz mit von der Partie. Diesmal rattern sie durch die ganze Mannheimer Innenstadt bis zur Ringstraße. Die Polizei läßt sie gewähren. Der Polizeihauptmann Bierbaum schreitet auch nicht ein, als das Ehepaar Benz dicht an seiner Wachstube vorbeituckert, aber er setzt sich an seinen Schreibtisch und schreibt einen Brief:

Sehr geehrter Herr Benz!
Bezüglich Ihres selbstbeweglichen Wagens haben Sie sich am 4. 6. um 9 Uhr auf der Polizeiwache einzufinden.

Doch davon weiß Benz noch nichts, und er hat im Augenblick auch ganz andere Sorgen. Der Motor streikt, Frau Benz und Eugen müssen das Velo den ganzen Weg zurück schieben. Von der Ringstraße bis zur T6 sind es einige Kilometer – ein einziges Spießrutenlaufen, denn die Mannheimer wissen nun, was sie von dem Motorwagen zu halten haben: So ein Dreck! Und das sagen sie auch. Aber nicht alle. Der Redakteur der »Neuen badischen Landzeitung« berichtet einige Tage später wesentlich wohlwollender über die ersten Ausfahrten des Benzschen Motorwagens:

»Ein mittels Ligroin zu treibendes Veloziped, welches in der Rheinischen Gasmotorenfabrik von Benz & Cie entwickelt wurde und worüber wir schon berichtet haben, wurde heute früh auf der Ringstraße probiert und soll die Probe zufriedenstellend ausgefallen sein.«

»So zufriedenstellend auch wieder nicht«, widersprach Frau Benz belustigt, als sie den Artikel gelesen hatte.

Einige Wochen später, die Ausfahrten führten nun schon über Mannheim hinaus, durchs Käfertal und nach Seckenheim, hieß es im Generalanzeiger der Stadt Mannheim:

»... Schon bei dem ersten Versuch wurde uns die Gewißheit, daß durch die Benz'sche Erfindung das Problem gelöst sei, mittels elementarer Kraft einen Straßenwagen zu betreiben. Jedoch stellten sich, wie dies auch nicht anders erwartet werden konnte, noch viele Mängel ein, die durch fortgesetzte Versuche und Verbesserungen abzustellen waren. Die ebenso schwierige Arbeit wie die Erfindung darf nun als abgeschlossen betrachtet werden, und Herr Benz wird jetzt mit dem Bau solcher Fuhrwerke, für den praktischen Gebrauch berechnet, beginnen. Es soll dieses Fuhrwerk nicht gerade den Zweck und die Eigenschaften des Velozipeds haben, mit dem man etwa eine Spazierfahrt auf ebener gut erhaltener Landstraße macht, sondern es soll als Fuhrwerk dienen, das einem Bauernwägelchen oder ähnlichem Vehikel gleicht, mit dem man nicht nur jeden halbwegs anständigen Weg befahren, sondern auch mit Überwindung größerer Steigungen entsprechende Lasten befördern kann. Ein Geschäftsreisender soll zum Beispiel mit seinen Mustern von Ort zu Ort ohne Anstand fahren können.

Wir glauben, daß dieses Fuhrwerk eine gute Zukunft haben wird, weil dasselbe ohne viel Umstände in Gebrauch gesetzt werden kann und weil es, bei möglichster Schnelligkeit, das billigste Beförderungsmittel für Geschäftsreisende, eventuell auch für Touristen werden wird.«

Der Redakteur des Generalanzeiger war seiner Zeit weit vorausgeeilt. Heute wird das Auto ganz selbstverständlich von Geschäftsreisenden und von Touristen genutzt. 1886 war es weder für die einen noch für die anderen geeignet. Es hatte eben noch seine Kinderkrankheiten. Niemand wußte das besser als Benz, und er dachte auch noch nicht daran, eines seiner Autos an Fortschrittsenthusiasten zu verkaufen. Kauflustige verschreckte er mit einem einfachen Trick.

»An einem schönen Vormittag kommen da zum Fabriktor reinspaziert zwei Leut, ein Mann und eine Frau. Der Mann hat ein Köfferche in der Hand, geht gleich auf mich zu und fragt: ›Sind Sie der Herr Benz?‹

›Ja, der bin ich.‹

›Sage Sie mal, Herr Benz, Sie baue doch solche Wage, die von selber laufe?‹

›Ja, das tu ich schon. Aber warum wolle Sie das wisse?‹

›Ich möchte mir so ein Wage ansehn und eventuell ein kaufe!‹

Ich sag: ›So weit sinn wir noch nit, und ich verkauf Ihne kei Wage.‹ Aber der Mann war einfach zäh und ließ nicht locker, und er wollte sich wenigstens ein Wage ansehn. Ich gehe also zu meinem Sohn Eugen und sag: ›Bring mal einen von den dreirädrigen Wage raus (wir hatten zwei), und mach aber den Rieme schön kurz.‹ Die Sach mit dem Rieme war nämlich so: das Wägelche hat vorn beinah kein Gwicht gehabt, und wenn der Rieme sehr kurz gespannt war und man etwas grob einschaltete, ging der ganze Wage vorn hoch wie ein Geisbock, und wenn man's noch ein bißche gröber machte, ging er gleich so hoch, daß man hinne wieder runter fiel.

Na also, mein Eugen bringt das Wägelche in den Hof, läßt den Motor anlaufe, setzt sich in den Sitz, schaltet ein ... und mein Wägelche geht hoch wie ein scheuer Gaul oder wie'n Ziegenbock ... und wie der Mann das sieht, nimmt er in die eine Hand sein Köfferche und in die andere sei Frau, sagt ›Gute Morge‹, und weg ist er gewese und ist nie mehr wiedergekomme.« (Nach August Horch, dem Carl Benz diese Geschichte erzählt hat.)

Die wenigen potentiellen Käufer verloren aber auch ohne die Benzschen Tricks ihr Interesse. Jetzt war es nämlich amtlich: Auf den Straßen in Baden durfte mit so einem »Selbstbeweglichen« nicht gefahren werden. Polizeihauptmann Bierbaum hatte, wie zu erwarten gewesen war, ein Gesetz gefunden, mit dessen Hilfe er, wenigstens vorläufig, die Fahrten durch Mannheim verhindern konnte.

Der Motor des Dreirades, mit dem Benz 1886 die erste Ausfahrt wagte.

»Das Fahren mit elementarer Kraft«, erklärte er Benz, der seiner Vorladung pünktlich nachgekommen war, »das Fahren mit elementarer Kraft ist laut Landtagsbeschluß verboten.«

Dieses Landtagsgesetz war vor Jahrzehnten gemacht worden, um zu verhindern, daß Dampfmaschinen die Straßen unsicher machten. Die waren tatsächlich »hochexplosibel« gewesen, wie das seinerzeit hieß.

Aber sein Gasmotor sei doch völlig ungefährlich, beteuerte Benz, weil ...

»Sehen Sie, Herr Hauptmann«, Benz begann eine Skizze auf ein Blatt Papier zu zeichnen, »ich stelle diese Regulierungsschraube des Gasapparates so ein, daß es ein an Gasdämpfen reiches Gemisch ergibt, das für sich allein nicht mehr explosibel ist, und führe diesem Gemisch kurz vor Eintritt in den Zylinder noch die nötige Menge atmosphärischer Luft zu.«

Benz schaute auf und sah einen Polizeihauptmann, der wohl das dümmste Gesicht seiner Laufbahn machte. Er versuchte es trotzdem noch einmal.

»Eine Entzündung vom Zylinder aus kann daher das Gemisch nur so weit entzünden, als es selbständig verbrennbar ist, also nur bis zu der dicht vor dem Zylinder angebrachten Luftzuführung. Ein weiteres Zurückschlagen in den Gasapparat ist deshalb unmöglich.«

Wieder sah Benz den Polizeihauptman an – und gab auf. »Es kann also nicht explodieren«, schloß er lahm.

»Fahren Sie mit elementarer Kraft? Ja oder nein?«

»Ja natürlich, aber . . .«

Der Polizeihauptmann beendete die Diskussion: »Das Fahren mit elementarer Kraft ist laut Landtagsgesetz verboten.«

Carl Benz sollte noch jahrelang um eine Fahrgenehmigung kämpfen müssen. In der Zwischenzeit mußte er dieses Landtagsgesetz oft übertreten und dabei ein kleines Vermögen für das bezahlen, was man heute Bußgeld nennt.

Der Motorwagen war nun so ausgereift, daß selbst sein penibler Erfinder ans Verkaufen dachte. Die wichtigsten technischen Probleme waren gelöst, und – ein entscheidender Punkt – der Wagen wog wenig. Der Otto-Viertakter brachte bei einer Leistung von 0,75 PS 660 Kilogramm auf die Waage und war so für den Einbau in eine Kutsche oder in ein Veloziped viel zu schwer. Bei einer Leistung von 0,8 PS und 96 Kilogramm war der Benz-Motor dagegen ein Leichtgewicht.

Die Kühlung war einfach, aber nicht ganz zufriedenstellend. Die äußere Zylinderwand war von einem Kühlwassermantel umgeben. In diesen floß aus einem Vorratsbehälter Wasser ein, das den Zylinder umspülte. Das kältere, schwerere Wasser floß durch den Hohlraum; das erwärmte, leichtere Wasser stieg nach oben. Bei einer Leistung von 0,8 PS, ca. 250 Umdrehungen und einer Geschwindigkeit von 11 Stundenkilometern reichte dieses System gerade aus – die ideale Lösung war es auf Dauer nicht. Wesentlich besser war die Frage der Zündung gelöst.

»Mit Freuden denke ich daran zurück«, schreibt Benz in seinen Lebenserinnerungen, »daß ich schon in den allerersten Wagen jene Zündungen einbaute, die im Automobilbau jede andere Zündung (Glührohr, Stichflamme) aus dem Felde schlug und heute die alleinherrschende geworden ist, die elektrische . . . So ging ich wieder von der magnet-elektrischen Zündung über zur Batteriezündung, eine Zündungsart, die sich bis in unsere Tage hinein gehalten hat (Akkumulatoren). Selbstverständlich war der niedrig gespannte Strom der Bunsenelemente auch nicht immer imstande, im Zylinder mit Erfolg zu ›funken‹. Genau wie es schon bei dem Zündstrom der Dynamomaschine der Fall war, suchte ich mit Hilfe eines Ruhmkorffschen Funkinduktors zu transformieren, das heißt auf eine höhere Spannung zu bringen. Heute sind noch viele Induktionsspulen vorhanden, die ich unter Mitarbeit meiner Frau in allen möglichen Größen und Drahtstärken selbst gewickelt und probiert habe.«

Benz übertreibt nicht, wenn er sich bescheinigt, »der Zeit weit vorausgeeilt zu sein«. Erst die »Niederspannungszündung« von Bosch verdrängte die Benzsche Erfindung. Das war allerdings Jahrzehnte später.

Auf der mit halber Drehzahl laufenden Nockenwelle des Motors waren die Nokken für die Steuerung der Ventile, der Batterie und der Zündung sowie die Antriebsscheibe montiert, von der durch einen Flachriemen eine mit einem Differential ausgestattete Vorlegwelle und von dieser durch Ketten jedes der hinteren Räder angetrieben wurde. Durch Verschieben des Riemens von der Leer- auf die Vollscheibe und umgekehrt konnte der Motor ein- und ausgekoppelt werden. Die Drehzahl wurde durch Veränderung der Zusatzluftmenge in das vom Oberflächenvergaser gelieferte gleichmäßig fette Gemisch geregelt.

Das Automobil, das seinen Namen wirklich verdiente, war geschaffen. Für die damalige Zeit technisch ausgereift – aber niemand wollte etwas davon wissen. Da hatte Berta Benz eine Idee.

»Wir müssen einfach dafür sorgen, daß dein Motorwagen bekannt wird«, sagte sie eines Tages kurz vor den Sommerferien, »wir müssen ihn ins Gespräch bringen. Es gibt bestimmt genug Interessenten, die aber gar nicht wissen, daß es so was gibt.«

»Nachher kommt er nur ins Gerede, das will ich nicht«, widersprach Benz, »und außerdem ist es nicht mehr lang bis zur Münchener ›Kraft- und Arbeitsmaschinenausstellung‹, da hat's genug Fachleute, die meinen Wagen estamieren.«

Das will Berta Benz gar nicht gelten lassen.

»Erstens täuschen sich die Fachleute oft genug, und zweitens kommt es auf die in erster Linie gar nicht an. Die haben in den Fachzeitschriften deinen Wagen schon oft genug gelobt, und das hat gar nichts genützt. Der Wirt vom ›Goldenen Ochsen‹ zum Beispiel, der dich angezeigt hat, weil seine Pferde gescheut haben, als wir an ihm vorbeigefahren sind. Solche Leute müßten sich für unseren Wagen interessieren.«

»Das kommt eines Tages von selbst.«

»Von selbst kommt gar nichts. Wir müssen einfach mal weiter weg fahren. Sekkenheim, was ist das schon! Dahin kommt auch der Ochsenwirt mit seinen Pferden in einer halben Stunde. Weiter fahren müssen wir, viel weiter!«

»Und dann kommen die Steigungen«, gab Benz zu bedenken, »mit zwei Übersetzungen und 3 PS würden wir da nicht weit kommen.«

Doch Berta Benz ließ sich von ihrer Idee nicht abbringen. Mehr als schiefgehen könnte eine Fernfahrt auch nicht. Das Auto brauchte Reklame, und außerdem würde es Spaß machen. Und wenn ihr Mann nicht mitmachen wollte – bitte, es gab schließlich außer ihm noch andere in der Familie, die etwas vom Auto verstanden.

Ein sonniger Morgen im August 1888. Carl Benz sitzt beim Frühstück in der Küche. Er ist allein, weil seine Frau und die beiden Buben mit dem Frühzug nach Pforzheim gefahren sind; die beiden Mädchen schlafen noch.

Plötzlich wird die Tür aufgerissen, und Meister Spittler stürzt herein. Vor Aufregung hat er sogar das Anklopfen vergessen.

»Herr Benz, kommen Sie schnell«, ruft er, »das Modell III ist weg!«

»Ach, kommen Sie«, beruhigt ihn Benz, »damit ist bestimmt meine Frau zum

Einkaufen gefahren. Ich glaub', ich hab sogar im Halbschlaf den Motor gehört.«

»Zum Einkaufen? Morgens um sieben? Da hat ja noch kein Laden geöffnet. Und außerdem, ich denke, die sind mit dem Frühzug nach Pforzheim gefahren.«

Spittler kann sich nicht beruhigen.

»Der Wagen ist gestohlen worden. Samt den Ketten, die wir für den Ausstellungswagen in München brauchen. Die hab' ich zum Einfahren auf das Modell III montiert. Alles weg!«

Benz ist nachdenklich geworden. Ihm ist das Gespräch wieder eingefallen, das er kürzlich mit seiner Frau geführt hat. Eine Fernfahrt nach Pforzheim? Du lieber Himmel! Da liegen ja Steigungen bis zu zwölf Prozent dazwischen. Das schaffen die nie!

»Beruhigen Sie sich, Spittler, das Modell III ist nicht gestohlen worden. Meine Frau und die Buben sind heute morgen nach Pforzheim gefahren, aber nicht mit dem Frühzug. Raten Sie mal, womit sonst?«

»Mit dem Modell III? Nach Pforzheim? Die spinnen ja – entschuldigen Sie, Herr Benz. Aber da liegen ja Steigungen bis zu zwölf Prozent dazwischen. Das schaffen die nie!«

»Ich weiß«, nickt Benz.

»Courage haben sie ja«, sagt Spittler anerkennend.

Wieder nickt Benz. »Ich weiß.«

Etwa zur gleichen Zeit steht Berta Benz am Fenster der Wieslocher Apotheke und ist mit der Welt zufrieden. Wer hätte das noch vor ein paar Jahren gedacht: Von Mannheim nach Wiesloch! In einem Motorwagen und auf einen Rutsch! Sicher, eine Steigung haben sie nur mit Schieben überwunden, aber nach Pforzheim geht's ja nicht immer bergauf.

Sie geht wieder zum Ladentisch, auf dem der Apotheker 14 Halbliterflaschen mit Ligroin aufgebaut hat. Er hat sich in der Zwischenzeit beruhigt; schließlich macht man so ein Geschäft nicht alle Tage.

»Mehr hab' ich nicht«, sagt er, »aber in Bruchsal ist ja auch noch eine Apotheke – wenn Sie bis nach Bruchsal kommen.«

»Wir schaffen das schon«, lächelt Frau Benz. Sie verstaut die Flaschen in einem Korb und verläßt die Apotheke. Die beiden Jungen haben ihren Vortrag in der Zwischenzeit beendet, Kühlwasser nachgefüllt und die Riemen nachgezogen. Ein Liter Ligroin noch, und die Fahrt kann weitergehen. Die Wieslocher machen respektvoll Platz, als das Gefährt die Hauptstraße hinunterrattert.

Der Motor läuft, das Kühlwasser reicht für die nächsten 20 Kilometer, das Ligroin bis Pforzheim – das Leben ist schön für die drei Fernfahrer, und sie singen aus Leibeskräften: Heidi, Heido, wir fahren, wir fahren in die Welt . . . Da fängt der Motor an zu stottern, setzt kurz aus – und bleibt stehen. Hat ihm das Lied

KAISERLICHES PATENTAMT.

AUSGEGEBEN DEN 2. NOVEMBER 1886

PATENTSCHRIFT

№ 37435

KLASSE 46: LUFT- UND GASKRAFTMASCHINEN.

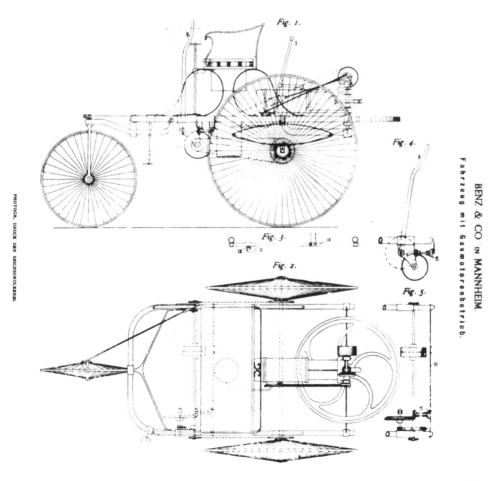

Fig. 1.

Fig. 4.

Fig. 3.

Fig. 2.

Fig. 5.

BENZ & CO in MANNHEIM.

Fahrzeug mit Gasmotorenbetrieb.

PHOTOGR. DRUCK DER REICHSDRUCKEREI.

Am 2. November 1886 reichte Benz den Entwurf seines »Velozipeds« beim Reichs-patentamt in Berlin ein.

nicht gefallen? Nein, ein Ventil ist undicht geworden. Darauf waren die drei nicht gefaßt. Zangen, Schraubenschlüssel und Schraubenzieher haben sie dabei, aber was soll man zum Abdichten nehmen? Berta Benz weiß auch da Rat.

»Dreht euch um und guckt, daß niemand kommt«, sagt sie und nimmt ihr Strumpfband ab. Damit wird das Ventil abgedichtet, und einige Minuten später fahren sie schon wieder: Ein paar Kilometer weiter macht das andere Ventil Schwierigkeiten; es ist verstopft. Diesmal stiftet Berta Benz eine Haarnadel. Die Reparatur wird schon ganz routiniert vom fahrenden Wagen aus erledigt.

Die nächste Panne läßt nicht mehr lange auf sich warten. Bei einem kleinen Gefälle – die dazugehörige Steigung hatten sie schon ohne Schieben bewältigt – schreit Eugen plötzlich auf:

»Ich kann nicht mehr bremsen!«

Richard beugt sich aus dem Auto und sieht die Lederbeschläge der Bremsen in Fetzen durch die Luft wirbeln.

»Das Leder fliegt davon«, schreit er.

»Um Gottes willen«, ruft seine Mutter, »hoffentlich kommt keine Kurve!«

Es kommt keine Kurve. Am Fuß des Abhangs liegt der kleine Ort Bauschlott. Mit Karacho fahren sie in das Dörfchen, erschrecken ein paar Hühner, die nach allen Seiten auseinanderflattern. Aber sonst passiert nichts.

Der Dorfschuster nagelt neue Lederkappen auf die Bremsen, und die Fahrt führt jetzt ohne nennenswerte Zwischenfälle bis nach Pforzheim. Bei größeren Steigungen müssen sie schieben, aber das sind sie ja inzwischen gewöhnt.

Es ist schon dunkel, als sie in Pforzheim ankommen. Rasch noch ein Telegramm an den Papa, dann aber nichts wie ins Bett. Die drei sind so müde, daß sie die Bewunderung der Pforzheimer für ihre Pionierfahrt kaum mehr mitbekommen. Die Berta Ringer – das ist der Mädchenname von Frau Benz, und so heißt sie für die Pforzheimer immer noch – ist auf Wochen hinaus Tagesgespräch.

Nur eine Frau meinte bei ihrem Anblick – ölverschmiert, die Haare aufgelöst, ein Strumpf hing mangels Strumpfband über dem Stiefel –: ». . . mit dem Waschen haben's die in Mannheim wohl nicht so arg.«

Da mußte Berta Benz trotz ihrer Müdigkeit doch lachen.

Carl Benz hat später erzählt, er sei »den drei Ausreißern nicht gram gewesen«. Er schickte am nächsten Tag ein Telegramm nach Pforzheim: Sofort die eingefahrenen Ketten zurückschicken! Die brauchte er dringend für die Münchener »Kraft- und Arbeitsmaschinenausstellung«, an der er unbedingt teilnehmen wollte. Gleichzeitig schickte er neue Ketten nach Pforzheim, mit denen die drei einige Tage später wieder nach Mannheim zurückfuhren.

In München gab es natürlich auch ein Gesetz, das das Autofahren auf öffentlichen Straßen verbot.

»Ich ging daher zum Polizeihauptmann und bat ihn um die Fahrerlaubnis«, erzählt Carl Benz in seinen Lebenserinnerungen. »Der machte erst große Augen und wollte von einem fahrenden ›Selbstbeweglichen‹ nichts wissen. Ich versicherte ihm, daß jede Gefahr ausgeschlossen sei; trotzdem wollte er die Verantwortung nicht auf sich nehmen. Da packe ich ihn mehr als Mensch denn als Beamten an und sage ihm, daß dieser selbstbewegliche Wagen für mich mehr ist als eine einfache Maschine, daß er die Verwirklichung all meiner Jugendhoffnungen und Erfinderträume ist. ›Wollen Sie wirklich einer Erfindung, die der Menschheit ein neues Verkehrsmittel schenkt, den Weg versperren?‹ frage ich. Nach langem Hin und Her bekam ich die inoffizielle Erlaubnis, während zwei Stunden des Tages in Münchens Straßen herumzufahren. Die ›inoffizielle Erlaubnis‹, die heißt: Passiert kein Unglück, so will der liebenswürdige Polizeihauptmann die Augen zudrücken und uns ungeschoren fahren lassen; geschieht aber ein Unglück, so wird der gestrenge Polizeihauptmann von einer gegebenen Erlaubnis nichts wissen und mich unnachsichtlich zur Rechenschaft ziehen. Ich freute mich wie ein Kind über die kluge Taktik des Mannes und kutschierte jeden Tag frei und froh einige Stunden in München herum.«

Die Münchener Presse berichtete über diese Ausfahrten: » . . . ohne eine bewegende Kraft durch Erzeugung von Dampf rollte der Wagen dahin, gefolgt von einer Zahl atemlos nacheilender junger Leute!«

Eine andere Zeitung lobte das »Fuhrwerk«: Dasselbe könne von jedermann und ohne Anstrengung gelenkt werden und biete tatsächlich einen Ersatz für das kostspielige Pferdematerial. Auch das Preisgericht war begeistert und verlieh Carl Benz die höchste Auszeichnung der Ausstellung, die goldene Medaille. Benz war sicher: Jetzt geht's endgültig aufwärts. Eine bessere Reklame als diese Medaille konnte es ja nicht geben!

Aber er täuschte sich.

»Es fand sich im lieben Deutschland kein Käufer«, schrieb er später, »und es erschien mir selbst als böses Omen, daß der erste deutsche Kunde noch vor Ablieferung des Wagens ins Irrenhaus eingeliefert werden mußte.«

Die Mannheimer spotteten: Sie hatten es ja gleich gewußt; wer sich für so was interessierte, konnte im Kopf nicht ganz richtig sein. So versuchte es Benz mit Werbung. In einem Werbeblatt pries er seinen Wagen so an:

> Vollständiger Ersatz für Wagen mit Pferden!
> Erspart den Kutscher, die teure Ausstattung,
> Wartung und Unterhalt der Pferde!
> Immer sogleich betriebsbereit!
> Bequem! Absolut gefahrlos!
> Lenken, halten und bremsen leichter und
> sicherer als bei gewöhnlichem Fuhrwerk!
> Keine besondere Bedienung nötig!
> Sehr geringe Betriebskosten!

Aber auch das nutzte nichts. Nach Frankreich wurden zwar einige Wagen verkauft, aber längst nicht so viele, daß Esslinger und Rose mit dem Weiterbau dieses »Unfugs« einverstanden waren. »Herr Benz«, ermahnte Esslinger seinen eigensinnigen Teilhaber, »wir haben jetzt ein schönes Geld verdient, aber lassen Sie die Finger vom Motorwagen, sonst verlieren Sie wieder alles.« Und Eugen Benz erinnerte sich noch Jahre später an Roses täglichen Stoßseufzer: »Mein Gott, wie soll das alles enden!«

Die beiden hatten Angst um ihr Geld. Stationäre Motoren, daran konnte man verdienen! Und auch mit den Motorbooten, die die Firma seit einiger Zeit baute, hatten sie gute Geschäfte gemacht.

Doch Benz ließ sich nicht beirren.

»Nächstes Jahr ist Weltausstellung in Paris«, versuchte er seine Partner zu beruhigen. »Wenn Paris ein Erfolg wird, können wir uns vor Aufträgen nicht mehr retten. Roger ist ein rühriger Mann, er wird schon dafür sorgen, daß wir in Paris gut abschneiden.« Emile Roger war der französische Vertreter der »Rheinischen Motorenfabrik«, und die bescheidenen Exporte des Motorwagens in das Nachbarland waren sein Verdienst.

Esslinger und Rose blieben skeptisch: »Das haben Sie vor der Münchener Ausstellung auch gesagt, und was ist dabei herausgekommen? Nichts. Und was den Roger betrifft, was macht denn der groß? Kauft ein paar Einzelteile und ein paar Motoren und montiert dann in Paris den Motorwagen. Der Name Benz kommt nicht einmal vor.«

Aber auch von diesen berechtigten Einwänden ließ Benz sich nicht entmutigen: »Roger tut, was er kann. Wenn er ganze Motorwagen importieren würde, müßten wir viel zuviel Zoll bezahlen. Das wissen Sie so gut wie ich. Und was den Namen Benz betrifft, da red ich schon noch mit ihm. Im übrigen stehen die Franzosen dem Motorwagen viel aufgeschlossener gegenüber als die Deutschen. Paris und München können Sie nicht vergleichen.«

»Aber die Leute werfen in Frankreich genauso mit Steinen nach dem Wagen wie bei uns«, unterbrach ihn Esslinger, »darüber hat sich neulich sogar Levassor beklagt. Ich hab's in einer Zeitung gelesen.«

»Mag schon sein«, sagte Benz unerschüttert, »trotzdem sind die Franzosen weiter. Und weil wir gerade davon sprechen: Die Firma Panhard und Levassor prosperiert allein durch Motoren. Und Levassor hat sich vermutlich nicht ohne Grund von Roger einen ›Benz‹ gekauft. Vielleicht kommen wir sogar mit ihm ins Geschäft.«

Was Benz nicht wußte: Die Firma Panhard und Levassor stand zu der Zeit bereits in engen Geschäftsverbindungen mit Daimler. René Panhard hatte Roger zwar einen »Benz« abgekauft, aber den fand sein Erfinder einige Monate später verstaubt in einer Ecke bei Panhard und Levassor.

Benz war 1888 nach Paris gekommen, um mit Roger zu verhandeln und die

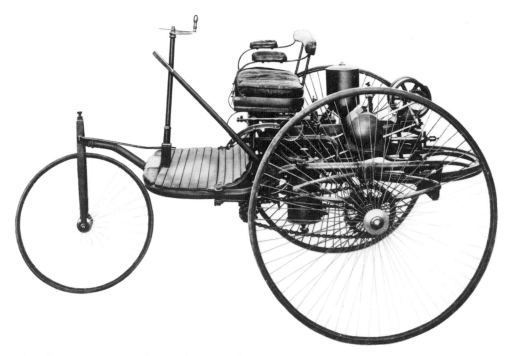

*Mit diesem »Veloziped« machten Carl Benz und seine Frau Berta im Jahre 1886
die Mannheimer Straßen unsicher.*

Weltausstellung vorzubereiten. Er traf sich mit Roger in dessen kleiner Fabrik.
Auf dem Hof standen einige Benz-Wagen vom Typ »Modell III« mit der Aufschrift »Roger Voitures«. Der Name Benz kam tatsächlich nicht vor.

»Wissen Sie, Monsieur Benz, mit deutschen Namen können wir zur Zeit keine
Geschäfte machen. Seit dem Krieg haben wir Franzosen Vorbehalte gegen deutsche Produkte.«

Aber das ließ Benz nicht gelten: »Das sind Benz-Motorwagen. Wenn Sie den
Wagen nicht unter seinem richtigen Namen verkaufen, sind unsere Geschäftsbedingungen beendet.«

Er konnte Roger ruhig unter Druck setzen, weil sich der schwerreiche Fabrikant
Maurice Cambien ebenfalls für den Vertrieb des Benzschen Wagens interessierte.
Man einigte sich schließlich auf die Bezeichnung »Roger-Benz Voitures«, aber
damit hörte der Ärger mit Roger nicht auf. In Prospekten und Zeitungsanzeigen
vermittelte er weiterhin den Eindruck, der Wagen sei ein französisches Produkt.
Lediglich der Motor war als Erfindung eines Deutschen ausgewiesen. So wurde
der Name Benz nur sehr zögernd ein Begriff für die Franzosen.

Ganz anders verhielt sich die Konkurrenz: Die Firma Panhard und Levassor
warb ausschließlich mit dem Namen Daimler, und das erwies sich als richtig.

Wieder in Mannheim, versprach Benz seinen Kompagnons, sich intensiver um die Weiterentwicklung der stationären Motoren zu kümmern. Er hoffte jedoch weiterhin auf den Durchbruch nach der Pariser Weltausstellung – und er hoffte wieder einmal vergeblich.

Roger hatte die Ausstellung schlecht vorbereitet. Der Benz-Motorwagen stand unbeachtet in der Halle, während der Stahlradwagen von Daimler Furore machte. Maybach und Levassor waren damit fast jeden Tag unterwegs und sorgten so dafür, daß der Daimler-Wagen im Gespräch blieb. Zudem stellte Daimler ein Motorboot aus und seine berühmte kleine Trambahn. Am Daimlerschen Stand drängten sich die Interessenten, bei Roger-Benz herrschte gähnende Leere. Auf die Daimler-Motoren gab es einen regelrechten Run, Roger dagegen hatte seine Vertragsformulare vergeblich mitgebracht.

Der Mißerfolg in Paris gab Esslinger und Rose den Rest. Benz hatte sein Versprechen nicht gehalten, sich mehr um »verkäufliche Produkte« sprich stationäre Motoren, zu kümmern; sein Interesse für den Motorwagen war offensichtlich »unheilbar«, Esslinger und Rose stiegen aus der Firma aus. Sie waren jedoch anständig genug zu warten, bis Benz neue Partner gefunden hatte. Sie wollten sich selbst nicht ruinieren, ihren langjährigen Kompagnon und Freund jedoch auch nicht.

Die neuen Teilhaber waren aus anderem Holz geschnitzt als Esslinger und Rose. »Mit Friedrich von Fischer und Julius Ganß traten mir im Jahre 1890 zwei Männer an die Seite«, schrieb Benz später, »die statt Mißtrauen den fröhlichen und starken Glauben an die Zukunftsmacht des Motorwagens mit sich brachten; sie waren gleich mir Feuer und Flamme für die neue Produktionsidee und scheuten keine Geldopfer zwecks Fabrikation von Motorwagen.«

Von Fischer übernahm die kaufmännische Organisation, Ganß den Verkauf. Beide hatten lange Zeit im Ausland gearbeitet, von Fischer in Japan, Ganß in Frankreich; die Erfahrungen, die sie dort gesammelt hatten, rentierten sich nun.

Benz arbeitete jetzt nur noch am Motorwagen – diesmal durchaus mit Billigung seiner Teilhaber –, fand aber trotzdem Zeit, einen liegenden stationären Benzinmotor zu entwickeln, der den stationären Gasmotor ablösen und sich zu einem echten Verkaufserfolg entwickeln sollte.

Ende 1890 schlug Carl Benz dem Königlichen Postoffizial Kugler aus Speyer vor, für die »Kariol- und Postbotenfahrten« statt Pferdekutschen doch Motorfahrzeuge einzusetzen. Kugler war von der Idee begeistert; in einem Brief vom 1. Januar 1891 schreibt er an Benz: »Er (der Autofahrer) setzt sich hinein und dampft ab. Keine Fütterung, keinen Stallwärter, keinen Schmied, keine Gefahr des Scheuens von Pferden; wie von Geisterhand getrieben, rollt das Gefährt dahin, ein Ruck und es steht. Dazu die Billigkeit des Betriebes. Diese immensen Vorteile müssen selbst dem borniertesten ›Zopfe‹ einleuchten. Vom ästhetischen Standpunkt aus betrachtet, mag sich das Gefährt in voller Fahrt allerdings etwas komisch ausnehmen, und der Uneingeweihte mag glauben, es sei eine ins Rollen gekommene Chaise. Das ist eben das Ungewohnte . . .«

Kugler macht Benz auch einige Verbesserungsvorschläge, zum Beispiel für »einen zusätzlichen Gang zum Rückwärtsfahren«, die Benz später verwirklicht hat.

Benz wollte unbedingt einen vierrädrigen Wagen bauen. Technisch war das kein Problem, lediglich die Lenkung bereitete ihm einiges Kopfzerbrechen. Jedoch: »Eines Morgens kam Herr Benz herunter«, berichtet Werkstattleiter Matthias Bender, »da gingen wir auf den Hof, zogen mit einer Schnur und mit Kreide zwei Kreise im Durchmesser von ungefähr fünf und siebeneinhalb Meter; auf diesen Kreisen wurde die Winkelstellung der Vorderräder festgestellt, denn um eine leichtgehende Steuerung zu erhalten, muß das Vorderrad im inneren Kreis einen größeren Einschlag haben als das äußere Rad. Nach diesen Winkelfeststellungen wurde dann die Vorderachse mit drehbarem Schenkel zu Papier gebracht. Es war Herrn Benz gelungen, eine leicht gehende und gute Steuerung für seinen Vierradwagen herzustellen.«

Die Achsschenkellenkung war erfunden. Unter der Nummer 73 515 wurde sie 1892 patentiert. Dieses Patent gilt als eine der größten, wenn nicht als die größte Erfindung von Carl Benz.

Was war noch neu an dem Vierradwagen, der den Namen »Victoria« erhielt? Jedes Modell hatte mindestens 3 PS, das Schwungrad war nun senkrecht angeordnet. Der Oberflächenvergaser wurde durch den »Düsenvergaser« ersetzt, in dem – ähnlich wie bei Maybach in Cannstatt – der Flüssigkeitsspiegel durch einen Schwimmer konstant gehalten wurde.

Zum Wechseln der Geschwindigkeit für »Schnellfahrt« und für »Bergfahrt« wurde ein Riemenantrieb mit verschiedenen Übersetzungen benutzt. Die Zündung wurde entscheidend verbessert: Statt der Dynamomaschine und der Chromsäurebatterie benutzte Benz nun einen Bleiakkumulator.

Im Sommer 1893 erwartete Benz hohen Besuch. Zwei Ministerialbeamte aus der Landeshauptstadt Karlsruhe hatten sich angesagt, um amtlich zu prüfen, ob »für Motorwagen eine Sondergenehmigung zur Benutzung von Landstraßen in Baden in Betracht gezogen werden könne«.

Der Fahrmeister Thum holte die beiden vom Bahnhof ab. Er war von Benz ermahnt worden, um Himmels willen vorsichtig zu fahren.

»Von dem Besuch hängt mehr ab, als Sie sich vorstellen können«, schärfte er seinem Fahrmeister ein. »Wenn Pferde unterwegs sind – sofort anhalten. Und ja nicht schneller als sechs Kilometer fahren. Haben Sie mich verstanden?«

Natürlich hatte Thum verstanden. Als Fahrmeister hatte er selbst oft genug geflucht, wenn er von den ausgebreiteten Armen eines Wachtmeisters angehalten und in die Fabrik zurückgeschickt worden war.

Kurz darauf stand die neueste »Victoria« vor Sauberkeit spiegelnd auf dem

Die legendäre »Victoria«. Äußerlich noch eine Kutsche, vom Prinzip her aber das erste »richtige« Auto.

Bahnhofsplatz. Die beiden Herren aus Karlsruhe gingen mißtrauisch um das Gefährt herum, stiegen schließlich aber doch auf. Thum fuhr so langsam, daß die Fußgänger mit dem Auto Schritt halten konnten, ohne außer Atem zu kommen.

Ein bißchen schneller könne er schon fahren, meinte der ranghöhere der beiden Beamten. Das ließ sich Thum nicht zweimal sagen. Er gab Gas, und schon hatte er sein Limit von sechs Stundenkilometer erreicht. Als sich aber eine Milchkutsche mit locker dahertrabenden Pferden ans Überholen machte, da packte die Beamten der Ehrgeiz.

Mit Worten wie »Wir werden uns doch nicht von jedem Mistkarren überholen lassen«, feuerten sie Thum an, der alle Ermahnungen seines Chefs vergaß. Mit 18 Stundenkilometer raste er durch Mannheim, und die beiden Herren hatten alle Hände voll zu tun, um ihre Hüte festzuhalten. Der Wachtmeister, der ihn sonst immer angehalten hatte, fand überhaupt keine Zeit, die Arme auszubreiten, so schnell zischte die »Victoria« an ihm vorbei.

Benz wartete am Fabriktor und sah mit Entsetzen, mit welchem Tempo sich der Wagen näherte.

Aber die beiden Beamten waren begeistert. Eine Sondergenehmigung? Aber selbstverständlich, man darf doch den Fortschritt nicht aufhalten!

»Die Geschwindigkeit darf in der Zeitstunde auf offener Straße außerhalb der Ortschaften 12 Kilometer, innerhalb der Ortschaften und bei starken Krümmungen 6 Kilometer nicht überschreiten. Beim Begegnen mit Fuhrwerken, Zugtieren oder Reitpferden muß die Geschwindigkeit noch weiter gedrosselt werden. Diese Genehmigung wird versuchsweise bis zum 31. Dezember 1894 erteilt.«

»Sie müssen das verstehen, Herr Benz, wenn's nach uns ginge, dürften Sie so schnell fahren, wie Sie wollten. Aber es denken nicht alle so fortschrittlich wie wir.«

Das sagten die gleichen Beamten, die Benz jahrelang alle erdenklichen Steine in Form von Verordnungen und Verboten vor den Motorwagen geworfen hatten.

Die Sondergenehmigung wurde nie widerrufen.

Im Sommer 1894 wagte einer die zweite große Fernfahrt in der Geschichte des Automobils. Der Österreicher Theodor von Liebig fuhr mit einer »Victoria« von Reichenberg in Böhmen über Mannheim nach Reims. Er brauchte für die 940 Kilometer 140 Liter Treibstoff und 1500 Liter Kühlwasser. Die Pannen hielten sich in Grenzen, und die Zeitungen berichteten in großer Aufmachung über diese Fahrt. Benz war von der Lokalseite im Innenteil auf Seite eins gerückt und konnte sich, wie er es vorausgesehen hatte, mit der Zeit vor Aufträgen kaum noch retten. Julius Ganß hatte sich nämlich als Verkaufsgenie entpuppt.

August Horch, der damals als junger Ingenieur eng mit Benz zusammengearbeitet hatte, erzählte später, daß es wegen der Verkaufserfolge von Ganß zu Auseinandersetzungen gekommen ist.

»Das kann doch nicht Ihr Ernst sein«, sagte Benz eines Morgens zu Ganß, nachdem dieser ihm ganz nebenbei erzählt hatte, daß er 200 »Victoria« nach Paris verkauft habe.

In aller Eile wurden Pläne zur Erweiterung der Produktionskapazitäten gemacht, aber vierzehn Tage später kam Ganß mit der Nachricht an, daß er nochmals 200 Wagen verkauft habe. Diesmal nach London. Da wurde Benz ernsthaft böse und fuhr Ganß an: »Hören Sie mal, Herr Ganß, Sie können einem aber wirklich die Ruh nehmen!«

Wieder mußten Pläne für einen Ausbau gemacht werden, aber auch die hinkten bald wieder den Verkaufserfolgen von Ganß hinterher.

Nun ging Benz daran, »Serienpolitik« zu machen nach der Devise: Für jeden Geldbeutel das richtige Auto. Der erste Volkswagen wurde gebaut, das »Velo«, Preis: 2 000 Mark. Es folgten der »Vis-à-vis«, der viersitzige »Phaeton«, der zwölfsitzige »Break« und schließlich der achtsitzige »Landaulet«, aus dem der erste Omnibus entwickelt wurde.

Der Aufstieg zur Weltfirma war nicht mehr aufzuhalten. 1899 wurde die Firma in eine Aktiengesellschaft umgewandelt, nachdem Friedrich von Fischer schwer erkrankt war. Unter den Aktionären war – zur Freude von Benz – auch sein ehemaliger Kompagnon Max Caspar Rose, der seinerzeit aus der »Rheinischen Gasmotorenfabrik« ausgeschieden war, weil der Motorwagen seiner Meinung nach keine Zukunft hatte. Jetzt bewies er ein reiferes Urteilsvermögen: Eine bessere Geldanlage als eine Benz-Aktie hatte es noch nie gegeben.

Ostern 1929 führt der »Rheinische Automobil-Club, Mannheim« unter dem Motto »Ehret Euren Meister« eine Huldigungsfahrt nach Ladenburg durch, wo Benz sich zur Ruhe gesetzt hatte. Klubs aus Bayern, Württemberg und Baden schließen sich an. In Pforzheim, Benz' Geburtsstadt, trifft man sich und nimmt dann die gleiche Strecke, die seinerzeit die ersten Fernfahrer der Automobilgeschichte gefahren waren: über Bretten, Wiesloch, Bauschlott, Brötzingen, Bruchsal und Weinheim nach Ladenburg. Tausende stehen an den Straßen.

Hunderte von Autos defilieren am Benzschen Haus in Ladenburg vorbei. Doch Benz kann sie nicht sehen. Er ist krank. Berta Benz steht mit ihren beiden Söhnen am Fenster des Krankenzimmers und schildert ihrem Mann, was sich draußen abspielt. Aus einem Flugzeug wird ein Lorbeerkranz abgeworfen. Für kurze Zeit ist das sonst so beschauliche Ladenburg die lauteste Stadt der Welt.

Und am Schluß der Prozession die Höhepunkte: der Patentmotorwagen »Victoria«, das »Velo«, der »Vis-à-vis«, »Landaulet« und »Break« und wie sie alle heißen; Carl Benz erkennt jeden einzelnen am Motorengeräusch.

Am 4. April 1929 stirbt Carl Benz.

Jean Joseph Lenoir, René Panhard und Emile Levassor

Aufschwung in Frankreich mit deutschen Motoren

»Ich baute im Jahr 1836 einen automobilen Wagen, mit dem wir im September nach Jionville-le-Pont fuhren; wir brauchten eine und eine halbe Stunde für die Hinfahrt und ebenso lange für die Rückfahrt nach Bonneville bei einer Gesamtstrecke von 18 Kilometern. Der Wagen war schwer, der Motor hatte eineinhalb Pferdestärken und machte 100 Umdrehungen in der Minute bei einem ziemlich schweren Schwungrad. Ich war von den 700 oder 800 Umdrehungen, welche die viel kleineren Motoren heute machen, weit entfernt.«

Das schrieb der Ingenieur Jean Joseph Lenoir Ende der achtziger Jahre des vergangenen Jahrhunderts. Ungeniert gab der Erfinder damit zu, daß sein Motor nicht für den Antrieb eines Straßenfahrzeugs taugte. Da er für seinen Motor unverdichtetes Gas verwendete, mußte Lenoir riesige Hubräume bauen, der Kolben ging träge hin und her. Für 1 PS brauchte er sechs Liter Hubraum. Heute erzielt man mit dem gleichen Hubraum ohne Schwierigkeiten mehr als 250 PS.

Lenoirs Motor war so schwer und groß, daß er selbst lachend sagte: »Mein Wagen war eigentlich nichts anderes als eine Transporteinrichtung für den eigenen Antriebsmotor.« Und obwohl zum Beispiel damals die größe Zeitschrift »Monde Illustrè« schon am 16. Juni 1860 ganz begeistert schrieb, der Konstrukteur Lenoir arbeite an einem Motorwagen, der den gesamten Straßenverkehr völlig verändern werde, gab es nie wieder einen zweiten Versuch mit einem motorisierten Fahrzeug, in dem ein Lenoir-Motor tuckerte.

Das schmälert freilich nicht das Verdienst des genialen französischen Erfinders und Konstrukteurs. Denn er war es, der den ersten gasgetriebenen Motor schuf, der sozusagen als Auslöser für alle Entwicklungen auf diesem Sektor gelten kann. Daimler und Benz, Otto und Maybach haben ebenso wie alle anderen Automobil- und Motorenbauer von der Erfindung Lenoirs profitiert und dies auch nie verschwiegen.

In den ersten Jahren des 19. Jahrhunderts hatte man begonnen, Gas für Beleuchtungszwecke einzusetzen. Die Gaslaternen eroberten sich die Straßen und Plätze in den Städten, und bald gab es auch Gaslicht in den Häusern und Palästen. Ein neuer Energiespender war entdeckt. Und sofort begannen findige Konstrukteure darüber nachzudenken, ob man diese neue Energie nicht auch technisch einsetzen könnte. Schon 1801 hatte der Franzose Philippe Lebon das Patent für einen Gasometer erhalten, der allerdings nie praktisch verwirklicht wurde.

Jahrzehntelang bastelten und bauten die Konstrukteure in ihren Kammern und Werkstätten. Jeder von ihnen spürte wohl, daß es einen Weg geben mußte, das Gas, das bei der Verbrennung von Kohle entstand, auch für den Antrieb von Motoren zu nutzen. Aber es dauerte dann doch bis 1860, ehe einem Mann die Lösung gelang. Und das war Lenoir. Sein Verbrennungsmotor erwies sich als betriebssicher und schien sich für die Herstellung auf industrieller Grundlage zu eignen.

Aber bei den Industrieunternehmen war man skeptisch. Mit den Dampfmaschinen hatte man ganz gute Erfahrungen gemacht. Ihre Tücken kannte man, und man hatte gelernt, mit ihnen umzugehen. Der neue Motor aber schien keineswegs der Weisheit letzter Schluß zu sein. Zwar brauchte er nicht mehr beheizt zu werden wie die Kessel der Dampfmaschinen, dafür aber erhitzte er sich selber so sehr, daß riesige Mengen Wasser zur Kühlung benötigt wurden. Zudem mußte man die neue Maschine dauernd schmieren, und ihre Leistung blieb weit hinter den Erwartungen zurück. Fortschrittliche Techniker ließen sich trotzdem nicht aus dem Konzept bringen. Sie feierten den Lenoir-Motor als neuen Lebensimpuls für die fortschreitende Industrialisierung Frankreichs.

Doch die Neuerer erhielten wenig Beifall. Auch die mehr als gemütliche Fahrt mit Lenoirs erstem und einzigem Motorwagen konnte den Kennern nur ein müdes Lächeln abgewinnen. Da gab es immerhin seit 1873 Dampfwagen, die ganz andere Leistungen brachten. Schon 1867 hatte der Franzose Amédée Bollée in der Glockengießerei seines Vaters in Le Mans begonnen, solche dampfenden und stampfenden Gefährte zu bauen. Sechs Jahre später rollte ein Prachtstück von Dampfwagen durch die Werkstore der Gießerei: ein zwölfsitziges Fahrzeug, bei dem jedes Hinterrad durch einen Zwölfzylinder-Dampfmotor angetrieben wurde. Zusammen leisteten die beiden Motoren nicht weniger als 20 PS und trieben den vier Tonnen schweren Wagen immerhin mit bis zu 40 Kilometer pro Stunde über das Kopfsteinpflaster von Le Mans. Bollée, der zunächst Schwierigkeiten hatte, von den Behörden eine Fahrerlaubnis zu erhalten, taufte seinen Zwölfsitzer »L'Obeissante« (»Der Gehorsame«); damit wollte er den Beamten zeigen, daß es sich um ein gefügiges, gut zu kontrollierendes Fahrzeug handelte und nicht etwa um eine revolutionäre Entwicklung, die Mensch und Tier gefährden könnte. Am 26. August 1875 wurde die öffentliche Zulassung erteilt, nachdem der zuständige Minister selbst eine ausgedehnte Probefahrt unternommen hatte. Neun solcher Fahrzeuge hat Bollée insgesamt gebaut, ehe er daranging, auch kleinere Wagen in Angriff zu nehmen.

Zur gleichen Zeit wurden auch in England Dampfstraßenfahrzeuge gebaut. Und sowohl die Franzosen wie auch die Engländer entwickelten dabei hervorragende Fahrgestelle. Später profitierten die Automobilbauer davon. So kam es auch, daß in Frankreich lange mit deutschen Motoren überlegene Fahrzeuge gebaut wurden. Man konnte auf eine spezielle Entwicklung beim Chassisbau zurückgreifen. Den Durchbruch wollte Bollée bei der Weltausstellung 1878 in Paris schaffen. Er präsentierte neben dem »Gehorsamen« einen Omnibus und ein kleines, viersitziges Fahrzeug. Doch die Sensation auf dieser riesigen technischen Messe waren nicht die Dampfwagen, sondern die Gasmotoren eines Deutschen namens Nikolaus August Otto.

Der deutsche Motorenbau feierte nun in Frankreich erste Triumphe. Bollée dagegen faßte in Deutschland Fuß. In Berlin wurde 1880 eine Dampfwagen-Zentral-Gesellschaft gegründet, die ausschließlich Bollée-Wagen herstellen sollte. Welche Zukunftshoffnungen man in Preußen hatte, läßt sich daran ablesen, daß die marode Lokomotiven-Fabrik Wöhlert ganz auf die Produktion von Bollée-Fahrzeugen umgestellt wurde. 500 Arbeiter gingen daran, Omnibusse, Schlepper und Personendampfwagen zu bauen. Generalfeldmarschall von Moltke erschien auf dem Gelände und befahl, einen Spezialwagen für die Artillerie zu konstruieren, was nun wiederum die französische Öffentlichkeit in Harnisch brachte.

Preußen, das war der Erzfeind. Sollten die Deutschen nun womöglich mit französischen Fahrzeugen ihre Kanonen besser und schneller in Stellung bringen können als die eigene Armee? Bollée sah sich schweren Anfeindungen ausgesetzt. Aber das Problem erledigte sich von selbst. Mitte August 1883 mußte die Dampfwagenfabrik ihren völligen Bankrott anmelden.

Bollée baute nun wieder ausschließlich in Le Mans, wenn auch nicht mit allzu großem Erfolg. Der Dampfmotor erwies sich auf die Dauer als zu schwer und zu schwerfällig für Straßenfahrzeuge. Was man brauchte, waren leichte, schnellaufende Motoren, die jederzeit und ohne Umschweife mit Energie versorgt werden konnten. Was bei Lokomotiven ging, daß nämlich ein Heizer beständig Kohlen nachschaufelte, um die mächtigen Wasserkessel zu befeuern, konnte bei den leichten Straßenwagen niemals funktionieren. Die Lösung brachte schließlich eine deutsch-französische Kooperation:

»Unbeweglich, mit halb geschlossenen Augen hörte Gottlieb Daimler, der Vater des ›Benzin-Motors‹, die ganz in Schwarz gekleidete junge Frau an, die ihm gegenüber saß. In dem kleinen Büro seiner Cannstatter Fabrik, in das man über eine Leiter gelangte, war der deutsche Ingenieur in tiefes Nachdenken versunken. Die Jahre der freundschaftlichen Zusammenarbeit mit seinem Vertreter in Frankreich, August Sarazin, der im vergangenen Jahr gestorben und der Mann dieser jungen Frau gewesen war, lebte wieder in ihm auf und milderte die Abneigung, die er davor hatte, mit einer Frau von Geschäften zu reden.«

So beginnt Henri Pierre seinen Bericht über eine Zusammenkunft, die für den französischen Automobilbau entscheidend werden sollte.

Emile Levassor, französischer Ingenieur und Rennfahrer, lebte und starb für das Automobil.

»Vertrauen Sie mir, wie seinerzeit meinem Mann, die Alleinvertretung Ihrer Patente in Frankreich an«, bat die verwitwete Frau Sarazin, »Herr Levassor wird mir helfen.« Gottlieb Daimler öffnete die Augen. Als er das willensstarke Gesicht des etwa vierzigjährigen Mannes, der die junge Frau begleitete, eine Weile betrachtet hatte, entschloß er sich.

»Einverstanden«, antwortete er. Und indem er sich an Emile Levassor wandte, fuhr er fort: »Sie können mit der Fabrikation meiner beiden Motoren fortfahren.«

Auf diese Weise wurde am 17. Oktober 1888 in Deutschland die erste Seite der Geschichte des französischen Automobils geschrieben.

Etwa dreißig Jahre früher hatte ein gewisser Herr Perrin eine leistungsfähige Bandsäge erfunden, deren Produktion seine kleine mechanische Werkstatt für Holzbearbeitungsmaschinen schnell wachsen ließ. 1866 beschloß Perrin, der es schon immer verstanden hatte, das Nützliche mit dem Angenehmen zu verbinden, sich einen tüchtigen Mitarbeiter zu holen, der zudem vermögend genug war, um ihn finanziell zu unterstützen: es war der junge Ingenieur René Panhard. So entstand die Sociêté Perrin, Panhard & Cie.

Panhard setzte sich schnell durch. Im Jahre 1871 lag das Kommando über die Firma allein in seiner Hand. Der Erfolg machte einen Umzug nötig. Im Jahre 1873 erwarb die Gesellschaft das Terrain Avenue d'Ivry 17–19. Um diese Zeit holte René Panhard auch seinen ehemaligen Studienkameraden Emile Levassor als Direktor in die Firma. Levassor nahm sofort die Zügel in die Hand und das nicht nur bildlich: Man sah ihn häufig hoch zu Roß auf seinem feurigen Vollblut den Bau der neuen Gebäude überwachen.

In ihrer neuen Niederlassung, die man die »Forges d'Ivry« (Ivry-Schmieden) nannte, faßten Perrin und Panhard im Jahr 1875 den Entschluß, ihrer umfangreichen Produktion einen neuen Zweig hinzuzufügen, der damals viel von sich reden machte: den Bau von Industrie-Gasmotoren.

Man nahm mit den Deutzer Gasmotoren-Werken in Deutschland Kontakt auf, um an den neuen Otto-Motor zu kommen. Die Verhandlungen für die Deutschen führte deren Frankreich-Vertreter Auguste Sarazin. Das Geschäft kam zum Abschluß, und auf der Weltausstellung 1878 konnte man auf dem Stand Perrin-Panhard unter den Bandsägen auch einen Gasmotor sehen.

Das war der Zeitpunkt, den Gottlieb Daimler, damals Direktor der Deutzer Gasmotorenfabrik, wählte, um sich selbständig zu machen und in Cannstatt eine eigene Fabrik einzurichten. Durch Vermittlung von Sarazin ließ er am 15. April 1885 in Frankreich den ersten »Gas- und Benzin-Motor« patentieren. Am 27. Dezember 1886 reichte er ein neues Patent ein, das sich »auf alle Fahrzeuge mit durch einen Gas- oder Benzin-Motor bewegten Rädern« bezog. Dies war der wirkliche Geburtsakt des Automobils!

Perrin, der seit einigen Jahren die Fabrik verlassen hatte, um sich auf seiner Besitzung Saint-Maur pflegen zu lassen, starb im Jahre 1886, und René Panhard machte alsbald Levassor das Angebot, den Platz des Verstorbenen einzunehmen. So entstand die Marke Panhard-Levassor.

Es war im Oktober 1887, als Daimler durch Vermittlung von Sarazin der Firma Panhard & Levassor die Konstruktionsberechtigung für seinen Einzylinder-Vertikalmotor mit einer Kraftleistung von 1,5 PS übertrug. Aber Levassor zeigte sich hinsichtlich der Zukunft des Benzinmotorantriebs eher reserviert. Immerhin erklärte er sich bereit, Frau Sarazin im Oktober 1888 nach Cannstatt zu begleiten. Daimler brauchte nicht lange, um den Fachmann Levassor zu überzeugen. Und die französische Hauptstadt war viel aufnahmebereiter für neue technische Entwicklungen als jede deutsche Stadt.

Henri Pierre erzählt: »Das Paris des letzten Jahrzehnts des neunzehnten Jahrhunderts entdeckte das Automobil. Schon auf der Weltausstellung im Jahre 1889 konnte man die kleine Benzin-Straßenbahn von Daimler sehen, wie sie die entzückten und durch soviel Schnelligkeit närrisch gemachten Fahrgäste transportierte. Die Zeitungen, die immer zuerst informiert sind, fingen an, sich am Ende ihrer Rubrik über den Radfahrsport über die Wagen ohne Pferde zu verbreiten.« In der Fabrik der Avenue d'Ivry, der größten von Paris, machte man Anstalten – ohne darüber das Bandsägengeschäft zu vernachlässigen –, zahlreiche Studien an mehreren Daimler-Motoren vorzunehmen, alles Zweizylinder in V-Form. Der »P2D«, Kraftleistung 2 PS, wurde von der Bergwerksverwaltung unter der Nr. 13 für die Fördertechnik zugelassen, niemand war abergläubisch, und die 13 wurde prompt zur Glückszahl.

»Levassor selbst«, erzählt Henri Pierre, »der seit seinem Besuch in Cannstatt gewonnen war – man wußte nie genau, ob durch den Benzinmotor oder durch Frau Sarazin –, entschloß sich, dem einen sowohl wie der anderen sein Leben zu weihen. Er baute also Motoren und heiratete Frau Sarazin, die ihrerseits auf jeden in Frankreich verkauften Daimler-Motor 20% erhielt.«

Die Idee, Benzinmotoren in Wagen einzubauen, verbreitete sich in Frankreich nunmehr schneller als in jedem anderen europäischen Land. Panhard-Levassor-Wagen mit Daimler-Motoren sind bald keine Seltenheit mehr auf den Straßen in und um Paris. Schon 1895 gründet Albert De Dion den Französischen Automobil-Club. Aber er hat dabei natürlich auch Gegner. Viele Franzosen hassen die neuen »Stinkkisten« genauso wie die Deutschen, die Daimler und Benz das Leben schwer machen. Aus Panhard-Levassor wird in einem Wortspiel bald »Pannard-Levassor« (Pannen-Levassor). Aber gerade dieser Levassor ist es, der unermüdlich über die Entwicklung des Automobilverkehrs nachdenkt. Immer mehr Autofahrer sieht man in der französischen Hauptstadt. Die Zeitungen stellen ihre Spalten für eine hitzige allgemeine Debatte zur Verfügung. So schreibt ein Leser in der größten Pariser Tageszeitung im August 1894 einen offenen Brief an den Polizeipräfekten: »In Paris herrscht keine Sicherheit mehr. Da nun Ihre Schutzmänner machtlos zusehen, gebe ich Ihnen hiermit bekannt, daß ich ab morgen mit einem Revolver in der Tasche ausgehe und auf den ersten wütenden Hund feuere, den ich auf einem Automobil oder einem Petroleumdreirad erblicke.«

Ob er tatsächlich geschossen hat, läßt sich heute nicht mehr in Erfahrung bringen. Die Entwicklung hätte er damit allerdings auch nicht aufgehalten. Am 22. Juli 1894 findet der vom »Petit Journal« veranstaltete erste Internationale Wettbewerb für »pferdelose Wagen« auf der Strecke Paris–Rouen statt. 20 Konstrukteure melden 102 Fahrzeuge an. Darunter sind 39 Dampfwagen, 38 Benzinautomobile, fünf elektrisch und fünf mit Preßluft betriebene Wagen, die übrigen sind mit sonstigen Maschinen ausgestattet, deren Funktionsweise heute nicht mehr bekannt ist. Gestartet wird an der Porte Maillot. Der meistbeachtete Zuschauer ist ein stattlicher Herr, den man hier »Papa Daimler« nennt. Dem ersten Automobilstreckenrennen sind kürzere Ausscheidungsfahrten vorausgegangen. 21 Fahrzeuge haben sich für den Start qualifiziert.

Das Wetter ist herrlich. Keine Wolke am Himmel. Tausende von Schaulustigen

Der »Panhard und Levassor«, der bei der berühmten Fernfahrt von Paris nach Rouen 1894 siegte.

säumen die Straße beim Startband. Die Motoren tuckern, brummen, husten, belfern. Es ist ein unglaublicher Lärm, der eigentlich keine Werbung für die neuen Fortbewegungsmittel darstellt. 126 Kilometer sind zurückzulegen. Die Fahrer binden die Hüte und Mützen fest und ziehen die Brillen über die Augen. Die Startfahne geht nieder.

Die Motoren heulen auf, die Räder beginnen sich zu drehen, 21 Fahrzeuge machen sich auf den Weg. Schon nach wenigen Metern fallen die ersten aus, die Fahrer springen von ihren Sitzen, beginnen zu reparieren, sie müssen Mechaniker, Stellmacher und nicht selten auch Feuerwehrleute in einer Person sein. Kein Wagen kann die Strecke ohne Unterbrechungen zurücklegen, wenn es auch nicht allen so schlecht geht wie jenem Piloten eines Dampfwagens, dessen Heizer alle halbe Stunde die Schaufel aus der Hand legt. Ihm wird es zu heiß, also steigt er kurzerhand ab, sucht sich einen schattigen Platz unter einem Baum und ist erst wieder zum Aufsteigen zu bewegen, wenn er sich abgekühlt hat.

Dennoch wird vom siegreichen Fahrzeug ein Stundendurchschnitt von 21 Kilometern erreicht. Es ist ein Dampfwagen, dem freilich der Sieg aberkannt wird, weil er mehrere der Startbedingungen nicht erfüllt hat. Als Sieger werden schließlich zwei Wagen gefeiert: ein Panhard-Levassor und ein Peugeot. Beide französischen Automobile fahren mit einem deutschen Daimler-Motor. Sie erreichen einen Stundendurchschnitt von 20,472 Kilometern. Der gemeinsame Sieg hat fast symbolischen Charakter; denn schon seit einiger Zeit arbeiten Peugeot und Panhard-Levassor, die auf anderen Gebieten Konkurrenten sind, im Automobilbau zusammen. Und beide Werke beziehen ihre Motoren über Frau Sarazin-Levassor von Daimler.

Auch ohne die außerordentlich werbewirksamen Rennen können die französischen Automobilbauer erstaunliche Verkaufserfolge verbuchen. Schon im Jahr 1892 war mit dem Verkauf begonnen worden. Im ersten Werbeprospekt der Firma Panhard-Levassor werden drei Autotypen angeboten: ein viersitziger Wagen in Dog-cart-Form für 5 000 Franc, ein Viersitzer in Break-Form für 5 300 Franc und schließlich ein zweisitziger Wagen mit Verdeck beziehungsweise Sonnenschirm für 4 000 Franc.

Und schon damals wurden Extras angeboten, die gesondert zu bezahlen waren. Ein Sonnenschirm etwa kostete je nach Größe zwischen 120 und 150 Franc. Wer die luxuriöse Gummibereifung statt der harten Stahlreifen haben wollte, mußte 500 Franc aufzahlen, und ein zusätzlicher kleiner Rücksitz kam auf 300 Franc.

Stolz verkündete die Firma von der Porte d'Ivry, was die Serienmodelle ohne Aufschlag alles enthielten: »Mit Eisen beschlagene Holzräder, einen Lenkhebel, zwei Bremsen – eine mit Pedal, die andere mit einem Hebel –. Der Getriebekasten verfügt über drei Geschwindigkeitseinstellungen in drei Gängen. Mit dem 3. Gang erreicht man 17 Stundenkilometer.« Der Brennstoffverbrauch wurde mit 1,25 Liter pro Stunde angegeben. Der Liter Benzin kostete damals 50 Centimes, das Vergnügen, in einer Stunde rund 15 Kilometer zurückzulegen, kam also auf 65 Centimes.

Bald schon überstieg die Nachfrage die Produktionsmöglichkeiten. Das führte zu grotesken Auswüchsen. Gerissene Geschäftemacher bestellten mehrere Fahrzeuge, warteten geduldig die langen Lieferzeiten ab und verkauften am Tag der Auslieferung das funkelnagelneue Auto mit null Kilometer auf dem Tacho an Interessenten, die gerne bereit waren, 1 000 oder 2 000 Franc draufzulegen, wenn sie nur schnell genug an eines der Wundermobile kamen. Ein Beispiel ist überliefert: Der Privatmann Philipp Hurot verkaufte noch am Werkstor der Fabrik einen Levassor-Daimler Phönix 4 PS, den er gerade nach zweijähriger Wartezeit erhalten hatte. 8 000 Franc hatte er dafür hinblättern müssen. Nun verlangte er keck von einem Grafen Girardot 12 000 Franc für dasselbe Fahrzeug. Und er bekam das Geld postwendend bar in die Hand. Der neue Besitzer wäre sich vielleicht ausgeplündert vorgekommen, wenn er nicht das Fahrzeug schon drei Tage später für sage und schreibe 24 400 Franc weiterverkauft hätte.

Die enorme Nachfrage wurde durch immer neue Rennveranstaltungen ins Gigantische getrieben. Höhepunkt der Fernwettfahrten war 1895 das Rennen Paris – Bordeaux – Paris. Levassor, der sich inzwischen als Rennfahrer einen noch größeren Namen erworben hatte denn als Ingenieur und Konstrukteur, hatte sich vorgenommen, diese Mammutfahrt allein zu bestreiten und – natürlich – zu gewinnen. Die 1 200 Kilometer mußten in 100 Stunden bewältigt werden – so lautete die Ausschreibung. Der Sieger sollte einen Preis von 40 000 Franc erhalten. Ganz Frankreich fieberte dem Ereignis entgegen. Emile Levassor hatte sich gut vorbereitet. Und er verfügte über ein neues Automobil: Zum ersten Mal wurde ein doppelter Kettenantrieb verwendet, das Getriebe lagerte in einer geschlossenen Kapsel. Der neue Phönix-Motor von Wilhelm Maybach, ein Reihenmotor mit paarweise gegossenen Zylindern, war gegenüber seinem Vorgänger wesentlich verbessert worden; die Zylinderbohrung betrug jetzt 80 Millimeter und der Kolbenhub 120 Millimeter. Der Wagen lief auf Vollgummireifen und wurde mit einer Hebelstange gelenkt.

An diesem frühen Sommermorgen, als die 22 Bewerber mit ihren Benzin-, Dampf- und Elektrowagen starteten, schaut mancher Mitbewerber scheel auf den neuen Panhard-Levassor-Wagen. Er sieht gefällig aus, wirkt leicht und wendig, und sein Motor läuft ungewöhnlich gleichmäßig und ruhig. Die Startflagge senkt sich. Levassor legt den ersten Gang ein und setzt sich sofort an die Spitze des Feldes. Beim ersten Kontrollpunkt sind bereits einige Fahrer ausgefallen. Niemand glaubt, daß auch nur einer der verbliebenen Autolenker die Gewalttat vollbringen werde, nach Bordeaux und zurück in 100 Stunden zu fahren. Es wird überhaupt bezweifelt, daß auch nur eine der Benzin- oder Dampfkutschen wieder zum Zielpunkt nach Paris, genauer nach Versailles, zurückkehren werde.

Levassor und seine Mechaniker sind allerdings guten Mutes. Noch nie zuvor hatten sie ein Automobil unter sich, das derartig gleichmäßig und fehlerfrei lief. Während der Mechaniker regelmäßig Treibstoff nachfüllt, fährt Levassor nahezu ohne Unterbrechung. Er schont den Motor, treibt ihn zunächst nicht höher als auf 15 Kilometer pro Stunde.

Am ersten Tag und in der ersten Nacht geht alles gut. Levassor, der über eine hervorragende körperliche Verfassung verfügt, verläßt das Steuer nur für wenige Minuten. Er ißt und trinkt während der Fahrt. Längst schon hat Levassor seine Gegner hinter sich gelassen.

In der zweiten Nacht freilich überfällt Levassor eine bleierne Müdigkeit. Er pafft eine Zigarre nach der andern, weil er glaubt, daß das Rauchen ihn wach halten würde. Er singt in die Nacht hinein, rezitiert Gedichte, erzählt Geschichten. Und er treibt nun den Motor auf Höchstgeschwindigkeiten. Der Mechaniker muß eine Hand unter die dicke Pelzjacke des Fahrers schieben und ihn in unregelmä-

Bei der Fernfahrt Paris–Rouen war Lemaitre auf diesem Peugeot der Schnellste und wurde trotzdem nur Zweiter.

ßigen Abständen in die Seite kneifen. Immer wieder fallen Levassor die Augen zu, und wenn er sie krampfhaft offenhält, sieht er plötzlich Geistergestalten, »die vor meinem Wagen einen Höllentanz aufführen«.

In der Morgendämmerung des dritten Tages tuckert Levassors Daimler-Mobil durch eine lange gerade Allee auf den Kontrollpunkt Porte Maillot zu. Das Fahrzeug schlingert ein wenig; denn Levassor ist kaum mehr in der Lage, den Lenkhebel zu halten. Aber er ist begeistert und glücklich, »alle Rekorde der Radfahrer geschlagen zu haben«. Geradezu unglaublich: Am Ende hat Levassor einen Durchschnitt von 24,4 Kilometern pro Stunde herausgefahren. 55 Stunden hat er am Steuer gesessen. Die Zuschauer feiern den Sieger begeistert. Und sie müssen fünf Stunden warten, bis der nächste Fahrer eintrifft. Immerhin erreichen acht der 22 gestarteten Wagenlenker das Ziel. Auch die nächsten drei Fahrzeuge sind Automobile mit Daimler-Motoren.

Die Franzosen begeistern sich für Automobilrennen. Die Fahrer sind die Helden der Nation. Aber die oft genug aberwitzig anmutenden Wettbewerbe haben vor allem wirtschaftliche und technische Auswirkungen. Die Nachfrage nach Motorwagen steigt mit jedem Rennen enorm schnell weiter an. Zudem lernen die Techniker bei diesen unvergleichlichen Zerreißproben, welche Verbesserungen notwendig und möglich sind. Jeder Wettbewerb ist ein gnadenloser Test für Motor und Material. Und von Rennen zu Rennen werden die Autos weiterentwickelt, die Durchschnittsgeschwindigkeiten erhöht, die Fahreigenschaften verbessert.

Aber es kam auch zu den ersten Unfällen. Und Levassor wurde selbst eines der Opfer. Bei einer Fernfahrt Paris – Marseille verlor er für einen Augenblick die Herrschaft über sich selbst und sein Fahrzeug. Er war für einen Moment eingeschlafen, von der Straße abgekommen und in einen Graben gefahren. Schwer verletzt blieb Levassor liegen. Seine Frau pflegte ihn aufopfernd, und schon nach ein paar Wochen stand Emile Levassor wieder auf. Er leitete, vermeintlich in alter Frische, den Bau neuer Werkstätten, die für die Montage der Fahrgestelle vorgesehen waren. Und er arbeitete an einem Katalog für Automobileinzelteile. Der Katalog erschien im März 1897, einen Monat später, am 14. April 1897, erlag Levassor den Folgen seiner Unfallverletzungen. Er war 55 Jahre alt geworden.

Ganz Frankreich trauerte um den Pionier des Automobilbaus und des Automobilsports, dem es zu verdanken war, daß Frankreich zur Autonation Nummer eins geworden war, obwohl alle wesentlichen Erfindungen im Automobilbau in anderen Ländern gemacht worden waren.

Siegfried Marcus

Ein sprechendes Mikrophon, eine Repetierpistole und das erste Automobil

Als im Jahr 1898 das 50jährige Regierungsjubiläum von Kaiser Franz Joseph gefeiert werden sollte, wurde neben zahlreichen Festlichkeiten auch eine große Ausstellung geplant. Alles, was während der letzten 50 Jahre in Österreich an Bedeutendem komponiert, gemalt und geschrieben worden war, sollte gezeigt werden. Bücher, Gemälde, Kompositionen und Theaterstücke fand man leicht, mit den Erfindungen tat sich das Ausstellungskomitee jedoch schwer. Dabei hatten die Österreicher durchaus ihre Erfinder, nur – sie kannten sie nicht. Der Tiroler Peter Mitterhofer beispielsweise hatte die Schreibmaschine erfunden, die zwar im Polytechnikum ausgestellt worden war, dort aber unbeachtet verstaubte. Besuchern wurde sie allenfalls als Kuriosum vorgeführt, während der Amerikaner Carlos Gliddon mit dem Prinzip, das er von Mitterhofer abgekupfert hatte, ein reicher Mann wurde. Oder Joseph Madersperger, der die Nähmaschine erfunden hatte. Er wurde auf demselben Armenfriedhof beigesetzt, auf dem einst Mozart begraben worden war. Die Amerikaner Singer und Howe scheffelten mittlerweile mit Maderspergers Erfindung Millionen.

Die Herren vom Ausstellungskomitee waren ratlos, bis einer von ihnen eine Idee hatte. Da war doch einer, wie hieß der doch gleich? Der war vor mehr als 20 Jahren mit einer Benzinkutsche durch Wien gefahren – richtig, Marcus hieß der Mann, Siegfried Marcus. An den erinnerten sich die anderen Herrschaften auch noch. Das war doch der Spinner vom Diamantengrund. Der war aber gar kein Österreicher, gab einer der Herren zu bedenken, und außerdem, war der nicht Jude?

»Marcus?« fuhr ein in Ehren ergrauter Hofbediensteter aus seinem leichten Schlummer hoch, »den kenn ich. Ein ganz und gar unmöglicher Mensch. Kein Respekt vor unserem Herrscherhaus. Ich war dabei, wie er einmal unser hochverehrtestes Herrscherpaar aufs Gröblichste beleidigt hat.« Die anderen sahen ihn entsetzt an. Marcus hatte immer als Spinner gegolten, daß er es aber an Respekt für den Monarchen hätte fehlen lassen, davon war nichts bekannt.

»Nun ja«, erzählte der Hofbedienstete weiter, »das war so: Eines Tages hatte

Seine Majestät den überaus glücklichen Gedanken, vom Schlafzimmer unserer Kaiserin eine elektrische Klingelleitung in den Salon der Hofdamen legen zu lassen, und der Erzherzog Albrecht hatte den unglückseligen Einfall, eben diesen Marcus mit dem Auftrag zu beehren. Der kommt also, macht gar keinen schlechten Eindruck, Seine Majestät zeigt ihm die Stelle, wo die Klingel hin soll – eine äußerst geglückte Plazierung übrigens – und was macht der Marcus, der Hallodri, der Republikaner? Er dreht unserem verehrten Herrscherpaar den Rücken zu und hüpft auf das Bett unserer Kaiserin, um an die Wand eine Markierung zu malen.«

Die Wirkung seiner Erzählung war nicht so, wie er es erhofft hatte. Die anderen schauten ihn an und warteten auf die Fortsetzung der Geschichte. Sicher, die feine englische Art war das nicht gewesen, aber wo war der Skandal?

»Ja, verstehen Sie nicht, meine Herren, dreht unserem Herrscherpaar den Rücken zu und hüpft aufs Bett und . . .«

»Ah gehns'«, wurde er unterbrochen, »wie hätt er denn sonst sein Kreuzl an die Wand malen sollen? Und außerdem, hätte sich Majestät beleidigt gefühlt, hätte er ihn nie und nimmer ein paar Wochen drauf zum Lehrer für Experimentalphysik von unserem Kronprinzen ernannt. Nein, nein, der Marcus ist kein Republikaner, soviel steht fest. Die Frage ist: Lebt er überhaupt noch, und wenn ja, hat er sein Automobil noch und stellt er es uns zur Verfügung? Ich werde mich um die Sache kümmern.«

Am nächsten Tag ließ sich der Herr Hofrat in den sechsten Bezirk zum Diamantengrund kutschieren. Dort lag die Werkstatt, in der das erste Automobil entstanden war. »Siegfried Marcus, Atelier für mechanische und physikalische Instrumente und Apparate« stand über der Tür. Er zog an der Klingelschnur. Ein älterer Herr öffnete.

»Herr Marcus, wie ich annehme? Kann ich Sie einen Moment sprechen? Es geht um Ihr Automobil.« Marcus nickte und bat den Besucher ins Haus. Der Hofrat schaute sich interessiert um. »Mein Atelier«, erklärte Marcus.

Eine Handbohrmaschine, eine Drehbank mit Fußantrieb und ein Amboß standen da herum und einige andere mechanische Geräte, die der Hofrat noch nie gesehen hatte. Vom Auto keine Spur. Eine Stiege führte zum Wohnraum, aus dem geschlossenen Raum neben dem Atelier dröhnte Hämmern.

Die beiden stiegen die Treppe zum Wohnraum hinauf. Der Hofrat brachte sein Anliegen vor.

»Viele Fragen«, sagte Marcus, »eins nach dem anderen. Also: Ich bin seit Jahren Österreicher, mein Automobil steht im Schuppen im Hof, und für die Ausstellung stelle ich es gerne zur Verfügung. Wie Sie vielleicht wissen, verkehrte ich vor Jahren regelmäßig in unserem Herrscherhaus. Unser Landesherr genießt meinen ehrlichen Respekt.«

Der Hofrat nickte zufrieden.

Noch vor Daimler und Benz baute Siegfried Marcus den ersten Benzinkraftwagen, der sogar schon eine elektromagnetische Zündung hatte.

»Erzählen Sie ein bißl von sich, Herr Marcus. Man weiß ja so wenig von Ihnen. Wie sind Sie überhaupt nach Wien gekommen?«

»Von Berlin aus. Ich habe dort bei Siemens und Halske gearbeitet. Die Arbeit war ziemlich langweilig, immer die gleichen Handgriffe, keine Gelegenheit fürs kreative Arbeiten, keine Aufstiegsmöglichkeiten. Ich dachte, in Wien hat man bessere Chancen.«

Der Hofrat lachte: »Sie haben wohl gedacht, technisch ist man dort noch hinter dem Mond, denen kann man immer noch was beibringen!«

Marcus nickte: »So ähnlich waren meine Gedankengänge schon, und unter uns gesagt, ich hatte recht. Auf dem Gebiet der Technik war man in Wien noch tatsächlich hinter dem Mond. Ist man auch heute noch, im Vertrauen. Geboren bin ich allerdings nicht in Berlin, sondern in Malchin, das liegt im Mecklenburgischen. Daß ich dort Mechaniker wurde, ist Zufall. Als Jude durfte ich nur einen zunftlosen Beruf ergreifen. Mechaniker war so eine Art Zwitter, von jedem Berufsstand ein bißchen, keiner Zunft angeschlossen . . .

Oh bitte, Herr Hofrat, nur das nicht!« Marcus war erregt aufgesprungen, und der Hofrat zuckte erschrocken zurück. Er schaute auf seinen Kutscher, der, ebenfalls erschrocken, neben der Tür stand. Was war geschehen? Der Herr Hofrat hatte sich von seinem Kutscher einen Apfel geben lassen und wollte diesen eben mit einem Federmesser zerteilen, als ihn der aufgeregte Marcus aus der Fassung brachte. Fast hätte er sich in den Finger geschnitten.

»Ach wissen Sie, Herr Hofrat«, erklärte Marcus, »es ist mir selbst außerordentlich peinlich, aber solange ich zurückdenken kann, leide ich unter einer eigentümlichen Idiosynkrasie; ich kann Obst weder sehen noch riechen, das heißt, ich kann's wohl sehen und riechen, aber ich ekle mich davor. Meinen Sie, Sie könnten Ihren Appetit zügeln, solange Sie in meinem Hause sind?«

Der Hofrat sah den Erfinder leicht konsterniert an, gab den Apfel aber seinem Kutscher zurück. »So was habe ich auch noch nie gehört.«

»Ich wollte, ich auch nicht«, sagte Marcus, »die Sache ist nicht nur peinlich, sondern auch lästig. Wie ich noch Assistent beim Professor Ludwig in der Josefsakademie war, habe ich am Tag einige Kilometer an Umwegen machen müssen, um zur Akademie zu kommen. Ich konnte einfach nicht über den Naschmarkt gehen.« Beim bloßen Gedanken an die Obstberge auf dem Naschmarkt verzog er sogar jetzt noch angewidert das Gesicht.

Doch den Hofrat interessierte Marcus' seltsame Abneigung nicht weiter. »Bemerkenswert«, sagte er, »äußerst bemerkenswert. Sie waren Assistent bei Professor Ludwig?« Den weltberühmten Chemiker kannte sogar er. »Aber Sie sind doch gar kein Chemiker!«

»Ich habe an Professor Ludwigs Institut als Mechaniker begonnen, später hat er mich zu seinem Assistenten gemacht. Ich hab nämlich ein gewisses Talent in der Chemie. Zuvor war ich beim Hofmechaniker Kraft. Der war nicht weltberühmt, höchstens stadtbekannt – als Säufer.« Marcus lachte in sich hinein. »Das war nichts mit dem Hofmechaniker Kraft.«

»Und wann haben Sie sich selbständig gemacht?«

»Das war 1860. ›Atelier für mechanische und physikalische Instrumente‹, so heißt meine Firma heute noch. Mein Gott, was habe ich damals nicht alles gemacht! Hier, schauen Sie.« Marcus gab dem Hofrat einen dicken Ordner. »Dreißig Erfindungen von mir sind patentiert worden. Da, ein sprechendes Mikrophon, oder hier, eine neue Plombiermasse für Zahnärzte, oder da, das ist für Sie vielleicht interessanter, eine völlig neue Repetierpistole.«

Der Hofrat blätterte einige Seiten weiter, dann schaute er Marcus an. »Bei so vielen Erfindungen müßten Sie doch eigentlich reich sein, verehrter Herr Marcus, Lizenzen und so weiter . . .« Er schaute sich etwas verlegen im Wohnzimmer um, das ausgesprochen ärmlich eingerichtet war.

»Nun ja«, gab Marcus zu, »reich bin ich mit meinen Erfindungen nicht geworden, aber sehen Sie, gereicht hat's immer, meine Familie konnte ich immer ernähren . . .«

»Sie haben Familie?« unterbrach ihn der Hofrat, »das wußte ich nicht. Ich würde Ihre Frau Gemahlin gerne einmal kennenlernen.«

»Ich habe zwar Familie, zwei Töchter, aber geheiratet habe ich nie. Aber das dürfte den Herrn Hofrat weniger interessieren.«

»Da haben Sie recht«, stimmte der peinlich berührt zu, »Ihre Erfindungen interessieren mich wesentlich mehr als Ihr Privatleben. Aber fahren Sie doch fort, verehrter Herr Marcus.«

»Wie ich Ihnen schon sagte, Reichtümer haben sich bei mir nicht angehäuft, bei anderen schon eher. Ich meine, mit einigen meiner Erfindungen machten und machen andere sehr gute Geschäfte.«

Ein paar Wochen zuvor hatte Marcus erfahren, daß ein gewisser Robert Bosch in Stuttgart mit einem »niedergespannten Magnetapparat mit Abreißvorrichtung« die Daimlerschen Automobile ausrüstete. Das war eine Erfindung von Marcus, die er aber seinerzeit nicht hatte patentieren lassen. Über diesen Vorläufer der Boschzündung war schon 1884 in der Wiener Zeitschrift für Elektrotechnik ein langer Artikel erschienen.

» . . . ein elektro-magnetischer Induktor in Verbindung mit einem eigentümlichen automatischen Zünder. Diese Zündung beruht auf einem höchst einfachen Mechanismus, bedarf durchaus keiner Pflege, da die Explosionsmaschine während des Betriebes durch eine äußerst geringe Kraftabgabe den zündenden elektrischen Strom selbst erzeugt, und wirkt ebenso gleichmäßig als zuverlässig. Durch eingehende Versuche ermittelte Marcus, daß der Funke, der sich beim Unterbrechen einer elektrisch induzierten Spule im Augenblick des Demagnetisierens oder Polwechsels des in der Spule befindlichen Eisenstückes an den Unterbrechungsstellen bildet, sich am besten zur Entzündung von Knallgas eignet. Infolgedessen benutzte Marcus zu der neuen Zündvorrichtung unmittelbar den durch den Extrastrom sich bildenden Unterbrechungsfunken.«

»Warum, um Gottes willen, haben Sie sich so wichtige Erfindungen nicht patentieren lassen?« wollte der Hofrat wissen. Er war regelrecht beleidigt, daß einer die Gelegenheit, reich zu werden, so leichtsinnig vertan hatte.

Marcus zuckte mit den Schultern. »Ich hatte damals entweder keine Lust oder kein Geld für die Patentgebühren, ich weiß es nicht mehr. Vielleicht hab ich's ja auch patentieren lassen, ich weiß es wirklich nicht mehr.«

Das Entsetzen des Hofrats wuchs. Ein Vermögen hatte dieser Marcus verschludert, anders konnte man's nicht ausdrücken. »Ich will Ihnen eine kleine Geschichte erzählen«, fuhr Marcus fort, »vor Jahren haben die ›Fürst Salmschen Eisenwerke‹ in Blansko sich für mein Automobil interessiert. Der Graf Wilczek hatte die Kontakte geknüpft, Sie kennen ihn vielleicht!«

Der Hofrat kannte nicht nur den Grafen, sondern auch die seltsame Geschäftsverbindung zwischen Marcus und den Eisenwerken in Blansko. Die Firma hatte sich seinerzeit nicht nur theoretisch für das Automobil von Marcus interessiert, sondern nach den Angaben des Erfinders zwei Automobile gebaut und sogar verkauft, eines nach Holland, das andere in die USA. Die Firma war nach diesem Erfolg bereit gewesen, das Auto in Serie zu bauen. Marcus wurde gebeten, nach Blansko zu kommen, um den Vertrag zu unterzeichnen und einige Kinderkrankheiten des Automobils auszukurieren, doch Marcus reiste nie nach Blansko. Er schrieb etwas von Arbeitsüberlastung, Krankheit und familiären Katastrophen. Nach einigen Monaten hatte die Firmenleitung genug von seinen Ausreden und verlor das Interesse an Marcus und seiner Erfindung.

»Und wissen Sie, warum ich nie nach Blansko gegangen bin?«

Der Hofrat schüttelte den Kopf.

»Ich auch nicht«, sagte Marcus. Er blickte versonnen auf den Ordner mit seinen Erfindungen. »Dabei hätte ich das Geld seinerzeit wirklich gut gebrauchen können. Ich mußte sogar meinen Bruder bitten, mir vorzeitig Geld zurückzugeben, das ich ihm geliehen hatte«, Marcus lächelte, »er hat es aber nicht geschickt, bis heute nicht. Wissen Sie, wie ich mich damals über Wasser gehalten habe? Ich habe Leuten, die sich keinen Zahnarzt leisten konnten, die Zähne gezogen. Ich war berühmt im ganzen Brillantengrund für meine Lachgas-Extraktionen. Und Hokuspokus-Apparate habe ich hergestellt, für den Kratky-Baschik.«

»Den Zauberkünstler?« fragte der Hofrat, »den habe ich ein paarmal im Wurstelprater gesehen. Sehr gut, wirklich ausgezeichnet.«

Er begann wieder, im Ordner zu blättern, und Marcus sah ihm über die Schulter.

»Hier schauen Sie mal, das ist auch ein sehr schöner Beweis für meine Geschäftstüchtigkeit. Ich hab die Glühlampe schon erfunden, da saß Mr. Edison noch über ›Parkers Physik‹«.

Er zog einen Zeitungsausschnitt aus der Schreibtischschublade und reichte ihn seinem Besucher. Die »Neue Freie Presse« hatte am 30. Oktober 1878 über die Erfindung berichtet:

»Während in London die Gaspanik noch andauert, die infolge der Nachricht ausgebrochen ist, daß Edison, dem Erfinder des Phonographen, die Teilung des elektrischen Stromes zur Erzeugung einer größeren Anzahl von Lichtern gelungen sei, sind wir heute in der Lage, unsere Leser mit einer neuen Sensationsnachricht zu überraschen! Ein Wiener Techniker, Herr Siegfried Marcus, hat jenes für die Beleuchtungstechnik hochwichtige Problem tatsächlich, wenn auch in aller Stille, bereits früher gelöst und hatte in allen Staaten die Erteilung der betreffenden Patente nachgesucht, bevor die Kunde über die Edinsonsche Erfindung über den Ozean gelangt war...«

»Siemens und Halske haben mir mein Patent abgekauft, dort ist es aber in irgendeiner Schublade verschimmelt.«

Dieser Zweitakt-Gasmotor wurde von Siegfried Marcus 1865 fertiggestellt.

»Wenn die Erfindung so bahnbrechend war«, wandte der Hofrat ein, »warum haben die bei Siemens und Halske es nicht ausgewertet?« Marcus winkte ab: »Das hatten die doch gar nicht nötig. Warum sollten die ihre ganze Produktion umstellen?«

»Die Jesuiten waren es also nicht?«

Marcus lachte: »Ganz bestimmt nicht. Ich habe von dem Gerücht gehört, aber das ist barer Unsinn.«

In Wien war damals das Gerücht umgegangen, die Jesuiten hätten dem Juden Marcus einige katholische Steine in den Weg gelegt, aber Marcus wußte es besser.

»Selbst wenn Siemens und Halske mein Patent ausgewertet hätten, ich hätte nichts davon gehabt. Schließlich hatte ich sämtliche Rechte daran verkauft. Ich war damals sehr glücklich über die paar Gulden, die ich dafür bekam.«

»Ah, da haben wir es ja endlich«, der Hofrat hatte die Seite aufgeschlagen, auf der Marcus' Automobil beschrieben wurde. »1865« stand oben links in der Ecke. Nun war auch der Kutscher zu den beiden getreten, der bisher desinteressiert an der Tür gestanden hatte. Plombiermasse und elektrische Glühbirnen waren ihm gleichgültig, das Auto aber, das berührte ja seine berufliche Existenz. Er glaubte zwar nicht, daß er über kurz oder lang die Zügel mit dem Steuerrad vertauschen mußte, aber wußte man's so genau?

Marcus betrachtete die Zeichnungen skeptisch. Ein bißl plump war's ja schon, wenn man es mit den schnittigen Modellen von Benz und Daimler verglich, das mußte er selbst zugeben, aber »schaun 'S, Herr Hofrat, das war das erste Automobil überhaupt, mehr als 20 Jahre vor Daimler«.

Das Chassis des Autos war ein Handwagen, die Schwungscheiben waren gleichzeitig die Antriebsräder, die Räder mit Eisenreifen versehen, die Hinterachse war die Kurbelwelle. Der Zweitaktmotor sah aus wie eine überdimensionale Rückenlehne, fast so hoch wie der ganze Wagen.

Marcus kam allmählich in Fahrt, je länger er die Konstruktionszeichnung seines Automobils betrachtete. Das war schon eine ganz schöne Sache gewesen für die damalige Zeit. »Schauen Sie, Herr Hofrat, das Differential war bei mir eine Federspirale, und hier, die Wasserkühlung, die ist besonders interessant, weil . . .«

»Um Gottes willen«, unterbrach ihn der Hofrat, »verschonen Sie mich mit den technischen Details, das sind für mich böhmische Dörfer – oder auch mecklenburgische – und bleiben es auch.«

Marcus hatte unterdessen noch einen Zeitungsausschnitt aus der Schublade hervorgekramt und legte ihn auf den Tisch. »So ging's zu auf den ersten Probefahrten. Das hat Alber Curjel geschrieben, Sie haben den Namen sicher schon gehört – Nein? Das wundert mich, der war seinerzeit ein bekannter Radrennfahrer.«

»Im Jahre 1865«, las der Hofrat, »lud mich Marcus eines Tages ein, sein erstes Automobil zu probieren. Ich folgte dieser Einladung mit großem Vergnügen. Man darf nicht glauben, daß Marcus seinen Motor nur anzukurbeln brauchte und daß wir vom Hause Mariahilfer Straße 107, wo er damals seine Werkstätte hatte, wegfuhren. Um das Vehikel zu versuchen, mußten wir uns an einen möglichst menschenleeren und womöglich finsteren Platz begeben. Zu dem gesuchten Zwecke war die Schmelz – der damals noch unverbaute Exerzierplatz Wiens – der beste Ort. So zogen wir, als es gegen Abend wurde, hinaus auf den Schmelzer Friedhof. Voran ein Hausknecht, der das Automobil zog, hinterdrein Marcus und ich. Auf der Schmelz angelangt, begannen die Manipulationen der Inbetriebsetzung, die keineswegs einfach waren. Aber schließlich begann der Motor pfauchend seine Arbeit, und Marcus lud mich ein, auf dem Handwagen Platz zu nehmen. Es gelang tatsächlich, das Fahrzeug in Betrieb zu setzen, und wir fuhren eine Strecke von 200 Metern. Dann aber versagte die Maschine, und unsere Probefahrt war zu Ende. Anstatt des Motors trat wieder der Hausknecht in Aktion und fuhr den Wagen in die Garage zurück.«

Marcus wartete ungeduldig, bis der Hofrat den Artikel fertiggelesen hatte.

»Curjel hat das sehr gut beschrieben«, sagte er, »genauso war's.« Er lachte bei der Erinnerung an die ersten Fahrten noch einmal auf. »Einmal habe ich mein

Automobil sogar der Generalität und dem Pionierkorps vorgeführt. Ich dachte, das Ding würde sich für den Militärdienst gut eignen. Gott, haben die gelacht. Ich kann's ihnen nicht mal verübeln. Das Automobil ist bloß ein kurzes Stück gefahren, und auf den paar Metern hat es mehr Krach gemacht als ein Garderegiment, wenn's ein Hurra auf unseren Kaiser ausbringt.«

Der Hofrat lächelte. »Dann war's allerdings ein ungeheurer Lärm.«

»Zehn Jahre habe ich gebraucht, um das neue Automobil fertigzustellen. Und ich hätte es wahrscheinlich nie geschafft, wenn mir der Herr Satori nicht unter die Arme gegriffen hätte.«

Satori war seinerzeit Bürgermeister von Gmund gewesen, ein schwerreicher Großgrundbesitzer. Er hatte Marcus 25 000 Gulden für die Weiterentwicklung des Automobils zur Verfügung gestellt, die aber vorne und hinten nicht reichten. Was allein das Benzin gekostet hatte! Marcus mußte es aus Deutschland beziehen, und das war eine teure Angelegenheit. Mit drei Gulden pro Liter mußte er schon rechnen – ohne Porto. Am teuersten kam ihn aber seine Geheimniskrämerei. Marcus hatte eine fast krankhafte Angst vor Betriebsspionage, dabei hatte er überhaupt keine Konkurrenz. Wer, außer ihm, hatte Interesse an der Entwicklung einer »selbstbeweglichen Kutsche«? In Österreich jedenfalls keiner. Daß er sich von verschiedenen Firmen Teile bauen ließ, die er für sein Auto brauchte, sie dann wie ein Puzzle zusammensetzte, kann man noch verstehen – Diesel hat das auch so gemacht. Daß er aber die einzelnen Teile in verschiedenen Wohnungen konstruierte, darüber mußte Marcus später selbst lachen. Bis zu fünf Wohnungen hatte er seinerzeit gleichzeitig gemietet, auf daß ja niemand hinter seine Geheimnisse kommen sollte.

»Nicht einmal die Lehrbuben bekamen eine zusammenhängende Konstruktionszeichnung zu sehen«, erzählte Marcus seinem Besucher.

»Aber wenn Sie eine Erfindung konstruiert hatten, haben Sie sie oft nicht einmal patentieren lassen. Wozu dann die ganze Geheimniskrämerei?«

Marcus zuckte mit den Schultern. Er sei halt kein Geschäftsmann, wichtig sei immer nur die Erfindung gewesen, an der er gerade gearbeitet habe. War die abgeschlossen, dann habe er sich auf die nächste gestürzt. »Ich konnte einfach nicht anders«, sagte Marcus nachdenklich, »es hat mich immer vorwärts getrieben.«

»Ich würde jetzt gerne mal Ihr Motorkütscherl sehen«, sagte der Hofrat, »würde es Ihnen Umstände machen?«

»Ich bitte Sie, es wird mir ein Vergnügen sein.«

Sie verließen das Zimmer und gingen in die Werkstatt, wo das gesamte Personal des »Ateliers für mechanische und physikalische Instrumente und Apparate« an einer Drehbank werkelte. Es handelte sich um einen älteren Mann.

»Das ist der Johann«, stellte Marcus ihn vor, »der hat bei mir gelernt und von Anfang an alles miterlebt. Erzähl doch dem Herrn Hofrat, wie das war, damals mit dem Erzherzog.«

Johann wischte sich die Hände an einem Lappen ab und kratzte sich verlegen am Kopf.

»Ich weiß nicht, ob man damit renommieren sollte. Damals bin ich fast gestorben. Also: Eines Tages, ich war noch Lehrling, da war ich ganz allein in der Werkstatt. Der Meister hatte sich ins Atelier zurückgezogen und da durfte ihn niemand stören; auf keinen Fall. Wenn man sich nicht an diese Anordnung hielt...« er wedelte beziehungsvoll mit den Händen, »... da fährt auf einmal eine Equipage vor, kaiserliches Wappen auf dem Schlag und mich trifft fast derselbe, wie der Insasse der Kutsche in die Werkstatt kommt. Was soll ich Ihnen sagen, das war der Erzherzog Albrecht, will etwas über unseren Feldtelegraphen wissen und den Meister sprechen. Jetzt was machen?

Im Atelier der Herr Marcus, der darf nicht gestört werden, und bei mir in der Werkstatt der Erzherzog. Dem konnte ich ja nicht gut sagen, der Chef will seine Ruhe, bitte kommen Sie später wieder. Ich sag also, der Herr Marcus sei außer Haus, tut mir unendlich leid, Kaiserliche Hoheit, da setzt der sich einfach hin, sagt, dann wart ich eben. Da bin ich aber dagestanden. Jeden Moment kann der Chef in die Werkstatt kommen oder mich zu sich rufen. Jesus Maria, hab ich geschwitzt. Der Erzherzog wartet eine halbe Stunde, dann steht er auf und geht. Ein paar Sekunden später geht die Tür auf und Herr Marcus kommt in die Werkstatt.«

»Ich hab ein Nickerchen gemacht«, sagte Marcus, »und den hohen Besuch glatt verschlafen. Der Erzherzog ist im übrigen nicht mehr wiedergekommen, und aus dem Feldtelegraph ist auch nix geworden.«

»Aber das Automobil ist etwas geworden«, sagte der Hofrat, der das Ausstellungsobjekt nun unbedingt sehen wollte.

Marcus nickte: »Das schon eher. Wenn Sie mir bitte folgen wollen. Aber ganz zufrieden ist man ja nie.« Er drehte sich in der Tür zu seinem Besucher um und hob den Zeigefinger: »Zufriedenheit ist der Tod des Erfindergeistes.«

Die beiden gingen über den Hof zu einem Holzschuppen. Marcus öffnete die Tür, und da stand das Automobil, staubbedeckt, aber beeindruckend. Sie gingen um das Gefährt herum und betrachteten es von allen Seiten.

»Respekt, Herr Marcus, sehr imposant.« Der Hofrat war begeistert. »Das wird das Schmuckstück unserer Ausstellung!«

Auch der Erfinder selbst war sichtlich angetan. »Man soll sich ja nicht selbst loben, aber wenn der Herr Hofrat gestatten, mache ich jetzt eine Ausnahme von diesem ungeschriebenen Gesetz. Ich hab vor einigen Jahren die ersten Automobile der Herren Daimler und Benz gesehen, und ich sage Ihnen, die waren nicht weiter als ich damals, im Gegenteil. Mein Automobil hier hat alles, was die auch haben, nur, ich war ihnen zehn Jahre voraus. Hier zum Beispiel«, Marcus übersah geflissentlich die abwehrenden Handbewegungen des technisch uninteressierten Hofrats, »hier zum Beispiel die Kolben; die Schlitze der Kolbenringe sind um 120 Grad gegeneinander versetzt – wissen Sie warum? Weil dadurch ein Verdrehen der Ringe möglich ist. Der Zylinder ist ganz von Wasser umgeben und zwar bis zum Zylinderkopf. Hier Spritzbürstenvergaser und Auspuffheizung, das Anlaßventil, ein Kegelventil übrigens, wird durch eine Nocke gesteuert. Und das hier, darauf bin ich besonders stolz, ist eine Einspritzöffnung für den Kaltstart. Darauf ist, soviel ich weiß, nicht einmal der Herr Maybach gekommen.«

Der Hofrat hatte die enthusiastischen Erklärungen des Erfinders mit freundlichem Desinteresse über sich ergehen lassen, aber er hatte auch nicht ewig Zeit. Er schaute demonstrativ auf seine Taschenuhr, eine Geste, die Marcus nicht bemerken wollte. Er kam nun zu den Daten seiner Erfindung. Der Hofrat blieb und hörte gottergeben zu. »Die Maschine macht so um die 500 Umdrehungen in der Minute, das Hubvolumen beträgt 1 570 Kubikzentimeter, das Übersetzungsverhältnis des Motors auf die Hinterräder 1 zu 6,7, der Motor wiegt 280 Kilogramm, das gesamte Fahrzeug 765 Kilogramm, die Höchstgeschwindigkeit beträgt acht Kilometer pro Stunde und das Ganze bewältigt Steigungen bis zu 1,5 Prozent.«

Außer Atem beendete der Erfinder seine Ausführungen. »Das ist doch selbst für Sie interessant, Herr Hofrat. Nein? So, hm, ich habe verstanden.«

Marcus hastete davon, der Hofrat schaute ihm betreten hinterher. Hatte er seinen Gastgeber durch sein Desinteresse an den technischen Einzelheiten beleidigt? Nein, Marcus hatte nur einige Prospekte geholt. Das Auto konnte ja nicht gut ohne jede technische Erläuterung auf der Ausstellung herumstehen, das sah auch der Hofrat ein. Er verabschiedete sich nachdenklich.

Was war in den letzten Jahren alles passiert, ohne bis zu Hofe durchzudringen. Und wenn, dann hatten er und seine Kollegen nur ein nachsichtiges Lächeln für die Erfindungen übrig gehabt. Er dachte an Madersperger, an Mitterhofer, und er dachte an Marcus. Was für eine Persönlichkeit, welche Kapazität!

»Eine Frage noch, verehrter Herr Marcus«, sagte er, schon den Schlag seiner Kutsche in der Hand, »warum haben Sie um Ihre Erfindung, um Ihr Motorkütscherl, nicht gekämpft? Warum haben Sie die Entwicklung abgebrochen?«

»Ich war einfach beleidigt«, erwiderte der Erfinder, »Vom Desinteresse der maßgeblichen Stellen und vor allem von der Obrigkeit. Sehen Sie, Herr Hofrat, ich habe seinerzeit mit meinem Automobil einige Probefahrten zum Exerzierplatz gemacht, in den Prater, und einmal bin ich ohne anzuhalten bis zum Kloster Neuenburg gekommen. Und was macht die Obrigkeit? Sie weiß nichts Besseres, als mir das Fahren zu verbieten. Einmal wurde ich sogar wegen nächtlicher Ruhestörung verhaftet und habe eine Nacht in der Arrestzelle verbracht. Da hab ichs halt gelassen.«

»Und warum haben Sie sich nicht mit den zuständigen Stellen bei Hof in Verbindung gesetzt? Mit mir zum Beispiel?«

Marcus zuckte mit den Schultern. »Und was hätten Sie mir gesagt? Daß ich ein Spinner sei. Glauben Sie nicht auch?« Der Hofrat sah verlegen zur Seite.

»Das ist schon möglich«, sagte er endlich.

Das Automobil war *die* Sensation auf der Ausstellung. Der Erfinder war bei der Eröffnung dabei und wurde begeistert gefeiert, sogar eine Gasse wurde in Wien nach ihm benannt. Später änderten die Nationalsozialisten den Namen der Gasse, weil Marcus Jude gewesen war. Aber heute gibt es sie wieder, die Marcusgasse.

1898, im Jahr der Ausstellung, starb Siegfried Marcus.

Henry Ford

Das erste Volksauto vom ersten Fließband der Welt

Der zwölfjährige Henry, ein schmaler Junge mit hellen, aufgeweckten Augen, saß neben seinem Vater auf dem Kutschbock. Er durfte die Zügel führen. Es war ein warmer Herbstnachmittag. Vater und Sohn waren auf dem Weg von Dearborn in Michigan nach Detroit. Dort machten die Dearborner Farmer ihre Einkäufe: Saatgut, Geräte, Arbeitskleidung. Es waren noch gut 8 Meilen bis zur Stadt, als um eine Wegbiegung ein seltsames Gefährt gerattert kam. Es bewegte sich, ohne daß Zugtiere davorgespannt waren.

Der kleine Henry Ford ließ die Zügel einfach fallen, sprang vom Wagen und rannte auf das Fahrzeug zu. Der Vater konnte gerade noch nach den langen Lederriemen greifen; auf seine Zurufe, sofort wieder aufzusteigen, achtete der Sohn nicht. Henry Ford erzählte viel später, das wichtigste Ereignis für sein Leben sei die Begegnung mit dem »Ratterding« gewesen, das da plötzlich auf der Straße dahergekommen sei.

»Ich kann mich an die Maschine genau erinnern, als wäre es gestern gewesen«, schrieb Ford 1922 in seinem Buch »Mein Leben und Werk« Jahre später, »war sie doch das erste nicht von Pferden gezogene Fahrzeug, das ich in meinem Leben zu Gesicht bekam. Sie war in der Hauptsache dazu bestimmt, Dreschmaschinen und Sägewerke zu treiben und bestand aus einer primitiven fahrbaren Dampfmaschine mit Kessel und einem hinten angekoppelten Wasserbehälter und Kohlekarren.«

Diese Maschinen nannte man damals – man schrieb das Jahr 1885 – »Lokomobile«. In aller Regel wurden sie dorthin, wo man sie brauchte, von Pferden gezogen. Es handelte sich also um die üblichen Dampfmaschinen, die man auf einen Wagen montiert hatte. »Dieses jedoch«, erzählt Ford, »besaß eine Verbindungskette zu den Hinterrädern des wagenähnlichen Gestells, das den Kessel trug. Die Maschine war über den Kessel montiert, und ein einziger Mann auf der Plattform hinter dem Kessel genügte, um die Kohlen zu schaufeln und Ventil und Steuer zu bedienen. Man hatte gestoppt, um uns vorbeizulassen, aber da war ich schon herunter vom Wagen und im Gespräch mit dem Führer der Lokomobile.«

Der Fahrer des Dampfwagens schien sich über die sachverständigen Fragen des jungen Ford sehr zu freuen. Ausführlich erklärte er dem Jungen, wie man die Kette vom Treibrad löste und statt dessen einen kleinen Treibriemen zum Antreiben anderer Maschinen auflegte. Er erzählte, daß die Maschine 200 Umdrehungen pro Minute leistete und daß sich die Antriebskette auskuppeln ließe, um den Wagen zum Stehen zu bringen, ohne daß man die Maschine außer Betrieb setzen mußte.

»Jene Lokomobile«, schreibt Ford, »ist daran schuld, daß ich in die Automobiltechnik hineingeriet. Ich versuchte, Modelle herzustellen und brachte schon ein paar Jahre später auch ein brauchbares zustande. Von der Zeit an, da ich als zwölfjähriger Junge mit der Lokomobile zusammentraf, bis auf den heutigen Tag (das war um 1920, d. Verf.), hat mein stärkstes Interesse dem Problem der Herstellung einer selbsttätig fahrbaren Maschine gegolten.«

Henrys Vater war das gar nicht so recht. Er wollte, daß sein Sohn Farmer werden sollte wie er. Dennoch förderte er auch das Interesse, das sein Sohn an allen technischen Aufgabenstellungen hatte. Im gleichen Jahr, da Henry der Lokomobile begegnete, bekam er eine Uhr geschenkt – was Henry Ford später als das zweitwichtigste Ereignis seines Lebens beschrieb. Sofort zerlegte er die Uhr in ihre Einzelteile und setzte sie wieder zusammen. Er mußte bei allem, was technisch funktionierte, sofort herausbekommen, wie der Mechanismus ablief.

Später, als Henry Ford berühmt, unermeßlich reich und angesehen war, wurde in Amerika die Geschichte erzählt, er habe sich aus ärmlichen Verhältnissen dank seiner technischen Fähigkeiten mühevoll emporgekämpft. Ganz stimmt das nicht, und Ford selbst hat die Legende zu zerstören versucht. Freilich wollten die meisten Leute davon nichts wissen. Sie blieben hartnäckig bei der liebgewordenen Legende vom armen Sohn notleidender Landleute, obwohl Ford selbst schrieb: »Es geht die Saga, daß meine Eltern in Armut lebten und es schwer hatten. Sie waren zwar nicht reich, aber von wirklicher Armut konnte nicht die Rede sein. Für Michiganfarmer waren sie sogar wohlhabend. Mein Geburtshaus steht heute noch und gehört mitsamt der Farm zu meinen Liegenschaften.«

Allerdings stellte schon der Junge fest, daß es auf den Farmen zuviel schwere körperliche Arbeit zu verrichten galt, und er war überzeugt davon, daß man viele dieser Arbeiten durch Maschinen erledigen könnte. Diese Überzeugung war, neben seiner geradezu fanatischen Begeisterung für alle Technik, der wesentliche Antrieb für alles, was er dann unternahm.

Noch während seiner Schulzeit durfte sich Henry eine eigene Werkstatt in einem Schuppen in der Nähe des Farmhauses einrichten. Außer einem Hammer, einer Zange und ein paar Schraubenziehern besaß er allerdings keine Werkzeuge. Also fertigte er sie sich selber an. Spielzeug ließ er liegen, statt dessen suchte er überall nach Metallteilen, die sich zu Werkzeugen umformen ließen.

»Wenn ich zur Stadt fuhr«, erzählt er später als alter Mann, »hatte ich die Ta-

Henry Ford, Kraftwagenkonstrukteur und Fabrikant, machte aus dem verschlafe-
nen Städtchen Detroit ein weltberühmtes Automobilzentrum.

schen immer voller Krimskrams, Schrauben und Schraubenmuttern, Zahnräd-
chen und Eisenteile. Manchmal bekam ich kaputte Uhren in die Hand, die ich
zusammensetzte. Mit fünfzehn Jahren konnte ich praktisch jede Uhr reparieren –
obwohl doch meine Werkzeuge ganz primitiv waren.«
Bei diesem Bericht wird man an Carl Benz erinnert, der auch zuerst an den Uhren lernte, »welche Sprache die Zahnräder miteinander reden«, und der durch
seine Basteleien an Uhrwerken viele Erkenntnisse gewann, die er später beim
Motoren- und Automobilbau verwenden konnte. »Solche Basteleien sind ungeheuer wertvoll«, sagt Ford immer wieder, »aus Büchern läßt sich nichts Prakti-
sches lernen – Maschinen sind für einen Techniker das gleiche wie Bücher für
einen Schriftsteller, und der echte Mechaniker müßte eigentlich von fast allem
wissen, wie es hergestellt wird. Daraus schöpft er Ideen, und wenn er einen Kopf
hat, wird er versuchen, sie anzuwenden.«

Nun, Henry Ford hatte einen Kopf, einen ziemlich eigensinnigen sogar. Das mußten seine Eltern bald erkennen. Als der Junge die Schule abgeschlossen hatte, kam er nicht – wie der Vater es wünschte – auf die Farm, um Getreide anzubauen und Masttiere zu züchten. Er suchte sich selbst eine Lehrstelle. Da sich seine ungewöhnliche Fertigkeit schon herumgesprochen hatte, fiel es ihm nicht schwer, eine mechanische Werkstatt zu finden, in die er, nunmehr 17 Jahre alt, eintreten konnte.

Der Meister sagte schon nach ein paar Wochen zu den Eltern Henry Fords: »Ich weiß nicht, was ich ihm noch beibringen soll, er kann jetzt schon alles, was er in den drei Lehrjahren bei uns lernen soll.« Bald herrschte in der Werkstatt verkehrte Welt: Erfahrene Mechaniker kamen zu dem Lehrjungen, wenn sie mit einem Problem nicht weiterkamen, und ließen sich von ihm helfen. Aber das alles schien dem Technikfanatiker Ford noch nicht zu genügen. Sobald er mit seiner Tagesarbeit fertig war, schwang er sich auf sein Fahrrad und strampelte quer durch Dearborn zu einem Uhrenhändler und Juwelier. Bis in die Nacht hinein reparierte er dort Uhren. Mit 18 Jahren besaß Ford bereits weit über 300 eigene Uhren, die er zu einem großen Teil aus weggeworfenen Teilen zusammengesetzt hatte. Seinem Abendarbeitgeber sagte er, es müsse möglich sein, eine Uhr für 30 Cent herzustellen, und er bewies es ihm auch. Eine Zeitlang trug er sich sogar mit dem Gedanken, eine eigene Produktion von Billiguhren aufzunehmen.

Zu jener Zeit wurde in Amerika eine allgemeine Normalzeit für den Eisenbahnverkehr eingeführt. Bisher hatte man sich nach der Sonne gerichtet, und deshalb hatte jede Region ihre eigene Zeit. Nun aber gab es plötzlich Unterschiede zwischen der Lokalzeit und der Eisenbahnnormalzeit. Ford tüftelte so lange an einer Uhr herum, bis es ihm glückte, sie so zu verändern und zu ergänzen, daß sie beide Zeiten parallel anzeigte. Sie hatte ein doppeltes Zifferblatt und wurde in Dearborn als eine Art Kuriosum herumgereicht.

Aber alle diese technischen Spielereien interessierten Henry Ford nicht so sehr wie die selbstfahrenden Fahrzeuge, die nun immer häufiger auf den Straßen auftauchten. Er wechselte den Arbeitgeber, um endlich mit Lokomobilen zu tun zu bekommen. Er ließ sich vom örtlichen Vertreter der Westinghouse Company als Monteur und Reparateur anheuern. Jetzt bekam er auch Gelegenheit, die Dampfwagen zu fahren. Die fauchenden und rauchenden Ungetüme brachten es immerhin auf Geschwindigkeiten von 20 und mehr Kilometer pro Stunde. Sie wurden nach wie vor beim Holzsägen, beim Dreschen oder als Antrieb für Pumpen verwendet, man setzte sie aber nun auch schon als Schlepper ein, die stationäre Dreschmaschinen von Hof zu Hof zogen. Aber die Lokomobile wogen viele Tonnen und waren so teuer, daß kein Farmer sie sich leisten konnte. Die Eigentümer waren in der Regel Leute, die das Dreschen als Geschäft betrieben, oder es waren Sägewerkbesitzer und andere Geschäftsleute, die fahrbare Motoren brauchten. Niemand dachte daran, solche klotzigen und teuren Geräte als Fortbewegungsmittel für den Menschen zu benutzen.

Henry Ford aber ging ständig mit der Idee um, einen leichteren und handlicheren Dampfwagen zu konstruieren. Aber auch er dachte dabei nicht an den Personentransport, sondern an die schwere Feldarbeit, deren schwierigster Teil noch immer das Pflügen war. Ford hoffte, einen Schlepper konstruieren zu können, der leicht genug war, um im Erdreich nicht einzusinken, und der die Pflugscharen durch die Äcker ziehen konnte.

Seine Werkstatt auf der Farm seines Vaters hatte er nach und nach immer weiter ausgebaut. Sie stellte nun schon eine respektable Produktionsstätte dar und wurde in Dearborn als eine Art Geheimtip gehandelt, wenn es darum ging, Geräte zu reparieren oder zu verbessern.

Henry Ford baute einen leichten Wagen mit Dampfantrieb. Das Fahrzeug funktionierte auch auf Anhieb. Beheizt wurde es nicht mehr mit Kohle, sondern mit Petroleum. Die Maschine entwickelte Kräfte, die von bisherigen Dampffahrzeugen nicht erbracht wurden. Mit Hilfe eines Drosselventils konnte Ford die Kraft verschieden dosieren. Aber die hohe Krafterzeugung hatte auch Nachteile: Um soviel Leistung bei verhältnismäßig kleinem Kesselumfang zu erzielen, mußte Ford hohe Drücke erreichen. Das gelang ihm zwar, aber er mußte bei dieser Hochdruckmaschine auch ständig damit rechnen, daß der Kessel unter dem Druck bersten und mitsamt seinem Fahrer in die Luft fliegen könnte. Wollte er dieses Problem lösen, mußte er den Kessel so sehr verstärken, daß er wieder beim alten Gewichtsproblem ankam. Zwei Jahre lang experimentierte er herum, dann gab er auf. Es wäre für ihn keine Schwierigkeit gewesen, schwere Dampfwagen zu bauen, wie sie um jene Zeit in England üblich waren. Aber die Briten hatten gute Straßen mit festem Unterbau. In Michigan dagegen verfügte man nur über Landwege, in denen die schweren Dampfrösser steckenblieben oder gar versanken, auch wenn nur ein schwacher Regen den Untergrund ein wenig aufgeweicht hatte. Außerdem: »Einen schweren Schlepper zu bauen, den sich nur die wohlhabendsten Farmer leisten konnten, schien mir nicht lohnend genug«, schrieb Ford später.

Tatsächlich hatte Henry Ford immer die Massenproduktion im Auge. So wie er schon als Lehrling eine billige 30-Cent-Uhr bauen und in Serienproduktion herstellen wollte, ging ihm auch später nie die Idee aus dem Kopf, ein Fahrzeug zu entwickeln, das sich jeder Amerikaner leisten konnte. Am Ende schaffte er es ja dann auch. Von seinem »Modell T« wurden über 15 Millionen Exemplare verkauft.

Aber soweit ist es noch lange nicht. Vorerst bosselt der junge Mechaniker noch in seiner Dearborner Werkstatt herum. Und er beginnt sich aus Büchern und Zeitschriften zu informieren. Eines Tages fällt ihm eine schon etwas ältere Ausgabe der englischen Zeitschrift »World of Science« (Welt der Wissenschaft) in die

Fords Modell »T«, nach dem VW-Käfer das meistverkaufte Auto der Welt.

Hände. Voller Staunen liest er einen Bericht über einen geräuschlosen Gasmotor, der in Frankreich erfunden wurde, den deutsche Ingenieure weiterentwickelt hatten, der aber in England mit mehr Interesse als Begeisterung aufgenommen worden war. Die Briten mokierten sich über den Explosionsmotor und schrieben, daß er wohl niemals eine Chance haben würde, eingesetzt zu werden.

Ford notiert: »Das ist so die Art der klugen Leute – sie sind so klug und erfahren, daß sie stets bis aufs letzte Tüpfelchen wissen, warum etwas nicht geht; sie sehen die Begrenzung. Darum soll man auch nie nur auf sogenannte Sachverständige hören.«

Der Gasmotor interessierte Ford sofort. Dem Dampfantrieb traute er nach all seinen Versuchen nicht zu, irgendwann einmal leichte und handliche Fahrzeuge antreiben zu können. 1885 brachte man einen Otto-Motor zu ihm, der nicht mehr funktionierte. In ganz Detroit war niemand aufzutreiben gewesen, der den Schaden finden und den Motor reparieren konnte. Ford behielt den Motor ein paar Tage bei sich und studierte ihn wie damals seine erste Uhr, als er sie mit zwölf Jahren geschenkt bekam. Es stellte für den genialen Mechaniker überhaupt kein Problem dar, den Motor wieder zum Laufen zu bringen. In ein paar Stunden hatte er es geschafft. Die restliche Zeit benutzte er dazu, Zylinder und Kolben, Ansaug- und Auspuffvorrichtung zu studieren. Er fertigte Zeichnungen vom

Übertragungsmechanismus an und merkte sich genau, wie das Ventil funktionierte. Als er den reparierten Motor seinem hochbeglückten Besitzer zurückgab, war Henry Ford zum Sachverständigen in Otto-Motoren geworden.

Sofort ging er daran, einen kleinen Motor nach dem Otto-Modell zu bauen, zunächst nur, um zu prüfen, ob er das Prinzip des Viertakters auch wirklich verstanden hatte. Er notierte: »Viertakt besagt, daß der Kolben viermal im Zylinder auf und nieder gehen muß, um einen Kraftimpuls zu erzeugen. Der erste Hub saugt das Gas an, der zweite komprimiert es, der dritte bringt's zur Explosion und der vierte pufft das verbrannte Gas aus.«

Fords Modell arbeitete exakt. Der Kolbenhub betrug 76 Millimeter, die Bohrung hatte einen Durchmesser von 25 Millimeter. Als Antriebsmittel verwendete er »Gasolin«, was damals schon der englische Ausdruck für Benzin war. Otto hätte über das Dearborner Minimodell seiner großen Erfindung wohl nicht schlecht gestaunt.

»Damals«, erzählt Ford, »lebte ich wieder auf der Farm, zu der ich zurückgekehrt war, weniger um Farmer zu werden, als um meine Versuche fortzusetzen. Als ausgelernter Maschinenbauer hatte ich jetzt eine erstklassige Werkstatt anstelle der Puppenwerkstatt meiner Knabenjahre. Mein Vater bot mir sechzehn Hektar Wald an für den Fall, daß ich meine Maschinen aufgäbe. Ich stimmte provisorisch zu, denn die Holzfällerei brachte mir immerhin soviel ein, daß ich heiraten konnte.«

Ford richtete ein Sägewerk ein, schaffte sich einen fahrbaren Dampfmotor an und begann, das Holz im Wald zu schlagen und auch gleich vor Ort zuzuschneiden. Die ersten Balken und Bretter, die dabei herauskamen, benutzte er, um sich ein eigenes Häuschen zu bauen. Der wichtigere Bau aber wurde die Werkstatt, die er gleich daneben errichtete.

In dieser Werkstatt war er nun in jeder freien Minute zu finden. Er baute eine Maschine nach der anderen. Zunächst waren diese Motoren alle nicht für einen bestimmten Zweck konstruiert, sondern nur als Versuchsgeräte, an denen Ford die verschiedenen Motorenfunktionen ausprobieren wollte. Einen Einzylinder stellte er schon nach kurzer Zeit in die Ecke, weil das Schwungrad viel zu schwer geraten war. Schließlich versuchte er sich an einem Zweizylinder, den er so leicht bauen wollte, daß er ihn an ein Fahrrad montieren konnte. Er war der Ansicht, daß sich der Doppelzylindermotor für nahezu alle Fahrzeuge nutzen ließe. Am Fahrrad wollte er die Schubstange direkt mit dem Hinterrad verbinden, das dann praktisch das Schwungrad gewesen wäre. Die Geschwindigkeit wollte er ausschließlich über die Gasdrosselung kontrollieren. Aber er hatte sich verrechnet, schließlich mußte er ja auch noch einen Brennstoffbehälter und alles Zubehör außer dem Motor unterbringen, und unter dem Gewicht wäre ein Fahrrad wohl zusammengebrochen. Immerhin hatte Ford herausbekommen, daß das Prinzip der zwei Zylinder viele Vorteile bot: »Die beiden Komplementärzylinder bieten den Vorzug«, notierte er, »daß im Augenblick der Explosion in dem einen Zylinder die verbrannten Gase im anderen ausgepufft werden. Dadurch läßt sich das zur Regelung der Kraft erforderliche Gewicht des Schwungrades vermindern.« Ford war nun sicher, daß er bald schon einen funktionierenden Benzinmotor vorstellen konnte.

Da erreichte ihn das Angebot der Detroiter Elektrizitätsgesellschaft, bei ihr als Ingenieur und Maschinist einzutreten. Man bot ihm 45 Dollar Monatsgehalt an, und das war mehr, als er mit seinem Wald verdienen konnte, zumal er den Baumbestand bereits so weit abgeholzt hatte, daß er ans Aufforsten oder ans Roden denken mußte.

Ford hatte sich in seinem ganzen Leben bei seinen Entscheidungen nur von praktischen Erwägungen leiten lassen. Und so war es denn ganz folgerichtig für ihn, daß er nunmehr nach Detroit übersiedelte. Zunächst arbeitete er in der Nachtschicht und tags natürlich an seinem Motor. Dann wurde er in die Tagesschicht übernommen und bastelte nachts an seinem Zweizylinder herum.

Er hatte das Glück, daß seine Frau – ähnlich wie Bertha Benz – vom endlichen Erfolg ihres Mannes als Motorenbauer felsenfest überzeugt war und es deshalb hinnahm, daß er mehr Zeit in seiner Werkstatt als in der Wohnung des Ehepaares verbrachte.

Ford schildert seine Arbeit selbst: »Ich mußte von der Pike auf neu beginnen – das heißt, ich wußte zwar, daß eine ganze Reihe von Leuten an dem pferdelosen Wagen arbeiteten, konnte aber nichts Näheres darüber in Erfahrung bringen. Die größten Schwierigkeiten bereiteten mir die Auslösung des Zündfunkens und das Gewichtsproblem. Bei der Kraftübertragung, Steuerung und dem allgemeinen Aufbau kamen mir meine Erfahrungen mit den Dampfschleppern zugute. 1892 stellte ich mein erstes Automobil fertig, aber es dauerte bis zum nächsten Frühjahr, bevor es zu meiner Zufriedenheit lief.«

Lassen wir auch bei der Beschreibung des allerersten Ford-Automobils den Konstrukteur selbst zu Wort kommen. Er hatte nämlich neben seiner technischen Begabung auch jene, sehr plastisch und anschaulich über seine Arbeiten zu schreiben.

»Mein erster Wagen glich in seiner äußeren Gestalt etwa einem Bauernwägelchen. Er besaß zwei nebeneinander über der Hinterachse montierte Zylinder mit 63 Millimeter Bohrung und 152 Millimeter Kolbenhub. Ich hatte sie aus dem Auspuffrohr einer von mir erworbenen Dampfmaschine verfertigt. Die beiden Zylinder entwickelten etwa vier Pferdekräfte. Die Kraft wurde vom Motor mittels eines Riemens auf die Zwischenwelle und durch eine Kette von dieser auf das Hinterrad übertragen. Der Wagen faßte zwei Personen, wobei der Sitz an zwei Pfosten aufgehängt war und der Rumpf auf elliptischen Federn ruhte. Die beiden Gänge – einer für sechzehn und einer für zweiunddreißig Kilometer die Stunde – wurden durch Verschiebung des Riemens eingeschaltet. Das geschah durch eine vor dem Führersitz angebrachte Hebelstange mit Griff. Nach vorn geschoben wurde der große Gang eingeschaltet; nach rückwärts, der kleine Gang; bei senkrechter Stellung der Freilauf. Um den Wagen zu starten, mußte man den Motor bei Freilaufstellung mit der Hand ankurbeln. Zum Halten war nichts weiter nötig, als den Hebel loszulassen und die Fußbremse anzuziehen. Einen Rückwärtsgang gab es nicht, und andere Schnelligkeiten als die der beiden Gänge wurden durch Gaszufuhr und -abdrosselung erzielt. Die Eisenteile für das Wagengerüst sowie Sitz und Federn hatte ich gekauft. Die Räder waren Fahrradräder mit Gummibereifung von 70 Zentimeter Durchmesser. Das Steuerrad hatte ich nach einer selbstgefertigten Form gegossen und auch den ganzen feineren Mechanismus selbst konstruiert. Sehr bald stellte es sich aber heraus, daß noch ein Ausgleichsmechanismus fehlte, um die lebende Kraft beim Kurvenfahren auf die beiden Hinterräder gleichmäßig zu verteilen. Der ganze Wagen wog rund 225 Kilogramm. Unter dem Sitz befand sich der 12 Liter fassende Benzinbehälter, der durch eine kleine Röhre und einen Vergaser den Motor speiste. Die Zündung erfolgte durch elektrischen Funken. Ursprünglich hatte der Motor Luftkühlung – oder, um genauer zu sein, überhaupt keine Kühlung. Ich fand, daß er sich nach ein- bis zweistündiger Fahrt heißlief – so legte ich denn sehr bald einen Wassermantel um den Zylinder, den ich durch ein Rohr mit einem hinten am Wagen befindlichen Behälter verband.

Alle diese Einzelheiten hatte ich mir mit geringen Ausnahmen von vornherein ausgedacht. So habe ich es bei meiner Arbeit immer gehalten. Ich zeichne zuerst einen Plan, in dem jedes Detail fertig ausgearbeitet ist, ehe ich zu bauen anfange. Sonst verschwendet man im Laufe der Arbeit viel Material mit Notbehelfen, und zum Schluß greifen die Einzelteile aus Mangel an Proportion doch nicht gut ineinander. Viele Erfinder haben kein Glück, weil sie nicht zwischen planmäßiger Arbeit und Experimentieren zu unterscheiden vermögen. Die größten Bauschwierigkeiten lagen in der Beschaffung des richtigen Materials. Dann kam die Werkzeugfrage. Zwar waren noch einige Änderungen und Verbesserungen im einzelnen nötig, was mich jedoch am meisten aufhielt, war der Mangel an Geld und Zeit, um für jeden einzelnen Teil das beste Material auszuwählen. Im Frühjahr 1893 jedoch war die Maschine weit genug gediehen, um einigermaßen zu meiner Zufriedenheit zu laufen, wobei ich eine weitere Gelegenheit erhielt, Bauart und Material des Wagens auf den Landstraßen zu erproben.«

Erinnern wir uns: 1893, das war vier Jahre nach der Weltausstellung in Paris, auf der Daimler und Maybach ihren vielbestaunten Stahlradwagen über die Straßen der französischen Hauptstadt chauffierten, und zwei Jahre, nachdem Panhard und Levassor im großen Stil in den Bau von Automobilen eingestiegen waren. Bertha Benz hatte ihre sensationelle erste Fernfahrt längst hinter sich, und in Deutz bei Otto wurden Motoren bereits in Großserien gefertigt, um in alle Welt verschickt zu werden. Als Ford sein erstes Auto durch Detroits Straßen steuerte, hatten Panhard und Levassor gerade ihren ersten Lastkraftwagen mit einem Daimler-Motor ausgeliefert. Europa war weit voraus. Es gab erste Kontrakte mit amerikanischen Firmen. Daimler selbst war schon nach Amerika gereist. In Detroit aber, das später einmal zur Hauptstadt des Automobilbaus werden sollte, stand ein einfacher Konstrukteur noch ganz am Anfang. Und er hatte sich vorgenommen, alles aus eigener Kraft zu schaffen, seine eigene Automobilserienproduktion ins Leben zu rufen.

Bescheiden nannte Ford sein Automobil ein »Benzinwägelchen, das eine ziemliche Plage war, da es viel Lärm machte und die Pferde erschreckte«. Sobald er irgendwo in Detroit den ratternden Kasten zum Stehen brachte, umringten Neugierige das Fahrzeug, und schließlich mußte er das Automobil immer mit einer Kette, die er stets mit sich führte, an einem Laternenpfahl befestigen. Leute versuchten nämlich immer wieder, das Ding zum Fahren zu bringen. Wie Benz in Mannheim und Daimler in Stuttgart hatte auch Ford in Detroit Probleme mit der Polizei, obgleich es keine Verordnung gab, die etwas über Motorfahrzeuge und deren Tempo aussagte.

Schließlich erhielt Henry Ford vom Bürgermeister persönlich einen Erlaubnisschein. Eine Zeitlang war er der einzig behördlich bestätigte Chauffeur und Führerscheininhaber in ganz Amerika.

In den Jahren 1895 und 1896 legte er insgesamt 1 600 Kilometer zurück, dann verkaufte er seine Maschine an einen gewissen Charles Ainsley. Er hatte ja seinen ersten Wagen nur zu Versuchszwecken gebaut. Jetzt wollte er an ein zweites, verbessertes Modell gehen, und dazu brauchte er das Geld aus dem Verkauf. Später kaufte Ford dann sein erstes Motorfahrzeug wieder zurück.

Ford hat immer behauptet, die Entwicklung in anderen Ländern habe ihn nicht beeinflußt, abgesehen von jenem Otto-Motor, der ihm zur Reparatur gebracht worden war. In seinen Memoiren schreibt er sogar mehr als selbstbewußt: »Inzwischen hatten sich auch in Amerika und Europa andere an den Automobilbau herangemacht; schon 1895 erfuhr ich, daß ein deutscher Benzwagen bei May's in New York ausgestellt sei. Ich fuhr eigens hin, um ihn mir anzusehen, aber er hatte nichts, was mir besonders auffiel. Auch der Benzwagen hatte einen Treibriemen, aber er war viel schwerer als der meinige. Ich legte größten Wert auf Gewichtsersparnis, einen Vorteil, den die ausländischen Fabrikate niemals genug zu würdigen schienen.«

Es ist nicht so ganz zu glauben, daß ein Mann wie Ford die internationale Entwicklung im Automobilbau ignoriert hat. Aber da er später selbst immer wieder an seinem eigenen Bild herumfeilte, mag es ihm richtig erschienen sein, sich selbst als Selfmademan darzustellen, der nicht nur alles alleine geschafft, sondern dabei die anderen, ohne sie zu kennen, gar noch leichtträdrig überholt hatte.

Unbestritten ist freilich, daß die Fahrzeuge, die Henry Ford baute, ungewöhnlich leistungsfähig, leicht und zuverlässig waren. Bewundernswürdig, daß er während

Nachdem Henry Ford (neben dem Wagen stehend) mit seinem Volksmodell einen großen wirtschaftlichen Erfolg erzielt hatte, wandte er sich auch wieder anderen Modellen zu.

dieser Anfangsjahre nicht nur bei den Elektrizitätswerken blieb, sondern dort auch noch eine steile Karriere machte. Inzwischen war er erster Ingenieur, und sein Gehalt war auf 125 Dollar pro Monat geklettert. Seine Chefs allerdings sahen seine Erfindertätigkeit nicht allzu gerne. Sie konnten ihm zwar nicht vorwerfen, daß er seine Aufgaben vernachlässigte, aber sie dachten wohl, daß die Entwicklung von Elektromotoren und Elektroanlagen einem bei ihnen angestellten Ingenieur besser anstehen würde als seine Arbeit an den Gasmotoren. Schließlich bot man ihm den Posten des ersten Direktors an. Bedingung wäre aber gewesen, daß er seine Experimente mit dem Gasmotor aufgegeben hätte. Er weigerte sich und stieg aus. Am 15. August 1899 verließ er die Elektrizitätswerke, um sich mit der Automobilproduktion selbständig zu machen.

Inzwischen brummten immer mehr Autos, europäische und amerikanische, auf den Straßen der Staaten. Auch das Rennfieber, von dem viele Franzosen und Engländer erfaßt worden waren, hatte nach Amerika übergegriffen. Wer als Automobilbauer etwas gelten wollte, mußte Rennen fahren. Unangefochtener Champion war Alexander Winton aus Cleveland, der schon besonders schnelle Sportwagen baute. Er war bereit, gegen jeden anzutreten, der es wagte, ihn herauszufordern.

Ford forderte ihn heraus, nachdem er für das Rennen ein spezielles Fahrzeug gebaut hatte, das von einem gedrungenen eingebauten Zweizylindermotor angetrieben wurde. Wie immer war Ford bemüht gewesen, jedes überflüssige Gramm Gewicht aus seinem Wagen »herauszukonstruieren« und zugleich die Leistung des Motors zu steigern. Was er da gebaut hatte, war eine richtige Rennmaschine.

Als er das Fahrzeug an den Start schob, drängten sich Tausende von Zuschauern auf der Great-Point-Rennbahn in Detroit. Ford war der Lokalmatador, Winton der Fremde. Dennoch glaubte man nicht, daß der einheimische Konstrukteur den erfahrenen Rennpiloten aus Cleveland schlagen könnte. Winton selbst lächelte überlegen, als er seine Maschine anwarf und die Rennbrille über die Augen zog. Ford schnallte seine Lederkappe fest, warf den Motor an, ließ die Drosselung langsam nach und schob, als die Startflagge niederging, mit dem langen Hebel den Treibriemen auf die Achse. Das Fahrzeug bäumte sich unter den plötzlich freiwerdenden Kräften auf. Das Publikum raunte erstaunt. Fords Maschine schoß davon und hatte schon auf der ersten Geraden 20 Meter zwischen sich und Wintons Automobil gebracht. Und dieser Vorsprung vergrößerte sich schnell. Fords Sieg war nie gefährdet. Das Publikum jubelte. Die Zeitungen berichteten begeistert – Ford aber reagierte ärgerlich. Er verstand nicht, daß dieser Rennsieg für die Entwicklung seiner Automobilfabrik soviel wichtiger sein sollte als die Tatsache, daß er die funktionstüchtigsten, leichtesten und zuverlässigsten Motorfahrzeuge in Amerika baute. Aber als er den Mechanismus der Propaganda erkannt hatte, setzte er ihn immer zielstrebiger ein. Später baute er Rennmaschinen, die geradezu lebensgefährlich waren. Hier einer seiner Berichte darüber:

»1905 baute ich mit Tim Copper zusammen zwei Wagen, lediglich auf Fahrtgeschwindigkeit hin. Sie waren einander vollkommen gleich. Der eine wurde ›999‹, der andere ›Pfeil‹ getauft. Sollte ein Automobil auf seine Schnelligkeit hin bekannt werden, so hatte ich eben ein Auto zu bauen, das überall dort bekannt werden mußte, wo man auf Schnelligkeit hielt. Die meinigen wurden es. Ich baute vier riesengroße Zylinder mit einer Gesamtleistung von 80 PS ein – was für damalige Zeiten unerhört war. Der Lärm, den der Motor machte, genügte schon, um einen Menschen halb umzubringen. Nur ein Sitz war vorhanden. Ein Menschenleben pro Wagen erschien übergenug. Ich probierte die Wagen; Copper probierte sie. Wir gaben ihnen volle Fahrt. Ich kann das Gefühl nicht so recht beschreiben. Eine Fahrt auf den Niagarafällen wäre daneben eine Vergnügungstour gewesen. Ich wollte die Verantwortung nicht auf mich nehmen, ›999‹, den wir zuerst herausbrachten, laufen zu lassen; Copper auch nicht. Copper sagte aber, er kenne einen Mann, der von Fahrtgeschwindigkeit lebe, nichts könne ihm schnell genug gehen. Er telegraphierte nach Salt Lake City, und es erschien ein Radrennfahrer von Beruf, namens Barney Oldfield. Er hatte noch niemals ein Automobil gefahren, wohl aber Lust, es zu versuchen. Er meinte, er müsse alles einmal ausprobieren.

Wir brauchten nur eine Woche, um ihm das Fahren beizubringen. Der Mann kannte keine Furcht. Er brauchte nichts weiter lernen, als das Ungeheuer zu regieren. Das schnellste moderne Rennauto zu lenken ist nichts, verglichen mit jenem Wagen. Das Steuerrad war damals noch nicht erfunden. Alle bisher von mir erbauten Wagen hatten einfach einen Handgriff. An diesem brachte man einen Doppelgriff an, denn es erforderte volle Manneskraft, um den Wagen in der Richtung zu halten. Das Rennen, für das wir arbeiteten, sollte über 5 Kilometer auf der Great-Point-Rennbahn gehen. Unser Wagen war auf der Rennbahn noch unbekannt, und wir ließen die anderen über ihn auch bis zuletzt im dunkeln. Die Prophezeiungen überließen wir ihnen gleichfalls. Damals waren die Rennbahnen noch nicht nach wissenschaftlichen Grundsätzen erbaut. Man ahnte nicht, auf welche Schnelligkeit ein Motor es zu bringen vermöchte. Niemand wußte besser als Oldfield, was die Motoren zu bedeuten hatten; als er seinen Wagen bestieg, während ich die Kurbel drehte, meinte er gutgelaunt: ›Na, die Karre kann ja mein Tod sein, aber wenigstens soll man sagen, ich sei wie der Deibel gefahren, wenn ich über die Böschung gehe.‹

Und er fuhr wie der Deibel! Er wagte es nicht, sich umzudrehen. Er stoppte nicht

Henry Ford mit seinem Sohn Edsel Ford auf einer Fahrt durch Detroit in seinem Automobil Modell F 1904.

einmal bei den Kurven. Er ließ den Wagen einfach laufen – und er lief tatsächlich. Er war den anderen zum Schluß ungefähr um ¾ Kilometer voraus!«

Eine Woche nach dem spektakulären Rennsieg mit dem »999« wurde die Ford-Automobil-Gesellschaft gegründet. Ford selbst wurde stellvertretender Direktor, Zeichner, Oberingenieur, Aufseher und Verkaufschef. Mit anderen Worten: Er kümmerte sich um alles. Längst schon waren zu seinen technischen Interessen auch kaufmännische gekommen. Er hatte einen ganz klaren Plan: Das Automobil mußte so billig hergestellt werden können, daß es sich jeder leisten konnte. Er wollte nicht ein paar Reiche mit teuren Wagen versorgen, sondern ein Heer von Amerikanern mit einem Volksmobil. Seine Teilhaber waren da nicht unbedingt seiner Meinung. Henry Ford reagierte entsprechend. Nach und nach kaufte er eine Aktie nach der anderen auf, so daß er 1906, also schon ein Jahr nach der Gründung der Gesellschaft, 51 Prozent der Anteile besaß und damit bestimmen konnte, wo es langzugehen hatte. Ein Jahr danach hatte er seinen Anteil auf 58 Prozent erhöht. 1919 kaufte Fords Sohn Edsel den Rest der Aktien, nachdem die übrigen Eigner immer weniger mit der Geschäftsführung des alten Ford einverstanden waren. Zwar mußte Edsel pro Hundert-Dollar-Aktie nicht weniger als 12 500 Dollar bezahlen, aber Vater Henry war dieser Preis nicht zu hoch dafür, nun endlich ganz alleine über die Entwicklung der Produktion bestimmen zu können.

Die Entwicklung hatte Henry Ford immer wieder Recht gegeben. Im ersten Jahr der Produktion bauten die Detroiter Automobilwerke ausschließlich das »Modell A«. Chassis und Motor kosteten 850 Dollar, die Karosserie 100 Dollar. Das Auto besaß einen Zweizylindermotor mit 8 PS und ein Kettengetriebe. Der Brennstoffbehälter faßte 20 Liter. Im ersten Jahr wurden 1 708 Wagen verkauft, und viele von ihnen liefen zehn Jahre und länger. Eine Ausgabe des »Modells A« fand Ford 15 Jahre später in einem Bergdorf wieder. Der Besitzer war der fünfte in einer Reihe, hatte aber den Motor ausgebaut und betrieb damit eine Wasserpumpe zur Bewässerung seiner Felder, das Chassis wurde von einem Maulesel gezogen und diente jenem Bauern als Kutsche für seine Fahrten in die Stadt.

Im Jahr danach kam Ford mit zwei teuren Modellen auf den Markt – mit Vierzylindern für 2 000 und 2 050 Dollar. Der Verkauf ging zurück. Neue Modelle folgten in immer kürzeren Abständen. Die Jahresverkaufszahlen kletterten nun bald wieder und erreichten 1908 8 000 Wagen, ein absoluter Rekord. In der Woche nach dem 15. Mai 1908 wurden 311 Wagen gefertigt.

Aber Henry Ford hatte andere Ziele im Auge. Jetzt liefen zwar schon Ford-Automobile mit sechs Zylindern und 50 PS. Geschwindigkeiten bis zu 50 Kilometer pro Stunde wurden erreicht, aber noch immer war Autofahren das Privileg weniger wohlhabender Bürger. Ford träumte noch immer vom billigen Wagen für jedermann. Er bereitete systematisch alles vor, was für diesen Plan notwendig war.

So gründete er im ganzen Land Service-Stationen, denn wer damals ein Automobil besaß, mußte bei einer Panne schon Glück haben, wenn er einen Schmied oder einen Mechaniker fand, der ihm seinen Wagen reparierte. Und häufig war es mit dem guten Willen eines Mechanikers nicht getan. Man brauche ja auch Ersatzteile. Ford begann deshalb das Land mit einem Netz von Werkstätten und Ersatzteillagern zu überziehen.

Gleichzeitig arbeitete Ford intensiv an seinem geplanten Einfachauto. Schließlich hatte er es geschafft. Er nannte es »Modell T«.

»Die charakteristische Eigenschaft dieses neuen Modells – das ich zu meinem einzigen Modell für die eigentliche Produktion zu machen beabsichtigte, falls es, wie ich bestimmt erwartete, sich durchsetzen sollte – war seine Einfachheit. Der Wagen bestand aus nur vier Konstruktionseinheiten: aus der Kraftanlage, dem Wagengerüst, der Vorder- und der Hinterachse. Sie alle waren überall leicht zu haben und so gebaut, daß keine besondere Geschicklichkeit dazu gehörte, um sie zu reparieren oder zu ersetzen. Schon damals glaubte ich – obgleich ich dank der Neuheit der Idee nur wenig davon verlauten ließ – daß es möglich sein würde, alle Teile so einfach und auch so billig herzustellen, daß alle teure Handwerkernacharbeit vollständig wegfiele. Die verschiedenen Teile sollten so wohlfeil sein, daß es billiger käme, neue zu kaufen, als die alten reparieren zu lassen. Sie sollten wie Nägel und Riegel in jeder Eisenhandlung geführt werden. Meine Aufgabe als Erbauer war es, den Wagen so restlos zu vereinfachen, daß jeder ihn verstehen mußte.

Das hatte eine doppelte Wirkung. Je weniger kompliziert ein Artikel, desto leichter die Herstellung, um so niedriger der Preis und um so größer die Umsatzmöglichkeit.

›Modell T‹ hatte keine Eigenschaft, die nicht bereits im Kern in dem einen oder dem anderen älteren Modell enthalten war. Alle Einzelheiten waren auf das gewissenhafteste erprobt. Der Erfolg beruhte daher nirgends auf Zufall, sondern war einfach unausbleiblich. Er mußte kommen, denn der Wagen war ja nicht an einem Tag erbaut. Er barg alles, was ich an Ideen, Geschick und Erfahrung in ein Automobil hineinzustecken vermochte, plus dem richtigen Material, dessen ich hier zum ersten Male hatte habhaft werden können. Wir brachten ›Modell T‹ für die Saison 1908/09 heraus.«

So überzeugt war Henry Ford von seinem »Modell T«, daß er im Frühjahr 1909 eines Morgens alle seine Leute um sich versammelte und verkündete: »In Zukunft bauen wir ausschließlich ein einziges Modell, und zwar das ›Modell T‹. Alle Wagen erhalten das gleiche Chassis, den gleichen Motor, die gleiche Karosserie. Natürlich«, setzte er mit Gönnermiene hinzu, »kann jeder Kunde sein Fahrzeug beliebig anstreichen lassen, solange die Farbe nur schwarz ist!«

Anklang fand er mit seiner neuen Geschäftspolitik weder bei seinen Technikern noch bei seinen Verkaufsleuten. Die über tausend Mitarbeiter waren sich ziem-

Eine Ford-Aktie. Das begehrteste Stück Papier in der ersten Hälfte unseres Jahrhunderts.

lich sicher, daß der Chef nun wohl vollends übergeschnappt sei. Aber einem Henry Ford widersprach man nicht. Und so hörten sie ihm auch weiter zu, als er ausführte: »Ich beabsichtige nun endlich ein Automobil für die Menge zu bauen. Es wird groß genug sein, um die Familie mitzunehmen, aber klein genug, daß ein einzelner Mann es jederzeit lenken und versorgen kann. Es wird aus dem allerbesten Material gebaut, von den allerersten Arbeitskräften gefertigt und nach den einfachsten Methoden, die die modernste Technik nur ersinnen kann. Trotzdem wird der Preis so niedrig sein, daß jeder, der ein anständiges Gehalt verdient, sich ein Auto leisten kann.«

Die Zeitungen in Amerika verbreiteten die Nachricht vom Einheitsauto »Modell T« schnell, und die Kommentare waren einander ziemlich ähnlich: »Wenn Ford diesen Plan verwirklicht, ist er in sechs Monaten kaputt!«

Niemand glaubte, daß sich ein Automobil zu einem Preis von weit unter 1 000 Dollar würde herstellen lassen. Nicht viel mehr als 800 Dollar wollte Ford für das »Modell T« verlangen. Im ersten Jahr schlug er weit über 10 000 davon los. In den folgenden drei Jahren steigerte er die Zahl der Mitarbeiter auf über 4 000, die der fertiggestellten Wagen auf 54 000 pro Jahr. Während sich die Zahl der Mitarbeiter also vervierfachte, verachtfachte sich die Zahl der Produkte. Und Ford senkte prompt die Preise, nachdem sie zwischenzeitlich fast auf 1 000 Dollar gestiegen waren, auf 750 Dollar pro Wagen.

Das alles war nur möglich, weil Ford auch die Produktion neu organisierte. »Man erspare zwölftausend Angestellten täglich zehn Schritte, und man hat eine Weg- und Krafterspamis von 80 Kilometern«, rechnete er seinen Leuten vor. Bald schon stellte er fest, daß er nicht genug ausgebildete Maschinenschlosser finden konnte, also begann er die Arbeit so zu vereinfachen, daß jeder sie ohne weiteres ausführen konnte. Ford kannte jetzt nur noch ein Thema: kosten- und arbeitssparende Produktionsmethoden. Die Haupterspamis glaubte er beim Zusammenbau der Teile erzielen zu können. Aber lassen wir Henry Ford dazu sprechen. »Ein Fordwagen besteht aus rund 5 000 Teilen – Schrauben, Muttern usw. mitgerechnet. Einige dieser Teile sind ziemlich umfangreich, andere nicht größer als Uhrteilchen. Bei den ersten Wagen, die wir zusammensetzten, begannen wir das Fahrzeug an einer beliebigen Stelle auf dem Fußboden zusammenzufügen, und die Arbeiter schafften die dazu erforderlichen Teile in der Reihenfolge zur Stelle, in der sie verlangt wurden – ganz so, wie man ein Haus baut. Als wir anfingen, Teile herzustellen, ergab es sich ganz von selbst, daß man für jedes Stück eine bestimmte Fabrikabteilung einrichtete; meist machte ein und derselbe Arbeiter sämtliche Verrichtungen, die zur Herstellung eines kleinen Teiles erforderlich waren. Das rasche Wachstum und Tempo der Produktion machte jedoch sehr bald das Ersinnen neuer Arbeitspläne erforderlich, um zu vermeiden, daß die verschiedenen Arbeiter übereinanderstolperten. Der ungelernte Arbeiter verwendet mehr Zeit mit Suchen und Heranholen von Material und Werkzeugen als mit Arbeit und erhält dafür geringen Lohn, da das Spazierengehen bisher immer noch nicht sonderlich hoch bezahlt wird.

Der erste Fortschritt in der Montage bestand darin, daß wir die Arbeit zu den Arbeitern hinschafften, statt umgekehrt. Heute befolgen wir zwei große allgemeine Prinzipien bei sämtlichen Verrichtungen – einen Arbeiter, wenn irgend möglich, niemals mehr als nur einen Schritt tun zu lassen und nirgends zu dulden, daß er sich bei der Arbeit nach den Seiten oder vornüber zu bücken braucht.

Die bei der Montage befolgten Grundregeln lauten:

1. Ordne Werkzeuge, Material und Arbeiter in der Reihenfolge der bevorstehenden Verrichtungen, so daß jeder Teil während des Prozesses der Zusammensetzung einen möglichst geringen Weg zurückzulegen hat.

2. Bediene dich der Gleitbahnen oder anderer Transportmittel, damit der Arbeiter nach vollendeter Verrichtung den Teil, an dem er gearbeitet hat, stets an dem gleichen Fleck – der sich selbstverständlich an der handlichsten Stelle befinden muß – niederlegen kann. Wenn möglich, nutze die Schwerkraft aus, um den betreffenden Teil dem nächsten Arbeiter zuzuführen.

3. Bediene dich der Montagebahnen, um die zusammenzusetzenden Teile in handlichen Zwischenräumen an- und abfahren zu lassen.

Das Nettoresultat aus der Befolgung dieser Grundregeln ist eine Verminderung der Ansprüche an die Denktätigkeit des Arbeitenden und eine Reduzierung seiner Bewegungen auf das Mindestmaß. Nach Möglichkeit hat er ein und dieselbe Sache mit nur ein und derselben Bewegung zu verrichten.

Ungefähr am 1. April 1913 machten wir unseren ersten Versuch mit einer Montagebahn, und zwar bei der Zusammensetzung der Schwungradmagneten. Alle Versuche werden bei uns erst im kleinen Maßstabe angestellt. Wenn wir ein besseres Arbeitsverfahren gefunden haben, tragen wir kein Bedenken, selbst grundlegende Veränderungen vorzunehmen, wir müssen uns nur vorher restlos überzeugt haben, daß die neue Methode auch wirklich die bessere ist, ehe wir zu weitgehenden Umänderungen schreiten.

Ich glaube, es war die erste bewegliche Montagebahn, die je eingerichtet wurde. Im Prinzip ähnelt sie den Schwebebahnen, deren sich die Chicagoer Fleischpakker bei der Zerlegung der Rinder bedienen. Früher, als der ganze Herstellungsprozeß bei uns noch in den Händen eines einzigen Arbeiters ruhte, war der Betreffende imstande, 35 bis 40 Magnete in einem neunstündigen Arbeitstag fertigzustellen, d. h. er brauchte ungefähr 20 Minuten pro Stück. Später wurde seine Arbeit in 29 verschiedene Einzelleistungen zerlegt und die Zeit für die Zusammenstellung dadurch auf 13 Minuten, 10 Sekunden herabgedrükt. Im Jahre 1914 brachten wir die Bahn 20 Zentimeter höher an, dadurch wurde die Zeit auf sieben Minuten vermindert. Weitere Versuche über das Tempo der zu leistenden Arbeit setzten die Montagezeit auf fünf Minuten herab. Kurz ausgedrückt ist das Ergebnis folgendes: Mit Hilfe wissenschaftlicher Experimente ist ein Arbeiter heute imstande, das Vierfache von dem zu leisten, was er vor noch verhältnismäßig sehr wenigen Jahren zu leisten vermochte. Die früher gleichfalls von nur einem Arbeiter verrichtete Zusammensetzung des Motors zerfällt heute in 48 Einzelarbeitsgänge – und die betreffenden Arbeiter leisten das Dreifache von dem, was früher geleistet wurde. Bald versuchten wir dasselbe auch bei dem Chassis.

Die höchste Leistung, die wir bei feststehender Chassismontage erreichten, belief sich durchschnittlich auf zwölf Stunden, acht Minuten pro Chassis. Wir machten den Versuch, das Chassis mit Winde und Seil über eine 75 Meter lange Strecke ziehen zu lassen. Sechs Monteure rückten mit ihm weiter vor und sammelten die neben dieser Strecke aufgestellten Teile im Vorübergehen auf. Dieses unvollkommene Experiment drückte bereits die Zeit auf fünf Stunden, 50 Minuten pro Chassis herab. Anfang 1914 legten wir die Sammelbahn höher. Wir hatten inzwischen das Prinzip der aufrechten Arbeitsstellung eingeführt. Die eine Bahn befand sich 68 Zentimeter, die andere 62 Zentimeter über dem Erdboden, um sie der Größe der verschiedenen Arbeitskolonnen anzupassen. Das Heraufrücken

Ab 1913 wurden die Magnetzünder bei Ford am Band produziert, wodurch die Arbeitszeit für einen Magneten von 20 Minuten auf 13 Minuten 10 Sekunden herabgedrückt wurde.

der Arbeitsebene in Armhöhe und eine weitere Aufteilung der Arbeitsverrichtungen, so daß jeder Mann immer weniger Handgriffe zu machen hatte, reduzierten die Arbeitszeit auf eine Stunde, 33 Minuten pro Chassis. Damals wurde lediglich das Chassis in Serienarbeit zusammengesetzt.«

Henry Ford hatte das Fließband erfunden. 1914 war das Fließband so vervollkommnet, daß alle 40 Sekunden ein »Modell T« fertig wurde. Der große Praktiker hatte einmal mehr die möglichen Vorteile klar erkannt und die Wege dazu, sie zu erreichen, exakt erarbeitet. Nur so war es möglich, ein Automobil zwei Jahrzehnte lang – von 1908 bis 1927 – zu bauen und 15millionenmal zu verkaufen. Daß er seine Arbeiter dabei zum Teil der Maschinerie machte, bedrückte Henry Ford nicht. Er wehrte sich gegen den Vorwurf, er habe den Menschen ihr Können genommen; denn er war überzeugt, daß längst nicht alle in der Lage seien, als Mechaniker zu arbeiten. Zeit seines Lebens hat er es für absolut richtig gehalten, mit der Arbeitskraft der Menschen so umzugehen, wie es für seinen ureigenen Erfolg wichtig und richtig war. Und er war immer überzeugt davon, daß auch alle anderen daran profitierten: Die Menschen, die Lohn und Brot hatten, die Käufer, die ein billiges Auto bekamen, und er, der große Automobilbauer, dessen Erfolg nun ins Unermeßliche wuchs. Ford war es, der am Ende Daimlers Traum: »Jedem Menschen sein Pferd«, mit dem »Modell T« verwirklichte.

Rudolf Diesel

Ein Kältetechniker entdeckt das Petroleum als Treibstoff

»Pas toucher«, sagte der Wärter des »Conservatoire des Arts et Métiers« in Paris, als ein etwa elfjähriger Junge mit den Fingerspitzen vorsichtig über Maschinen, Schiffsmodelle, Kräne, Uhren und physikalischen Apparate strich. Er sagte sein »Nicht berühren« nicht böse, denn er kannte den Jungen und mochte ihn. Er wußte sogar, wie er hieß: Rudolf (er sprach den Namen »Rüdolf« aus).

Rudolf kam jeden Tag nach der Schule ins Museum, zeichnete eine Maschine ab; nach einer halben Stunde klappte er den Zeichenblock zu und ging.

Das Prunkstück des Museums war das erste Automobil der Welt, ein Dampfwagen aus dem Jahr 1770, ein schwerfälliges Vehikel mit drei Eisenrädern, einem schmiedeeisernen Rahmen und einem Dampfkessel, der aussah wie ein riesiger Teekessel. Dieses Gefährt ging dem kleinen Rudolf nicht mehr aus dem Kopf. Auch nicht, als seine Familie aus Frankreich ausgewiesen wurde. (Während des Deutsch-Französischen Krieges 1870/71 mußten alle Deutschen Frankreich verlassen.) Das Bild des Dampfwagens begleitete ihn nach London, wo sein Vater versuchte, sich eine neue Existenz aufzubauen, und später nach Deutschland. Ein Onkel in Augsburg hatte sich bereit erklärt, den Jungen aufzunehmen. Die Flüchtlingsfamilie lebte in London in großer Armut, und die Eltern waren froh, daß Rudolf in Augsburg eine gute Ausbildung bekommen sollte und – daß er sich dort einmal richtig satt essen konnte.

Der Pflegevater in Augsburg war Feuer und Flamme, als ihm Rudolf seinen Berufswunsch sagte: Mechaniker. Er erkannte das ungewöhnliche Talent seines Pflegesohnes und schickte ihn auf die Gewerbeschule. Sein Vater war jedoch gegen ein kostspieliges Studium. Der Sohn sollte Handwerker werden, etwas anderes konnte sich die Familie Diesel auch gar nicht leisten.

»Liebste Eltern«, so begannen viele Briefe, die Rudolf nach London schrieb, »ich will Mechaniker werden, nicht wahr, ich darf Mechaniker werden?«

Das finanzielle Problem löste Rudolf ganz einfach: Er war in der Schule so gut, daß er von Stipendien leben konnte. Wenn das Geld nicht reichte, gab er Nachhilfestunden.

Mit 15 Jahren macht er die Abschlußprüfung an der Gewerbeschule in Augsburg
– als weitaus Bester seines Jahrgangs. Stolz berichtet er seinen Eltern über die erfolgreiche Prüfung und kommt am Schluß des Briefes auf ein Problem zu sprechen, das ihn seit langem beschäftigt. »Jetzt, lieber Vater«, schreibt er nach England, »muß ich ein ernstes Wort reden, welches, je nach der Entscheidung, viel in
meiner Zukunft ausmachen kann.«

Rudolf hat erfahren, daß sein Vater nach Paris zurück und sich dort einbürgern
lassen wolle. Dann wäre Rudolf Diesel automatisch französischer Staatsbürger
geworden, und das wollte er auf keinen Fall. »Hast Du Deinen Heimatschein«,
schreibt er seinem Vater weiter, »so muß ich in Frankreich neun Jahre dienen,
eine Zeit, welche beinahe ewig ist, dann vergesse ich in so langer Zeit alles Ge-
lernte, und ich werde erst mit 30 Jahren frei sein, und dann ist es zu spät, etwas
anzufangen. Zudem bin ich Deutscher und diene nur ungern bei den Franzosen.« Er mußte seinen Vater noch oft ermahnen, bis er sicher war, daß sich dieser
nicht einbürgern lassen würde.

Von 1873 bis 1875 besucht Rudolf Diesel die Industrieschule in Augsburg und
geht wiederum als Bester seines Kurses ab. Sein Interesse gilt vor allem der Chemie, der Physik, der Maschinenlehre und dem Industriewesen. An der Industrieschule erfährt er von einer Maschine, die ihn – wie der Dampfwagen von Cugnot
im »Conservatoire des Arts et Métiers« – ein Leben lang beschäftigen wird: das
pneumatische Feuerzeug.

Dieses Feuerzeug sah aus wie eine Fahrradpumpe. Sein Hauptteil war ein Glas-
zylinder, der von einem Glasmantel umgeben war. Man konnte also alles sehen,
was in dem Zylinder vorging. Oben und unten war das Gerät mit Metalldeckeln
verschlossen. Aus einem der beiden Metalldeckel ragte eine Kolbenstange heraus, an deren Ende ein Griff war. Am gegenüberliegenden Deckel war ein Stück
Zunder angebracht. Stieß man nun die Kolbenstange mit aller Kraft in den Kolben, erhitzte sich die Luft durch den Druck derartig, daß der Zunder zu glühen
anfing.

»Nun stellt euch vor«, erklärte Diesel später seinen Kindern, »da drin wäre etwas Benzin, Petroleum oder Kohlenstaub gewesen, so hätte sich dieser Brennstoff auch entzündet, und der durch diese Verbrennung gestiegene Gasdruck –
Hitze dehnt Gegenstände und natürlich auch Luft aus – müßte den Kolben hin-
austreiben. Der Dieselmotor ist nichts anders als solch ein pneumatisches Feuerzeug, mit dem Unterschied, daß der Brennstoff erst nach der Kompression in die
glühende Luft eingeblasen wird. Hier entzündet er sich von selbst und leistet Arbeit, indem das hochgespannte Gas den Kolben vor sich herschiebt, der mit Hilfe
von Kolbenstange und Kurbel das Schwungrad dreht.«

So einfach klingt das. Rudolf Diesel aber hatte jahrelang an seinem Motor gearbeitet und dabei viele Rückschläge einstecken müssen.

Ab 1875 studierte Diesel am Polytechnikum in München das Hauptfach »theore-

Rudolf Diesel erfand den Wärmekraftmotor. Der »Diesel« verdrängte die unwirtschaftliche Dampfmaschine.

tische Maschinenlehre«. Sein wichtigster Lehrer war Professor Linde, der Erfinder der Eismaschine (Ammoniak-Kältemaschine), eine Kapazität auf dem Gebiet der Kältetechnik. So wurde Rudolf Diesel erst einmal Fachmann für Kältetechnik.

Es ist nur scheinbar ein Widerspruch, daß der Erfinder des »Wärmekraftmotors«, der die Dampfmaschine ablösen sollte, seine wichtigsten Anregungen aus der Kältetechnik holte. Für die Physik ist alles Wärme, was über dem absoluten Nullpunkt von 273 Grad Celsius liegt, bei dem alle Gase – auch Luft – völlig gelähmt sind. Von minus 273 Grad bis zu der Hitze, die beispielsweise auf der Sonne herrscht, ist es – physikalisch gesehen – eine einzige Wärmeleiter. (Früher stand denn auch in den Lexika unter dem Stichwort »Kälte«: siehe Wärme.)

Diesel war also beim Kältefachmann Linde genau an der richtigen Adresse. Linde war es auch, der Diesel bewies, daß Dampfmaschinen nur höchstens 10 Prozent der im Brennstoff enthaltenen Wärme in Arbeit umsetzen können. Zu dieser Zeit entschloß sich Diesel, der Dampfmaschine den Gnadenstoß zu versetzen. Nach einer Vorlesung Lindes schrieb er an den Rand seines Kollegheftes: »Es ist notwendig, ein besseres Verfahren als die Dampfmaschine zu finden. Die kleinen Gewerbetreibenden können sich eine solche Maschine nicht leisten und müssen gegenüber denen zugrunde gehen, denen die Dampfmaschine nicht zu teuer ist. Ich denke auch an die Arbeiter, die die schwere Arbeit verrichten müssen, die eine bessere Wärmekraftmaschine verrichten könnte. Es ist Zeit für eine solche Maschine, aber wie ist das praktisch durchführbar? Das ist eben zu finden.«

Diese Randnotiz zeigt, daß Diesel zwar von der Notwendigkeit einer solchen Maschine überzeugt war, aber über deren Konstruktionsprinzip so gut wie nichts wußte.

Später, als er längst weltberühmt war, sagte er über diese Zeit: »Damals stellte ich mir die Aufgabe. Das war noch keine Erfindung, auch nicht die Idee dazu. Der Wunsch nach der Verwirklichung des Carnotschen Idealprozesses beherrschte fortan mein Dasein. Ich verließ die Schule und mußte mir eine Stellung im Leben erobern. Doch Carnot verfolgte mich unausgesetzt.«

Sadi Carnot, ein französischer Physiker, hatte um 1830 den »Kreisprozeß« entdeckt: Wärme kann nur in Arbeit umgesetzt werden, wenn ein Wärmegefälle stattfindet. Die Natur des Wärmeträgers ist bedeutungslos, die Arbeitsleistung einer Wärmekraftmaschine ist *nur* abhängig von der umgesetzten Wärmemenge. Außerdem entdeckte Carnot die »isothermische Zustandsänderung«: Bei einer Druckverminderung des Gases bei gleichbleibender Temperatur wird alle dem Gas zugeführte, durch Verbrennung entstehende Wärme in praktisch verwertbare Arbeit umgesetzt. Lediglich die Reibungsverluste in der Maschine verhindern eine hundertprozentige Verwertung der erzeugten Kraft.

Vorerst aber mußte sich Diesel »einen Platz im Leben erobern«. Voraussetzung war ein erfolgreicher Abschluß am Polytechnikum. Er schaffte das Examen nicht nur als Jahrgangsbester – das war für ihn in der Zwischenzeit fast Routine geworden –, sondern er legte das beste Examen ab, das je an dieser Universität gemacht worden war.

Carl Linde verschaffte ihm eine Stellung in seinem Zweigwerk in Paris als Entwicklungsingenieur. Nach einem Jahr war Rudolf Diesel dort Direktor. Einen seiner Kindheitsträume hatte er verwirklicht: Er war wohlhabend geworden. Sein Gehalt von 4 800 Francs war zu jener Zeit eine Menge Geld. Von diesem Traumgehalt glaubte er, sich auch seinen anderen Kindheitstraum erfüllen zu können: die Erfindung des Wärmekraftmotors. Jeden Centime, den er nicht zum Leben brauchte, steckte er in die Entwicklung des Motors. Als Kälteingenieur dachte er weder an Benzin noch an Petroleum oder Kohle als Treibstoff für seine Maschine, sondern versuchte es mit einem Gas, mit dem er täglich umging: mit Ammoniak.

Die Idee, Ammoniak als Treibstoff zu verwenden, war schon im Ansatz falsch gewesen. Diesel glaubte jedoch fünf Jahre an seinen »Ammoniakmotor«, er meldete ihn sogar zur Weltausstellung in Paris an, machte die Anmeldung aber kurz vor der Eröffnung wieder rückgängig. Man weiß heute nicht mehr genau, wie der Ammoniakmotor eigentlich hätte funktionieren sollen. Diesels Sohn Eugen vermutet, daß »bei der Absorption des Ammoniaks in Glyzerin durch Erhitzung, Abkühlung, Verdichtung und Ausdehnung der Gase Kraft gewonnen werden sollte«.

Vielleicht hätte Diesel noch ein paar Jahre mit dem Ammoniak experimentiert, wäre er nicht an der Materialfrage gescheitert. Ammoniak zersetzt alle Metalle außer Kupfer. Doch selbst Kupferkolben nützten nichts, weil das Ammoniak die Dichtungen und Ventile angriff. Dabei trat zudem ein äußerst unangenehmer und gesundheitsschädlicher Dampf aus.

Die Kette von Fehlschlägen entmutigten den hochdotierten Kälteingenieur jedoch nicht, er lernte aus seinen Fehlern. Im Gegensatz zu Benz und Maybach war Diesel kein genialer Konstrukteur. Er mußte ausprobieren und dann die Fehler, einen nach dem anderen, ausschalten. So kam er zwar langsam vorwärts, aber ab 1890 hatte er sich das Wichtigste am Dieselmotor erarbeitet.

»Wie nun die Grundgedanken entstanden«, schrieb er kurz vor seinem Tod an einen Freund, »das Ammoniak durch wirliches Gas, nämlich hochgespannte, hocherhitzte Luft, zu ersetzen, in solche Luft allmählich feinverteilten Brennstoff einzuführen und sie gleichzeitig mit der Verbrennung der einzelnen Brennstoffpartikel so expandieren zu lassen, daß möglichst viel von der entstehenden Wärme in äußere Arbeit übergeht, das weiß ich nicht.«

1890 übernahm Diesel die technische Leitung der Firma Linde in Berlin. Das war nun, mehr noch als in Paris, eine Arbeit, die den ganzen Mann erfordert hätte, aber Diesel kam von seinem Hochdruckmotor nicht los. Wiederum arbeitete er in jeder freien Minute daran. Zwar hatte sein Arbeitgeber nichts an ihm auszusetzen, aber nach drei Jahren war die Doppelbelastung doch zu groß geworden. Diesel begann, sich nach Firmen umzusehen, die ihn bei seinen Experimenten mit dem Motor unterstützten. Das war nicht leicht, denn wer war er damals schon? Ein unbekannter Ingenieur, der nur in der Kältetechnik einen gewissen Ruf hatte. Er wollte einen Motor bauen, aber er galt nicht als »Motorenmann«, wie er später erzählte, »und ich war auch kein eigentlicher Industrie- oder Werkstättenmann«.

Seine wenigen Veröffentlichungen über den »rationellen Wärmemotor« wurden von den Fachleuten zwar beachtet, aber durchweg abgelehnt. Diesel schreibt über diese Zeit: »Die Veröffentlichung meiner Broschüren löste heftige Kritiken aus, die durchschnittlich sehr ungünstig, ja eigentlich vernichtend ausfielen.«

In dieser Situation fuhr Rudolf Diesel 1893 zu Heinrich von Buz, dem Direktor der Augsburger Maschinenfabriken, um ihm sein Projekt schmackhaft zu machen. »Natürlich gibt es noch viele Probleme«, schloß Diesel seinen Vortrag,

»aber die lassen sich nur im praktischen Versuch beheben. Und dazu habe ich, solange ich bei Linde bin, keine Zeit.«

»Und wohl auch kein Geld«, meinte von Buz.

Diesel nickte. »Das kommt noch dazu.«

»Und wie stellen Sie sich eine Hilfe unsererseits vor?«

Diesel zögerte. Er blätterte einige Augenblicke in seinen Unterlagen, dann gab er sich einen Ruck:

»Ich bräuchte 30 000 Reichsmark im Jahr, ein Laboratorium und einen tüchtigen Monteur, der mir zur Hand geht.«

Von Buz betrachtete ihn lange. »Wir sind kein Wohlfahrtsunternehmen. 30 000 Mark sind wenig, wenn man sie verdient, aber viel, wenn man sie verliert. Ihre Ausführungen haben mich beeindruckt, das will ich gerne zugeben; es hört sich theoretisch sehr gut an, aber in der Praxis . . .«

»Ich habe Ihnen alles erklärt«, unterbrach ihn Diesel, »es liegt bei Ihnen, Schlüsse daraus zu ziehen.«

Von Buz erhob sich, die Unterredung war offensichtlich beendet. »Sie werden von mir hören«, sagte von Buz zum Abschied.

Diesel fuhr mit gemischten Gefühlen nach Berlin zurück. »Sie werden von mir hören«, das war nach seinen Erfahrungen eine Absage. Trotzdem fragte er wochenlang, wenn er nach Feierabend nach Hause kam, als erstes: »Keine Post aus Augsburg?« Keine Post aus Augsburg, aber schließlich kam ein Brief aus Essen.

». . . so haben wir uns«, las Diesel seiner Familie vor, »nach reiflichem Überlegen entschlossen, zusammen mit der Augsburger Maschinenfabrik, Ihre Forschungen mit jährlich 30 000 Reichsmark zu unterstützen. Die Arbeiten sollen in Augsburg durchgeführt werden. Einen qualifizierten Mitarbeiter wird Herr von Buz persönlich für Sie aussuchen. Hochachtungsvoll . . .« – »Na, wer wohl?«

Allgemeines Schweigen.

»Fällt euch nichts zu Essen ein?«

»Außer Krupp nichts«, sagte Diesels Frau. Dann machte sie große Augen. »Krupp?«

Diesel nickte und rieb sich vergnügt die Hände. »Krupp und die Maschinenfabrik Augsburg. Jetzt kann nichts mehr schiefgehen, jetzt haben wir's geschafft.«

Er täuschte sich. Es ging noch viel schief, und geschafft hatte er es noch lange nicht.

Im Juni 1893 bekam die Schreinerei der Augsburger Maschinenfabrik den Auftrag, eine zirka 70 Quadratmeter große Fläche in der Ecke einer Halle durch Bretterwände abzuteilen. Den verblüfften Arbeitern wurde irgend etwas von »Betriebsgeheimnis« gesagt. Bald wußten alle, daß ein gewisser Diesel in dem Bretterverschlag einen neuen Motor ausprobieren sollte. Näheres erfuhr nie-

Der erste Dieselmotor entstand streng geheim in der Augsburger Motorenfabrik.

mand. Der einzige, der Bescheid wußte, war der Monteur Linder, aber der schwieg wie ein Grab. Er hätte vorerst auch nur von Mißerfolgen berichten können. Der Motor war zwar fertig, ein imposantes Ungetüm, fast 3 Meter hoch, er hatte nur einen Fehler: Er wollte und wollte nicht laufen.

Zunächst mußte die Treibstofffrage geklärt werden. Ammoniak war endgültig passé. Blieben Benzin, Petroleum, Kohle (Kohlenstaub) und Gas. Nach unzähligen Versuchen entschied sich Diesel vorerst einmal für Benzin. Das war zwar nicht die ideale Lösung, aber für die Versuche reichte es. Am Treibstoff lag es jedenfalls nicht, daß der Motor nicht ansprang. Als er zum ersten Mal so etwas wie Leben zeigte, wurde es für Diesel und Linder gefährlich.

Obwohl statt des errechneten Idealdrucks von 30 Atmosphären nur 18 möglich waren, wagte Diesel einen Versuch. Linder war skeptisch und warnte: »Es ist noch zu früh, wir sollten erst einmal auf 30 Atmosphären kommen.« Doch Diesel war nicht zu bremsen. Er schaltete die Brennstoffpumpe ein. Die beiden warteten auf eine Reaktion des Motors; der reagierte auch prompt, aber anders als es Diesel und Linder erwartet hatten. Mit einem ohrenbetäubenden Knall flog der Indikator, ein Gerät zum Messen des Drucks im Inneren des Zylinders, den beiden um die Ohren.

Diesel war begeistert. Das Experiment hätte ihn zwar fast das Leben gekostet, aber: Der Motor hatte sich gerührt. Seiner Frau, die in Berlin geblieben war, schrieb er noch am selben Abend: »Der Motor hat seinen ersten Ruck getan. Das Prinzip ist damit gerettet.« (Vom herumfliegenden Indikator schrieb er freilich kein Wort.)

Diesel und Linder arbeiteten fieberhaft weiter. Unzählige Probleme waren noch zu lösen: Die Zylinder rußten, Ventile wurden nach kurzer Zeit undicht, die Verdichtung blieb weit unter dem errechneten Wert.

»Der Motor, wie er jetzt ist, geht nicht«, schrieb Diesel nach Hause. »Der zweite wird unvollkommen gehen und der dritte wird gut; leider geht es nicht schneller, es muß eben alles tropfenweise zusammengetragen werden.«

Heinrich von Buz kam jeden Tag kurz vor Feierabend, um sich nach Fortschritten zu erkundigen. Lange gab's da nichts zu berichten, und es war jedesmal eine kleine Sensation, wenn der Motor eine einzige Umdrehung geschafft hatte; so bescheiden war man geworden. Diesel fuhr nach Berlin zurück, um den Motor umzukonstruieren. Er entwarf eine Einspritzpumpe, aber die technischen Möglichkeiten waren zu der Zeit noch nicht soweit, daß man ein so kompliziertes Gerät bauen konnte. So mußte er sich weiter damit behelfen, daß die heiße Luft mit einer Hochdruckpumpe in den Zylinder eingeblasen wurde. Diesel war über diese Lösung nicht glücklich. Daß an seinen Motor ständig eine Hochdruckpumpe angeschlossen werden mußte, fand er einfach »unelegant«. Außerdem war es gefährlich, weil in der Pumpe naturgemäß ein noch höherer Druck als im Zylinder herrschen mußte. Aber beim Stand der Technik um die Jahrhundertwende war das die einzige Möglichkeit, den Brennstoff in den Zylinder zu blasen.

Die Arbeit ging nur sehr zäh voran; Kolbenringe, Federn, Ventile und Dichtungen hielten den Druck von ungefähr 30 Atmosphären nicht aus und versagten nach kurzer Zeit. Aber: Ventile, Kolbenringe, Dichtungen und Federn wurden mit der Zeit besser, allmählich sogar brauchbar. Die Treibstofffrage stand wieder im Mittelpunkt.

Diesel konstruierte einen Apparat, mit dem man den Treibstoff dampfförmig einblasen konnte. Linder war gegen diese Versuche. »Wir dürfen keine Zeit mehr verlieren«, warnte er Diesel, »der Herr Direktor wird langsam ungeduldig. Dampfförmig! Das kostet uns Monate.«

Linder hatte recht mit seinen Befürchtungen. Es dauerte Monate, bis Diesel seinen Motor für dieses Prinzip umkonstruiert hatte, das Ergebnis war kläglich. Der Treibstoff – immer noch Benzin – explodierte im Zylinder zwar hin und wieder, aber halt unregelmäßig und eher zufällig. Monate intensiver Arbeit waren vergeblich gewesen. Die Direktoren von Krupp wurden tatsächlich ungeduldig, und auch Heinrich von Buz begann zu drängeln. Er fürchtete um sein Geld.

Eines Tages klopfte es an die Tür des Bretterverschlages. Linder öffnete einen Spalt und sah einen ihm unbekannten jungen Mann.

»Eintritt für Unbefugte verboten«, sagte Linder schroff. Sein gutes Benehmen hatte unter den ständigen Mißerfolgen offenbar gelitten. Er wollte die Tür wieder schließen, aber der Besucher stellte einen Fuß dazwischen.

»Ich habe eine Verabredung mit Herrn Diesel«, sagte er, »mein Name ist Bosch, Robert Bosch.«

Diesen Namen hatte Linder natürlich auch schon gehört. Bosch stand in dem Ruf, die besten Magnetzünder herzustellen. Linder wurde höflicher und bat Bosch ins »Laboratorium«. Diesel begrüßte seinen Besucher und erklärte ihm das Prinzip seines Motors. Er wußte, daß Bosch mit Daimler und Maybach zu tun hatte, und was denen recht war, konnte ihm vielleicht auch helfen.

»Was meinen Sie, Herr Bosch«, schloß er seinen Vortrag, »könnte mich Ihr Magnetzünder weiterbringen?«

Bosch überlegte lange und schüttelte den Kopf. »Ich weiß nicht recht. Wenn ich Sie richtig verstanden habe, dann funktioniert Ihr Prinzip so, daß sich die komprimierte Luft selbst entzündet. Wozu brauchen Sie da einen Zünder?«

Diesel wußte keine Antwort. Er hatte Bosch rein aus Verzweiflung hergebeten, weil er selbst nicht mehr weiter wußte. Robert Bosch war vom Dieselmotor zwar beeindruckt, konnte jedoch nicht helfen. Und doch wurde die Firma Bosch für den Dieselmotor noch sehr wichtig, weil Techniker dieser Firma die Einspritzpumpe bauen sollten, die Diesel zu seiner Zeit noch nicht hatte herstellen können. Das war allerdings lange Zeit nach Diesels Tod.

Bosch verabschiedete sich von Diesel und Linder, nachdem sie in einem kleinen Landgasthof miteinander gegessen hatten, und die beiden waren mit ihren Problemen wieder allein. Sie experimentierten weiter, verbesserten die Treibstoffzufuhr – vom Dampf waren sie endgültig abgekommen –, und eines Tages stürzte ein völlig aufgelöster Linder ins Vorzimmer von Buz.

Der Herr Direktor sei in einer wichtigen Sitzung, versuchte ihn die Sekretärin abzuwimmeln.

»Der Herr Direktor muß sofort benachrichtigt werden«, verlangte Linder, »es ist etwas passiert!«

Die Sekretärin ging ins Sitzungszimmer und legte ihrem Chef die Nachricht Linders vor. Von Buz unterbrach die Sitzung sofort. Er war schon einige Male dabeigewesen, als Kolben explodiert waren, und einmal waren alle drei, von Buz, Linder und Diesel, im toten Winkel aus der Werkstatt gerobbt, weil die Hochdruckpumpe so eigenartige Geräusche von sich gegeben hatte. Von Buz erwartete ein mittleres Blutbad, als er die Tür zum Laboratorium aufriß. Er sah Diesel und Linder gesund und munter am Motor stehen, und der – lief. Sauber, rund, als habe er nie etwas anderes getan. Die drei gingen nach draußen, weil die Maschine einen höllischen Lärm machte.

»Wie haben Sie das gemacht«, fragte von Buz beeindruckt.

»Ich habe ein paar Kleinigkeiten umkonstruiert – und vor allem . . . Petroleum!«

»Petroleum?«

»Ja, der ideale Treibstoff. Besser als Benzin, Gas oder Kohlenstaub. Was heißt besser – das einzig Richtige!«

Von Buz verabschiedete sich. »Ich muß sofort an Krupp schreiben!«

Eine Woche später »fiel ein Krupp-Direktor unangemeldet wie eine Bombe in mein Versuchslokal«, erzählte Diesel später.

Der schwärmte seinem Vorstand in den höchsten Tönen von Diesels Motor vor. Messungen hatten ergeben, daß der Motor nur halb soviel Treibstoff verbrauchte wie herkömmliche Motoren. Da Petroleum mit Abstand der billigste Treibstoff war, sagte auch der Krupp-Vorstand jede Hilfe für weitere Forschungsarbeiten zu, und Diesel schrieb an seine Familie: »Mein Motor macht immense und gewaltige Fortschritte; ich bin jetzt soweit über allem, was bisher geleistet wurde, daß ich sagen kann, ich bin in diesem ersten und vornehmsten Fach der Technik, dem Motorenbau, der Erste auf unserem Erdbällchen. Fast möchte ich stolz werden, wenn ich dazu die Anlagen hätte.«

Diesel hätte allen Grund gehabt, stolz zu sein. Mit einem Schlag war er weltberühmt und wurde in den Fachzeitungen von Tokio bis New York gelobt. Aus aller Welt kamen Experten angereist, als im November 1895 ein Dauerversuch mit dem »Diesel«, wie er nun schon allgemein hieß, angesagt wurde: 17 Tage lang lief der Motor von morgens bis abends, und er lief die ganze Zeit ohne eine einzige Störung.

Währenddessen konstruierte Diesel mit dem jungen Ingenieur Immanuel Lauster einen neuen Motor, allerdings auf der Grundlage des alten. Der klassische Dieselmotor entstand zu der Zeit, als die Fachleute den »Diesel«, der gerade im Dauerverbrauch stand, als die Krone des technischen Fortschritts bewunderten. Der neue Motor wurde, ebenso wie schon der alte, mit 30 bis 33 Atmosphären

Der »Diesel« eroberte Amerika. Er war die Sensation der »Elektrischen Ausstellung«, die 1899 in New York stattfand.

verdichtet. Es war ein »Gleichdruckmotor«, weil der Arbeitsdruck während der Bewegung der Kolben nicht anstieg. Die Einspritzpumpe arbeitete mit einem noch höheren Druck als beim alten Motor und war in den Motorblock integriert. »Nach langjährigen Versuchen«, schrieb Diesel an seinen alten Freund Professor Zeuner, »nach Überwindung ungeahnter Schwierigkeiten ist es mir gelungen, eine schön und sanft laufende und leicht zu handhabende Maschine herzustellen, welche den von mir vorgeschlagenen Prozeß verwirklicht und damit Resultate erzielt, welche weit über allem bisher Erreichten stehen.«

Diesels Höhenflug dauerte jedoch nicht lange. Zwar wurde er mit Ehrungen überhäuft, hielt Vorträge in ganz Europa, aber mit dem Erfolg kamen auch die Neider und die Betrüger. Immer mehr Zeit mußte Diesel auf Gerichten verbringen, weil sein Patent von vielen Seiten angefochten wurde. Einige, die ihn noch zwei Jahre zuvor verspottet hatten, wollten nun selbst die wahren Erfinder des Hochdruckmotors gewesen sein. Die Gasmotorenfabrik in Deutz spielte in diesem Zusammenhang eine unrühmliche Rolle. Aus Angst, ihre Gasmotoren nicht mehr verkaufen zu können, fochten die Fabrikanten des Otto-Motors Diesels Patente an, obwohl ihr eigener Motor nach einem ganz anderen Prinzip funktionierte. Vor einem Prozeß mit dieser Firma hatte Diesel besonders große Angst, weil er sich aus finanziellen Gründen nicht mit einem so reichen und einflußreichen Unternehmen auf langwierige und kostspielige Gerichtsverhandlungen einlassen konnte. Zur Ehrenrettung der Gasmotorenfabrik muß gesagt werden, daß sie den Einspruch gegen Diesels Patent bald wieder zurückzog.

Diesel wußte jedoch, daß nur ein einziger verlorener Prozeß seinen Ruin bedeuten würde. Zwar verkaufte er Lizenzen in ganz Europa, aber die Verträge waren nur dann gültig, wenn er jeden Prozeß gewann. Er gewann sie zwar alle oder konnte sie wenigstens mit einem Vergleich abschließen, aber die ständige Unsicherheit zerrte an seinen Nerven. Seit Jahren von Kopfschmerzen und Depressionen geplagt, wurde er nun ernstlich krank. Er versuchte, sein seelisches Gleichgewicht wiederzufinden, indem er einen neuen Motor konstruierte, der den alten in den Schatten stellen sollte. Er entwarf einen Verbundmotor (Compoundermotor), der sich als Fehlschlag erwies. Wäre Rudolf Diesel gesund gewesen, hätte er wohl schneller bemerkt, daß das Abenteuer mit dem Verbundmotor mit einer Niederlage enden mußte. Dieser Mißerfolg verschlimmerte seinen Zustand nur noch.

Freilich hatte Diesel auch seine Erfolgserlebnisse. So legte ein amerikanischer Bierbrauer namens Adolphus Busch, ohne mit der Wimper zu zucken, eine Million Mark auf den Tisch, um die Diesel-Lizenzen für Nordamerika zu erwerben. Diesel schrieb nach den erfolgreichen Verhandlungen mit Busch an seine Frau: »Mir erscheint es immer noch wie eine Fata Morgana. Es ist schwer, sich an den Gedanken zu gewöhnen, reich zu sein.«

Er mußte sich an diesen Gedanken auch gar nicht erst gewöhnen, denn er verlor den größten Teil des Geldes schneller, als er es bekommen hatte. Teils durch andere, teils aber durch eigenes Verschulden. Er war als Geschäftsmann einfach nicht clever genug.

Diesel hielt es zum Beispiel nicht für nötig, die Produktion der ersten serienmäßigen Motoren zu überwachen. Die Folge war, daß geschlampt wurde. Dichtungen und Ventile leckten, Kolbenfresser waren an der Tagesordnung, zwischen den

Kolbenringen strömte die Verbrennungsluft aus. Das alles hatte Diesel bei der Entwicklung seines Motors schon mitgemacht und hätte deshalb den Mechanikern gute Ratschläge geben können, aber er war nicht zur Stelle, weil er an seinem Verbundmotor tüftelte. Die Dieselmotoren galten bald als unzuverlässig, und die Geschäfte gingen immer schlechter. Diesel setzte seine ganze Hoffnung auf eine Fabrik, die in Augsburg gebaut wurde und die sich auf den Bau von Dieselmotoren spezialisieren wollte.

Er versprach den Aktionären, sich selbst um die Fertigung zu kümmern. Dieses Versprechen genügte, um die Aktien der Augsburger Firma in schwindelerregende Höhen zu treiben. Aber Diesel war nervlich am Ende und konnte sein Versprechen nicht halten. Auch in dieser Fabrik wurde schlechte Arbeit geleistet. Fast alle Motoren mußten als unbrauchbar zurückgenommen werden. Der Dieselmotor schien erledigt, und die Aktien fielen schneller, als die Börsenmakler notieren konnten. Um nicht als Betrüger dazustehen, kaufte Diesel den größten Teil der Aktien auf. Als er zusätzlich noch eine große Summe verlor, weil er sich mit Ölaktien verspekuliert hatte, brach er vollends zusammen. Er wurde in die Nervenheilanstalt Neuwittelsbach eingeliefert, in der ihn nur seine Familie besuchen durfte. Trotzdem schaffte es ein Spekulant, zu Diesel vorzudringen und ihm Geld für Grundstücksspekulationen abzuluchsen, bei denen er den Rest seines Vermögens verlor.

Diesel, dessen Zustand sich zu der Zeit gerade besserte, erlitt daraufhin einen schweren Rückfall, in dem Selbstmordgedanken eine immer größere Rolle spielten. Er besaß jetzt nur noch sein Haus und seine Patente, die er alle verkaufte, um seine Familie vor dem Ruin zu bewahren. Diesel überstand auch diese Krise, hatte aber – da ihm die Patente nicht mehr gehörten – keinen Einfluß mehr auf die Weiterentwicklung seines Motors. Hilflos mußte er zusehen, wie mit seiner Erfindung Schindluder getrieben wurde – der Dieselmotor bekam einen immer schlechteren Ruf; die Bezeichnung »Diesel-Dusel« stammt aus dieser Zeit.

Ganz erholte sich Diesel von seiner Krankheit nie mehr. Trotzdem arbeitete er ab 1908 nach dem Erlöschen seiner Hauptpatente wieder und erlebte große Augenblicke, beispielsweise als das erste Hochseeschiff mit einem Dieselmotor, die »Seelandia«, vom Stapel lief.

Am 29. September 1913 bestieg der 55jährige Rudolf Diesel in Antwerpern den Dampfer »Dresden«. In Ipswich sollte eine Spezialfabrik für Dieselmotoren eingeweiht werden, und Diesel war als Ehrengast geladen. Er kam nie in Dover an. Rudolf Diesel hatte sich vom Schiff aus ins Wasser gestürzt. Seine Leiche wurde von der Besatzung eines holländischen Lotsenbootes gefunden.

Den Siegeszug seines Motors hat er nicht mehr erlebt. Der Mann, der ihm seinerzeit nicht helfen konnte, Robert Bosch, hat ihn ermöglicht.

Charles Nelson Goodyear

Der Schuldenkönig aus New Haven

Der Gerichtssaal in Trenton, einer kleinen Stadt bei New York, war total über-
füllt. Das Gericht hatte an diesem Frühlingstag des Jahres 1844 zu entscheiden,
wer das »Vulkanisieren von Kautschuk« erfunden hatte, Mr. Thomas Hancock
aus England oder Mr. Charles Goodyear, New Haven, Connecticut. Dem Publikum war es völlig egal, wer den Prozeß gewinnen würde, die Leute waren nur
wegen Goodyears Anwalt gekommen. Daniel Webster war zu der Zeit der be-
rühmteste Advokat Amerikas, und wo immer er auftrat, war was los im Gerichtssaal. Als er nun zum Plädoyer gebeten wurde, erhob er sich umständlich und
warf seinem Mandanten einen zuversichtlichen Blick zu. Doch Goodyear war
und blieb nervös. Von dem Richterspruch hing sein Lebenswerk ab. Blaß und
schweißgebadet hörte er Mr. Webster zu, der mehr zum Publikum sprach als zum
Gericht.
»... Es ist ganz allgemein bekannt, daß die aus Kautschuk hergestellten Gegenstände sich zunächst als ganz unbrauchbar erwiesen. Der Sonne ausgesetzt,
schmolzen sie wie Wachs, und in der Kälte war ihre Brüchigkeit ein stetes, oft sogar verhängnisvolles Übel. Goodyears Verfahren schuf ein völlig neues Material,
das als elastisches Metall bezeichnet werden könnte. Ein leichtes, hartes, dehnba-
res Erzeugnis, welches in seiner Grundsubstanz zwar Gummi, in dem ihm jetzt
gegebenen Eigenschaften jedoch ein völlig unbekannter Werkstoff war. Das ist
gewiß so wunderbar, wie wenn ein Mensch uns zeigen wollte, daß man aus Eisen
oder Gold ein elastisches Produkt erzeugen könnte, das trotz der neu erworbenen
Eigenschaften nichts anderes als Eisen oder Gold geblieben wäre. Nun, die Erfindung des elastischen Metalls ist nicht zu leugnen, weil sie dem Augenblick
nicht entzogen werden kann. Gewiß ist auch, daß irgend jemand dieses geistrei-
che Verfahren ersonnen haben muß. Mr. Hancock hat es auf sich bezogen, doch
hat er auch ausdrücklich erklärt, daß Goodyear die Entdeckung zuzuschreiben
ist. Ich sage nun, daß auf der ganzen Welt kein Mensch aufstehen kann, um zu
behaupten, daß die Methode von ihm gefunden worden ist, mit Ausnahme des
Mannes, der hier am Tisch sitzt: Charles Nelson Goodyear.«

Webster hatte gesprochen, und das Publikum erhob sich Beifall klatschend von den Sitzen – standing ovations nennt man das in den USA. Hancocks Anwalt verließ wortlos den Gerichtssaal. Er wußte, daß sein Mandant den Prozeß verloren hatte. Goodyear hing erschöpft auf seinem Stuhl. Nun war es amtlich, wer aus dem Kautschuk, der klebrigen, unbrauchbaren Masse das Gummi gemacht hatte.

Begonnen hatte alles in New Haven, Connecticut. Der kleine Charles wollte eigentlich Priester werden oder Rechtsanwalt, aber sein Vater hatte andere Pläne mit ihm. Mechaniker sollte er werden und später einmal die kleine Werkstatt übernehmen, in der die Maschinen der Farmer aus der Umgebung repariert wurden. Also wurde Charles Mechaniker.

Nach einer vierjährigen Lehre in Philadelphia heiratete er seine Jugendfreundin Clarissa Beecher und kehrte in die Werkstatt seines Vaters zurück, reparierte Landmaschinen, fabrizierte Sicheln, Sensen und Eggen. Doch das ruhige Landleben gefiel ihm nicht mehr. In Philadelphia hatte er Großstadtluft geschnuppert, die Villen in den »weißen Gegenden« gesehen, die in ihm nur den einen Wunsch weckten: reich zu werden und berühmt. Mit Vaters Werkstatt konnte er sich höchstens einen bescheidenen Wohlstand schaffen, aber das genügte ihm nicht.

Fünf Jahre arbeitete Charles Goodyear in New Haven, dann hielt ihn nichts mehr. Er zog mit Frau und Kindern – drei waren es in der Zwischenzeit geworden – nach Philadelphia und gründete dort eine Eisenwarenhandlung. Das Geschäft lief ganz gut, doch so geschickt Goodyear als Mechaniker war, so ungeschickt stellte er sich als Geschäftsmann an. Er verkaufte seine Waren auf Pump, lieh »guten Freunden« großzügig Geld, aber vor allem: Er lebte über seine Verhältnisse. Und so sollte es sein ganzes Leben lang bleiben. Sobald er Geld hatte, ließ er die ganze Welt an seinem Glück teilhaben.

Nach einigen Monaten schon macht Goodyear pleite, und bald darauf stehen Polizisten mit einem Haftbefehl vor der Tür. Er kommt für ein halbes Jahr ins Schuldgefängnis. Als er entlassen wird, steht er vor dem Nichts. Nach New Haven will er nicht zurück, schließlich ist er weder reich noch berühmt, aber ganz hat er die Hoffnung noch nicht aufgegeben. Er geht nach New York, um sich Arbeit zu suchen. Die findet er nicht, statt dessen trifft er auf ein Material, das ihn sein ganzes Leben lang beschäftigen wird: Kautschuk.

Eines Tages sieht er im Schaufenster der Roxery Indian Rubber Company einen aufblasbaren Rettungsring. Das Material des Ringes interessiert ihn nicht, aber das Ventil. Dem Tüftler aus Connecticut fällt auf, daß es äußerst primitiv konstruiert ist. Sofort weiß er, wie es besser gemacht werden könnte. Er betritt den Laden, läßt den Geschäftsführer, Mr. Huxley, kommen und erläutert diesem seinen Verbesserungsvorschlag.

»Vergessen Sie das Ventil, junger Mann«, unterbricht ihn Huxley, »vergessen Sie die Roxery Indian Rubber Company, vergessen Sie die ganze Gummiindustrie. Was soll man mit einem Material anfangen, das bei 37 Grad Celsius schmilzt und das bei Temperaturen unter Null knochenhart wird und bricht. Hier«, er zeigt Goodyear den Rettungsring mit dem unzureichenden Ventil, »fassen Sie mal an. Klebt! In diesem Laden klebt alles, ausgenommen die Theke, aber die ist aus Holz. Finden Sie ein Verfahren, das aus Kautschuk ein brauchbares Material macht und Sie sind reich und berühmt. Aber vergessen Sie die Ventile.«

Reich und berühmt! Genau das ist es. Goodyear läßt sich von Huxley einen Klumpen rohen Kautschuk schenken, reist sofort nach Philadelphia zurück und macht sich in seiner Küche ans Experimentieren. Den kleingeschnittenen Kautschuk erhitzt er in der Bratpfanne und walzt ihn, als er weich wie Butter ist, mit einem Nudelholz flach. Die Kautschukfladen legt er zum Abkühlen ins Treppenhaus; ein bestialischer Gestank zieht durch das Miethaus. Aus den abgekühlten Fladen will er gerade Schuhe für seine Kinder formen (vier sind es jetzt), da läutet es. Draußen stehen wieder einmal Polizisten mit einem neuen Haftbefehl. Einige seiner Gläubiger hatten nochmals gegen ihn geklagt.

Wieder kommt er ins Schuldgefängnis. Als er nach fünf Monaten entlassen wird, ist Hochsommer, und seine Gummischuhe sind längst zu einem formlosen Klumpen Kautschuk geschmolzen. So ging es also nicht. Obwohl er finanziell schlechter da stand denn je, hatte er große Pläne, für die Philadelphia allerdings zu klein war.

1833 zog Charles Goodyear mit Frau und Kindern (fünf!) nach New York, mietete sich in der Gold Street eine Wohnung, und bald stank der ganze Straßenzug nach verbranntem Kautschuk. Den Lebensunterhalt verdiente seine Frau mit Kleidernähen. Goodyear begann, den Kautschuk systematisch mit verschiedenen chemischen Substanzen zu mischen. Ohne Erfolg. Das Ganze war und blieb eine klebrige Angelegenheit.

Dann war es wieder einmal soweit: Es klingelte, draußen standen drei Polizisten, die sich mit Taschentüchern vor dem Gestank zu schützen versuchten, der aus der Wohnung drang. Clarissa Goodyear führte die vermummten Ordnungshüter in die Küche, in der ihr Mann zwischen Kautschukklumpen und Reagenzgläsern werkelte. Die Wände waren mit allen damals bekannten chemischen Substanzen beschrieben. Ungefähr die Hälfte davon war durchgestrichen. Mit ihnen hatte Charles Goodyear bereits experimentiert.

Als Goodyear die Polizisten sah, nahm er gottergeben die Pfanne vom Feuer und wollte sich von seiner Familie wieder einmal für ein paar Monate verabschieden. Doch die Polizisten hatten keinen Haftbefehl, sondern nur eine einstweilige Verfügung. Es wurde dem Mieter bei Strafe untersagt, Experimente mit »geruchsintensiven Materialien« durchzuführen. Nachbarn hatten sich beim Hausbesitzer beschwert.

Ein mit der Familie befreundeter Drogist namens Silas Carle stellte Goodyear ein Hinterzimmer seines Laboratoriums zur Verfügung, in dem er seine Versuche fortsetzen konnte. Und in diesem Hinterzimmer hatte er sein erstes Erfolgserlebnis: Eine Mischung aus Kautschuk, Magnesiumsalz und Kalkmilch nahm dem Kautschuk seine Klebrigkeit.

Sofort ließ Goodyear sein Verfahren patentieren. Auf der Messe des American Institute erhielt er den Ehrenpreis für sein Produkt. Mit einem Schlag war er bekannt. Die Generaldirektoren aller großen Rubber Companies gaben sich in der Gold Street die Türklinke in die Hand. Hatte Goodyear es nun geschafft? Hatte er nicht.

Als der Geschäftsführer der größten Gummifabrik des Staates New York in der Gold Street zu Gast war, wurde dem hohen Besuch etwas zu trinken angeboten. Aus Versehen verschüttete Mr. Meyers von der Roxery Rubber Company etwas Apfelsaft über das prämierte Stück Gummi und verwandelte es in Sekundenschnelle wieder in einen unansehnlichen Klumpen Kautschuk. Experimente ergaben, daß jede beliebige Säure das Material angriff und unbrauchbar machte. Sofort verlor die gesamte Gummiindustrie ihr Interesse an der Erfindung.

Goodyear aber machte sich unerschüttert wieder an die Arbeit. Er wußte, daß er auf dem richtigen Weg war. Eine Verdoppelung erst des Magnesiumsalzes und dann der Kalkmilch brachte außer verätzten Händen nichts ein. Um seine Hände vor der Kalkmilch zu schützen, konstruierte Goodyear eine Kalkmischmaschine, die aber so groß geriet, daß sie in Silas Carles Laboratorium nicht hineinpaßte. Der Drogist mietete für die weiteren Experimente eine alte Mühle in Greenwich Village.

Dort in der Pikes Mill mischten die beiden wieder systematisch eine chemische Substanz nach der anderen in den Kautschuk.

»Zu diesem Unternehmen«, schrieb Goodyear später in seinen Lebenserinnerungen, »ermutigte mich die Überlegung, daß das Verborgene und Unbekannte, das die wissenschaftliche Forschung nicht zu enthüllen imstande ist, wenn überhaupt, so nur durch Zufall entdeckt wird. Der Erfolg wird demjenigen beschieden sein, der sich seiner Aufgabe mit der größten Ausdauer hingibt und mit der größten Sorgfalt alles beobachtet, was damit im Zusammenhang steht.«

Alle damals bekannten chemischen Substanzen mußte Charles Goodyear nicht ausprobieren, denn eines Tages hatte er das Glück, daß einer seiner Söhne versehentlich ein paar Tropfen Scheidewasser über einen Kautschukklumpen goß. Goodyear wollte das Stück gerade ärgerlich in eine Grube werfen, in der sich schon Tonnen von unbrauchbar gewordenem Kautschuk türmten, da bemerkte er, daß sich die Masse ungewohnt anfühlte, härter und widerstandsfähiger. Sofort tauchte er ein anderes Stück Rohkautschuk in Scheidewasser. Während der Kautschuk trocknete, lief er aufgeregt auf und ab, schließlich nahm er ihn von der Fensterbank, und tatsächlich: er war härter und widerstandsfähiger als alles, was

Der Amerikaner Charles Goodyear machte aus Kautschuk ein brauchbares Material und wurde arm dabei.

bisher in seiner Experimentierwerkstatt entstanden war. Das war es also. Halt! Ein Hitzetest mußte noch gemacht werden. Das Gummi schmolz erst, als die Bratpfanne bereits zu glühen anfing.

Goodyear war außer sich vor Aufregung. Er fuhr in seinen Mantel und stürzte in die Zentrale der Roxery Indian Rubber Company. Dort knallte er den Gummiklumpen auf den Schreibtisch des Geschäftsführers und ließ sich erschöpft in einen Sessel fallen.

»Ich hab's, Mr. Meyers«, keuchte er.

Meyers betrachtete seinen Besucher kalt, den Gummiklumpen auf seinem Schreibtisch beachtete er nicht.

»Mr. Goodyear«, sagte er endlich, »Sie werden sich an mich erinnern, wir hatten unlängst schon einmal das Vergnügen. Ein paar Tropfen Apfelsaft haben seinerzeit all ihre Bemühungen beendet. Meine Gesellschaft ist zu der Überzeugung gekommen, daß Kautschuk durch irgendeine Methode, die wir noch nicht kennen – leider – zu einem brauchbaren Material zu machen ist. Wir sind aber auch zu der Überzeugung gekommen, daß Sie auf keinen Fall derjenige sind, der dieses Verfahren finden wird.«

Meyers erhob sich.

»Ich danke Ihnen für Ihren Besuch. Das da«, er machte eine Kopfbewegung in Richtung Gummiklumpen, »das nehmen Sie besser wieder mit. Guten Tag.«

Goodyear steckte sein Werkstück ein und ging. Er war enttäuscht, aber nicht entmutigt. Wenn der Herr von seiner Erfindung nichts wissen wollte – auch gut. Er würde andere Interessenten finden, schließlich gab es in der Gummibranche nicht nur Dummköpfe.

Sein neuer Partner, William Ballard, läßt in Staten Island eine kleine Fabrik bauen, in der nach kurzer Zeit Kleider, medizinische Binden und Spielzeug hergestellt werden. Alles aus Gummi, versteht sich.

Das Geschäft floriert einigermaßen. Goodyear mimt sofort wieder den Weltmann und lebt auf großem Fuß. Er mietet das Apollo-Theater auf dem Broadway und stellt dort seine Produkte aus. Doch das Glück hält nicht lange. Die Wirtschaftskrise von 1836 ruiniert seinen Partner Ballard, und Goodyear wird über Nacht wieder bettelarm.

Er erwägt ernsthaft, wieder nach New Haven zurückzukehren, wo sein Vater immer noch fleißig seine Werkstatt betreibt. Doch er verwirft den Gedanken wieder, bleibt in New York und sucht einen neuen Partner, mit dem er die Produktion wieder aufnehmen kann. Von den New Yorkern wird Goodyear inzwischen »Rubber Fool« (der Gummi-Verrückte) genannt. Für sie ist er eine Sehenswürdigkeit, die Besuchern von außerhalb gerne vorgezeigt wird. »Das ist Goodyear«, erzählen sie dann ihren Freunden, »man erkennt ihn an seinen Gummihosen, seinem Gummimantel und seinem Gummihut. Und an seiner Geldbörse, da ist nie Geld drin, und wenn, dann aus Gummi.« Nun wird auch Goodyear langsam klar, daß er in New York keine Zukunft mehr hat. Aber als Mechaniker will er nicht mehr arbeiten, denn ganz hat er die Hoffnung im bezug auf das Gummi noch nicht aufgegeben.

So fährt er ins Zentrum der Gummiindustrie, aber Roxbury gleicht einer verlassenen Goldgräberstadt. In der ganzen Stadt gibt es keine Arbeit mehr, und die meisten der Bewohner sind bereits abgewandert. Der einzige, der sich für Goodyears »Acid-gas«-Verfahren interessiert, ist Michael Chaffee, einst Vorarbeiter einer mittleren Gummifabrik, dann Hausmeister des stillgelegten Werkes. Er bietet Goodyear an, die Maschinen in der verlassenen Fabrik zu benutzen.

Die beiden beginnen mit der Produktion – Schuhe, aber auch medizinische Binden und Wagendecken. Das Geschäft kommt langsam wieder in Schwung.

Eines Tages stand ein junger Mann unter der Tür der Fabrikhalle, in der Goodyear arbeitete.

»Hayward«, stellte er sich vor, »Nathaniel Hayward. Darf ich fragen, was Sie hier machen?«

Goodyear wurde mißtrauisch, schließlich arbeitete er ohne Genehmigung des Fabriksbesitzers in dessen Räumen.

»Ich stelle Überschuhe her«, sagte er, »ist daran was auszusetzen?«

»Nein, nein«, erwiderte Hayward rasch, »ich sehe nur, daß Ihr Gummi nicht klebt. Ich habe selbst eine Methode gefunden, dem Kautschuk seine Klebrigkeit zu nehmen. Ich mische ihn mit Schwefelpulver. Würden Sie mir Ihr Geheimnis verraten, Sir?«

Goodyear konnte offen reden, seine Erfindung war patentiert. »Ich mache es ganz anders«, sagte er, »ich mische den Kautschuk mit Scheidewasser.« Beide wußten nicht, daß sie die gleiche Lösung für ihr Problem gefunden hatten. Es war der Schwefel, der den Kautschuk so griffig machte, denn auch Scheidewasser besteht zu einem kleinen Teil aus Schwefel. Und noch etwas wußten sie nicht: Dasselbe Verfahren war schon einmal gefunden worden, von einem deutschen Chemiker namens Lüdersdorff. Der aber hatte nach einigen Veröffentlichungen in Fachzeitschriften das Interesse an seiner Erfindung verloren und kein Patent beantragt.

Von nun an arbeiteten Goodyear und Hayward zusammen, verbesserten ihr Verfahren, der Umsatz stieg, und eines Tages kam die Anerkennung auch von offizieller Seite. Das U. S. Postministerium bestellte 150 wasserdichte Postsäcke. Würde dieser Auftrag zur Zufriedenheit der Auftraggeber erfüllt, hätte Goodyear es endgültig geschafft, und daß er es schaffen würde, war für ihn keine Frage.

Er mischte Kautschuk mit den bewährten Substanzen, formte Postsäcke und machte anschließend mit seiner Familie Ferien. Doch als er zurückkam, waren die Postsäcke allesamt zu formlosen Klumpen auf den Boden getropft. Sein Verfahren eignete sich bislang nur zur Herstellung leichter Gegenstände, Postsäcke mit immerhin einigen Kilogramm Gewicht waren zu schwer.

Jetzt dachte sogar der Optimist Goodyear ans Aufhören, aber endgültig. Zum Abschluß seiner Gummikarriere wollte er nur noch herausfinden, warum sich sein Verfahren nur für leichtgewichtige Gegenstände eignete. Dann wollte er sofort zurückgehen nach New Haven in Vaters Werkstatt. Doch bei der Untersuchung der Postsäcke kam der Durchbruch.

In seinen Lebenserinnerungen schreibt Goodyear über diese Zeit: »Während eines Besuches in Woburn (1839) führte ich in meiner Wohnung einige Experimente durch, um die Einwirkung von Hitze auf die Verbindung zu untersuchen, die sich bei den Postsäcken und anderen Artikeln zersetzt hatte. Ich war überrascht, als ein Stück, das mit einem heißen Ofen in Berührung gekommen war, nicht schmolz, sondern genau wie Leder verkohlte. Ich zog daraus den Schluß, daß die Verbindung durch rechtzeitiges Unterbrechen des Verkohlungsprozesses ihre Klebrigkeit gänzlich verliere und demnach dem Naturkautschuk überlegen sein müßte. Weitere Versuche mit hohen Temperaturen überzeugten mich von der Richtigkeit meiner Annahme. Wenn ich Gummi in geschmolzenen, stark erhitzten Schwefel tauchte, verkohlte es stets, ohne jemals zu schmelzen. Von größter Wichtigkeit war dabei die Tatsache, daß auf den verkohlten Teil eine Zone folgte, die der Verkohlung entgangen war und allen Anforderungen entsprach.«

Wieder packte ihn das Gummifieber, und ans Aufhören verschwendete er keinen Gedanken mehr. Experimente ergaben, daß sein Werkstoff erst bei etwa 140 Grad Celsius zu schmelzen begann und bei Temperaturen knapp darunter am besten gedieh. Auch bei Temperaturen unter dem Gefrierpunkt blieb das Gummi elastisch. Wieder formte er einen Postsack und fuhr mit diesem nach Washington. Aber die Herren vom Postministerium schüttelten die Köpfe; für sie war Goodyear als Geschäftspartner gestorben. Auch seine Besuche bei verschiedenen Gummifabriken blieben erfolglos. Dort hatte man seine Versuche schon seit längerem belächelt, nach dem Debakel mit den Postsäcken war er endgültig erledigt.

»Es war unmöglich, sie zu überzeugen«, erzählte Goodyear später, »und alle die verzweifelten Bemühungen, sie über die Wichtigkeit des Gegenstandes zu belehren, erregten nur mein eigenes Gemüt. Ich lebte von Almosen und vom Verkauf solcher Gegenstände, die Andenken aus besseren Tagen waren. Nur dies bewahrte mich vor der größten Not. Meine Bibliothek war längst verschwunden und kurz nachdem es mir gelang, die Vulkanisation zu finden, zwang mich meine schlimme Lage, die Schulbücher meiner Kinder zu verkaufen, die mir ganze fünf Dollar brachten.«

Schließlich landet er wieder im Schuldgefängnis. Nach seiner Entlassung erfährt er, daß seine Frau ihren Bruder überredet hat, 50 000 Dollar für den Aufbau einer Fabrik lockerzumachen. In Naugatuck, Connecticut, wird die Fabrik gebaut, und allmählich merken die Gummibosse, daß an der Vulkanisation doch mehr dran ist, als sie gedacht hatten. Die Produktion läuft langsam, aber sicher an, Aufträge kommen herein, die Familie kann sich wieder regelmäßige Mahlzeiten erlauben – und Goodyear leistet sich schon wieder Extravaganzen.

Da trifft eines Tages ein Brief des Bundespatentamtes ein, in dem Goodyear die Verwendung seines eigenen Patents verboten wird. Was war geschehen?

Ein Engländer namens Thomas Hancock hatte sich, während Goodyears jüngstem Gefängnisaufenthalt, dessen ungeschütztes Verfahren patentieren lassen und über einen Mittelsmann Lizenzen an amerikanische Firmen verkauft.

Hancock wußte sehr wohl, wer die Vulkanisation erfunden hatte – er gab das offen zu –, aber das Patent lief auf seinen Namen.

Goodyear kratzte 25 000 Dollar zusammen, um den besten Anwalt der USA zu engagieren, eben Daniel Webster, der dann in seiner flammenden Rede die Sache wieder zurechtrückte. Für Hancock blieb nur der Ruhm, den Begriff »Vulkanisation« gefunden zu haben, nach Vulkanus, dem römischen Gott des Feuers.

Goodyear verkaufte nun Lizenzen in alle Welt, produzierte aber in der kleinen Fabrik in Naugatuck weiter. Nun war er tatsächlich reich und berühmt.

Schließlich zog er aus geschäftlichen Gründen mit Frau und Kindern (sieben!) nach England, schrieb dort seine Memoiren und ließ sie auf Gummiplatten drukken. Seine Produkte stellte er im Kristallpalast, einer ständigen Ausstellung, aus. Der ganze Ausstellungsraum, Decke, Fußboden, Wände und Möbel – alles war aus Gummi.

Auf der Weltausstellung von 1855 in Paris schlägt er wieder einmal voll zu: 125 000 Dollar gibt er für den Ausstellungsstand und die größte Schau aus, die jemals auf einer Weltausstellung gezeigt worden ist. Als die Ausstellung zu Ende ist, ist auch Goodyear am Ende. Wieder einmal hat er sich übernommen, wieder einmal ist er pleite, und auch diesmal bleibt ihm das Schuldgefängnis nicht erspart.

Seine Firma in Naugatuck steht unmittelbar vor dem Bankrott. Dort kann man keinen Cent lockermachen, um dem Besitzer zu helfen. Geschäftsfreunde aus England veranstalten eine Kollekte, bei der genug Geld zusammenkommt, um Goodyear auszulösen.

Danach kehrte die Familie wieder in die USA zurück. Um die Überfahrt bezahlen zu können, mußte Goodyear den Schmuck seiner Frau versetzen. In Washington, wo er sich zur Ruhe gesetzt hatte, starb Charles Nelson Goodyear am 1. Juni 1860. Er hinterließ 200 000 Dollar Schulden.

Schneller als alle anderen erkannten die Kutschenbauer den Wert von Goodyears Erfindung, und einige Jahrzehnte später war es für die Erfinder des Automobils, die Benz', Daimlers, Maybachs und Lenoirs, selbstverständlich, Gummireifen zu benutzen.

Wenn es um die Bereifung von Rennwagen geht, um Slicks und Regenreifen, dann fällt auch der Name Goodyear. Die Reifen dieser Firma kommen längst nicht mehr aus Naugatuck, die Reifenfirma hat mit dem Erfinder der Vulkanisation nur den Namen gemeinsam.

1898 gründete Frank Seyberling in Ahron, Ohio, eine kleine Gummifabrik. Da ihm der Name Seyberling Rubber Company nicht zugkräftig genug erschien, nannte er seine Fabrik nach dem Erfinder der Vulkanisation. Er hatte mehr Glück damit als Charles N. Goodyear.

Robert Bosch

Ein aufrechter Mann mit guten Mitarbeitern

»Ich will mich ja nicht aufdrängen«, sagte der junge Mann mit dem imponierenden Vollbart, »schließlich haben ja *Sie* um diese Unterredung gebeten. Wenn er«, er machte eine Kopfbewegung in Richtung Nebenzimmer, »wenn er den Magnetzünder nicht will, ich kann ihn nicht zwingen.«

»Ich auch nicht«, lächelte sein Gegenüber, »sehen Sie, lieber Herr Bosch, die Glührohrzündung ist sein ganzer Stolz, von der geht er nicht so leicht ab, aber wir schaffen das schon. Ich rede nochmal mit ihm. Es dauert nur ein paar Sekunden.«

Wilhelm Maybach ging ins Nebenzimmer, und durch die Tür hörte Bosch halblaute Gesprächsfetzen. Maybach sagte irgend etwas von Frederic Simms, »vom Dion-Bouton-Motor«, und dann fiel ein paarmal der Name Jellinek. Zwischen Maybachs Überredungsversuchen war hin und wieder ein ärgerliches Brummen zu hören, von dem Robert Bosch zwar kein Wort verstand, aber aus dem Tonfall entnahm er, daß er hier nicht mit einem Auftrag rechnen konnte. Bosch zuckte mit den Schultern. Er brauchte die Geschäftsbeziehungen zu der Daimler AG nicht unbedingt. Seine »Werkstätte für Feinmechanik und Elektrotechnik« in der Stuttgarter Rotebühlstraße lief nicht schlecht. Sicher, ein Auftrag von Daimler wäre schon recht gewesen, aber er verdiente genug Geld mit dem Verlegen von Haustelephonen, Haustelegraphen, mit der »fachmännischen Prüfung und dem Anlegen von Blitzableitern« sowie der Verlegung und Reparatur elektrischer Apparate sowie allen Arbeiten der Feinmechanik. So stand es in seinem Firmenprospekt. Außerdem hatte sein Magnetzünder einen gewissen Ruf – sogar Carl Benz war deswegen schon höchstpersönlich aus Mannheim angereist –, Bosch brauchte Daimlers Wohlwollen nicht. Und doch ärgerte er sich über die Halsstarrigkeit seines Landsmannes.

Maybach kam aus dem Nebenzimmer zurück. »Der mit seiner Glührohrzündung«, sagte er, »so ein Dickkopf.«

Bosch hatte es ja gleich gewußt, er erhob sich, doch Maybach drückte ihn auf seinen Stuhl zurück.

»Nicht so hastig, Herr Bosch, da ist das letzte Wort noch lange nicht gesprochen. Der Herr Simms kommt nächste Woche zu Besuch, und dann hat sich auch noch Herr Jellinek angesagt, beide nur wegen Ihres Zünders. Wenn wir drei mit ihm gesprochen haben, hat das Rohr ausgeglüht.«

Maybach hatte nicht zuviel versprochen. Die Herren Simms und Jellinek überzeugten Gottlieb Daimler schließlich doch von Boschs »Niederspannungs-Magnetzündung«, genauer, sie zwangen ihn zu seinem Glück.

»Die Glührohrzündungen«, sagte Baron Jellinek, ein Autonarr und Daimlers Generalvertreter, »die Glührohrzündung muß jeden Wagen einmal zum Brennen bringen. Mir selber sind in meiner langen Praxis unzählige Male meine Wagen in Brand geraten.«

Doch Daimler war immer noch nicht überzeugt. Ihn störte auch, daß Bosch den Zünder gar nicht selbst erfunden hatte, sondern daß er in Deutz bei Otto entwikkelt worden war, und zwar nach Daimlers Ausscheiden aus dieser Firma. Und was konnte schon aus dieser Ecke Gutes kommen, seitdem er, Daimler, und Maybach dort nicht mehr arbeiteten.

»Maulend«, so erzählte Maybach später, sei Daimler hinter seinem Schreibtisch gesessen und habe sich angehört, was Frederic Simms Gutes über den Bosch-Zünder zu erzählen wußte.

Simms – Daimlers englischer Geschäftspartner – schwärmte in den höchsten Tönen vom »Dion-Bouton-Motor«.

Der Graf de Dion hatte gemeinsam mit dem Mechaniker Bouton ein Motorrad konstruiert, das allen bisher gebauten Motorrädern überlegen war – nur mit der Zündung hatte es dauernd Ärger gegeben. Simms hatte sich ein solches Motorrad gekauft und bei Bosch abgegeben. 600 Umdrehungen machte der Motor, hatte er erklärt, das müßte der Bosch-Zünder schon schaffen. Bosch schaute sich den Motor an und kam zu dem Schluß, daß die Drehzahl viel höher liegen müßte. Um die Drehzahl zu steigern, mußte das Motorrad bei Versuchsfahrten mit Höchstgeschwindigkeit gefahren werden, aber weder Bosch noch sein Meister Zähringer trauten sich das zu – beide konnten nicht einmal radfahren. Schließlich hatte sich Max Rall, ein neunzehnjähriger Lehrling, bereit erklärt, das Motorrad auf Touren zu bringen. Er brauste die Wangener Straße hinunter, Bosch und Zähringer stoppten die Zeit und kamen zu einem erstaunlichen Ergebnis: Der Motor drehte 1 800 Touren. Da war mit dem bisherigen Zünder nichts zu machen, und der Meister Zähringer entwickelte innerhalb kürzester Zeit einen völlig neuen Magnetzünder.

»Der Anker pendelt nicht mehr zwischen den Polschuhen«, schloß Simms begeistert seine Ausführungen, »jetzt pendelt eine zwischen den Polschuhen angebrachte Hülse. Das Motorrad ohne Magnetzünder war nichts, mit dem Magnetzünder ist es ein Meisterwerk.«

»Schließlich gab Daimler nach«, erzählte Zähringer, der bei den Besprechungen

Der junge Bosch. Mit 25 Jahren gründete er seine Firma in einem Stuttgarter Hinterhof.

als Fachmann dabeigewesen war, später, »zähneknirschend zwar, aber er gab nach.«

Nun sollte man meinen, die Fachwelt sei über diese Neuentwicklung kopfgestanden, aber die Fachwelt verschlief den historischen Moment. Bei der internationalen Motorwagenausstellung 1899 in Berlin führte Bosch seinen Niederspannungs-Magnetzünder vor, aber niemand interessierte sich dafür. Die Ausstellungsleitung verlieh ihm zwar die bronzene Medaille, aber das war eher ein Trostpflaster oder eine Verbeugung vor Gottlieb Daimler. Selbst die Produzenten von stationären Motoren, für die der Zünder eigentlich noch besser geeignet war als für Fahrzeugmotoren, gingen achtlos an Boschs Ausstellungstisch vorbei. Mächtig verärgert verließ Bosch die deutsche Hauptstadt. Ein Jahr später wurde er dann bei ähnlichen Ausstellungen in Nürnberg und in Wien ganz selbstverständlich mit der Goldmedaille ausgezeichnet. Die größten Automobilfirmen standen von da an auf der Kundenliste der Firma: Daimler, Fiat, Peugeot, Austro-Daimler, Horch, Skoda. Benz fehlte noch, aber das war nur eine Frage der Zeit.

Im Jahre 1900 wurden bei Bosch 1 015 Niederspannungs-Zünder verkauft. Das klingt, an den heutigen Produktionszahlen gemessen, nicht sehr imposant, aber um die Jahrhundertwende gab es weltweit erst 12 000 Automobile, die meisten davon liefen noch mit der alten Batterie-Zündung. Die neuen aber wurden jetzt fast alle mit Boschs Zünder ausgerüstet.

Bosch war mit dem Erfolg seines neuen Zünders zufrieden, nicht aber mit der Qualität. Die Abreißgestänge des Zünders wurden von den meisten Autofirmen selbst hergestellt, da sie auf die verschiedenen Autotypen eingestellt werden mußten. Und diese Firmen schlampten manchmal. Bosch mußte sich einige unberechtigte Vorwürfe anhören. Schließlich hatte er genug davon. Er beauftragte Gottlob Honold, einen jungen Ingenieur, der schon als Lehrling bei ihm angefangen hatte, damit, einen Zünder zu entwickeln, bei dem die komplizierte Abreißmechanik wegfallen konnte. Honold machte sich mit Feuereifer an die Aufgabe, und zwei Jahre später konnte er seinem Chef die Neukonstruktion vorführen. Es war ihm gelungen, »mit dem Strom eines Magnet-Ankers einen Lichtbogen zwischen feststehenden Elektroden mit Luftabstand in einer Zündkerze zu bilden«, so lautete der Antrag auf ein Patent. Bosch, der gerade aus Amerika zurückgekehrt war, wo er sich einige Klagen über seinen Niederspannungs-Magnetzünder hatte anhören müssen, gratulierte Honold: »Damit haben Sie den Vogel abgeschossen.« Er wußte, das war der Durchbruch, nur schade, daß der Herr Daimler diesen Zünder nicht mehr hatte erleben können, der hätte sogar ihn restlos überzeugt.

Jetzt mußte man freilich erst einmal das Reichspatentamt überzeugen. Doch das ging leichter als erwartet. Das Patent wurde anstandslos erteilt. Die Konkurrenz wurde langsam unruhig. Gegen dieses Patent hatte man keine Chance. Und so zog man aus den untersten Schubladen verstaubte Konstruktionsunterlagen hervor, die beweisen sollten, daß das alles schon mal dagewesen war. Und richtig, man fand etwas, was der Honoldschen Erfindung einigermaßen ähnlich sah. Die Herren vom Patentamt kratzten sich verlegen am Kopf. Da half ihnen Bosch selber aus der Klemme: Er zahlte keine Gebühren mehr und ließ so das Patent verfallen. Er hatte den Patentschutz gar nicht nötig, meinte er, weil seine Firma schneller, billiger und vor allem besser produzieren würde als die gesamte Konkurrenz – und er hatte recht.

Die Firma – im Jahre 1900 aus den zu eng gewordenen Räumen in der Rotebühlstraße in die Militärstraße umgezogen – blühte und gedieh fast von selbst. Das Installationsgeschäft, das vor wenigen Jahren fast zwei Drittel des Umsatzes ausgemacht hatte, lief nur noch nebenher. Die Firma wuchs mit der Automobilindustrie, und die Autoindustrie profitierte ihrerseits von der Kreativität und der Präzisionsarbeit der Firma Bosch. Theodor Heuss schreibt über den Autoboom um und nach der Jahrhundertwende:

»Das Kraftfahrzeug steht in seiner mächtigsten Entfaltung. Die Meinung, daß es

Boschs Niederspannungs-Zünder verdrängte Daimlers anfällige Glührohrzündung.

ein Zeitvertreib der reichen Leute sei oder wesentlich eine Gelegenheit für Sport-sensationen mit dem gesellschaftlichen Drum und Dran, versinkt, als auf den Straßen lärmend und keuchend die ersten Lastwagen erscheinen, breitspurig und unbequem, auch für die Personenfahrer zunächst ärgerlich genug. Aber mit ihrem Kommen ist auch für das blöde Auge eine Revolution des Verkehrswesens sichtbar geworden. Und dies erste Jahrzehnt des neuen Jahrhunderts bringt noch ein anderes, das vom Motor getriebene Flugzeug; die Menschen mögen in ihrer Phantasie nicht sogleich völlig erkennen, was an Beglückung und was an Grauen ihnen von diesen noch plumpen Kästen einmal gegeben wird, die sich da zu Schauzwecken in der Luft bewegen.«

Bosch bedankte sich bei der Autoindustrie auf seine Weise: durch Präzisionsar-beit und absolute Zuverlässigkeit. Das Schlagwort »Made in Germany«, ein Kür-zel für Qualitätsarbeit aus deutschen Landen, ist auf Leute wie Robert Bosch und seine Mitarbeiter zurückzuführen. »Ich habe immer nach dem Grundsatz gehan-delt«, sagte Bosch einmal, »lieber Geld verlieren als Vertrauen. Die Unantastbar-keit meiner Versprechungen, der Glaube an den Wert meiner Ware und an mein Wort standen mir stets höher als ein vorübergehender Gewinn.«

Schon 1898 hatte Frederic Simms, der gemeinsam mit Jellinek und Maybach dafür gesorgt hatte, daß die Glührohrzündung bei der Firma Daimler von der Magnetzündung abgelöst wurde, Robert Bosch vorgeschlagen, mit ihm in England eine Vertriebsfirma für den Bosch-Zünder zu gründen. Da Simms bei der englischen Automobilbranche einen guten Namen besaß, war Bosch von dieser Idee begeistert.

Das Geschäft ließ sich gut an, und schon 1901 wurden einige hundert Niederspannungs-Zünder von der Insel aus geordert. Bosch und Simms gründeten weitere Vertriebsgesellschaften in Holland und in Belgien. Später kam die »Compagnie des Simms-Bosch« in Paris dazu. Durch einen Trick gelang es Simms, 52 Prozent der Anteile dieser Firmen in die Hand zu bekommen; Bosch blieben 48 Prozent. Das wäre nicht weiter schlimm gewesen, aber nun machte Simms etwas, das Bosch haßte wie nichts auf der Welt: Er schlampte, hielt die Lieferfristen nicht ein, machte falsche Versprechungen. Selbstverständlich wurde auch Bosch mit diesem Geschäftsgebaren in Zusammenhang gebracht, sein guter Ruf begann zu bröckeln. Als Simms anbot, ihm die Auslandsvertretungen samt der Stuttgarter Fabrik abzukaufen, wäre Bosch fast auf diesen Kuhhandel eingegangen. Simms konnte aber die verlangten fünf Millionen Mark nicht aufbringen, und so wäre alles beim alten geblieben, hätte Bosch nicht angefangen, für seinen Ruf und um seine Firma zu kämpfen. Es sollte Jahre dauern, bis er sich aus dem Dickicht der Verträge mit Simms herausgehauen hatte.

Nachdem er diesen Klotz abgeschüttelt hatte, ging es erst richtig los. In der ganzen Welt wurden Verkaufshäuser gegründet: in Rußland, Japan, der Türkei, Südafrika, Kanada und vor allem in den USA.

»Ich darf wohl sagen«, schrieb er später, »daß unser Erscheinen in den Vereinigten Staaten einem Triumphzug glich.«

Innerhalb von vierzehn Tagen hatte Boschs genialer Verkäufer Gustav Klein für über eine Million Dollar Aufträge notiert. Das sei nicht besonders schwer gewesen, sagte Klein nach seiner Rückkehr, die Bosch-Zünder hätten in den USA einen hervorragenden Ruf, sowohl für stationäre Motoren wie für Fahrzeugmotoren. Bei den amerikanischen Autofahrern galt es geradezu als schick, sich auch in die ältesten Modelle Bosch-Zünder einbauen zu lassen, die dann fast so viel kosteten wie seinerzeit das ganze Auto.

Ein berühmter Musikclown, der in ganz Amerika die Music-Halls füllte, nützte den Bosch-Boom auf seine Weise, als er am Schluß der Vorstellung sein Instrument anpries ». . . und das Beste dran ist der Bosch-Zünder«. Großer Beifall Abend für Abend.

Bosch hatte sich mit der Zeit weltweit das Monopol auf den Zünder gesichert: 1898 wurden 132 Niederspannungs-Zünder produziert, 1906 waren es schon 100 000 Hochspannungs-Magnetzünder. 560 Arbeiter und Angestellte wurden in der Militärstraße beschäftigt. Bosch war innerhalb weniger Jahre vom Handwerksmeister mit zwei Gesellen und einem Lehrling zum Großindustriellen aufgestiegen. Und es ging flott weiter. 1910 wurde der einmillionste Zünder gefeiert, schon 1912 hatte man die Produktion verdoppelt. 4 500 Arbeitnehmer hatten dieses Millionending geschaffen.

Die Firma lebte zwar vorwiegend vom Zünder, stellte nun aber auch andere Autozubehörteile her. Noch immer fürchtete Robert Bosch, daß es sich beim Zünder um eine »Eintagsfliege« handeln könne. Ab 1912 wurde der Bosch-Anlasser hergestellt, zwei Jahre später das »Bosch-Licht«. Bis zu dieser Zeit hatten Kutschenlaternen genügt, da man nur im äußersten Notfall nachts fuhr. Das »Bosch-Licht« bestand aus Lichtmaschine, Scheinwerfern und Regelschalter und wurde, wie der Zünder, weltweit ein Schlager.

Der Erste Weltkrieg stellte Bosch zunächst vor große Schwierigkeiten. Seine Firma exportierte den größten Teil ihrer Produkte, die Hauptabnehmer aber standen auf der anderen Seite. Bosch stellte um und wurde einer der größten Rüstungslieferanten. So kam er während der vier Kriegsjahre ganz gut über die Runden.

Mitten im Krieg entschloß sich Robert Bosch, die Firma in eine Aktiengesellschaft umzuwandeln. Er hatte eingesehen, daß ein Unternehmen dieser Größenordnung nicht von den Entscheidungen eines einzelnen abhängig sein dürfe. Er wußte auch, daß die Entwicklung des Werkes nicht allein seine Leistung war, sondern auch die seiner Mitarbeiter Honold, Zähringer, Rall, Gustav Klein und der vielen Arbeiter und Angestellten seines Betriebes. Bosch bot den leitenden Angestellten die Gelegenheit, Anteile an der Firma zu erwerben, um sicherzustellen, daß bewährte Mitarbeiter auch nach seinem Tod die Firma in seinem Sinne weiterführen konnten. Seinen Erben traute er dies nicht so ohne weiteres zu.

Für sich und seine Familie behielt Bosch 51 Prozent des Aktienkapitals, 49 Prozent verkaufte er, vorzugsweise an Mitarbeiter. Zwei Prozent des Anteils der Bosch-Familie wurden vom Stuttgarter Rechtsanwalt Paul Scheuing verwaltet und sollten nach Boschs Tod von den Vorstandsmitgliedern erworben werden. Der Vorstand sollte nach dem Willen Boschs die Familie jederzeit überstimmen können. Die ganze Transaktion war richtig und vernünftig, aber Bosch hatte sie lange hinausgezögert. Erst als eine Herzerweiterung das Schlimmste befürchten ließ, nahm er die Sache in Angriff. Das war zu der Zeit, als deutsche Fliegerstaffeln über England Flugzettel abwarfen, mit »gebt uns Leuchtfeuer«, und die Engländer mit »gerne, wenn ihr uns Bosch-Magnetos liefert«, antworteten.

Nach dem Krieg begann für Bosch wie für die Firma die schwierigste Zeit seit der Gründung. Der Inlandsmarkt verdiente seinen Namen nicht mehr, und das Geschäft mit dem Ausland kam nur sehr schleppend wieder in Gang. Zudem hatten die Amerikaner während des Krieges, als sie von Bosch nicht beliefert wurden, eine Batteriezündung entwickelt, die dem Bosch-Zünder nicht nur ebenbürtig, sondern überlegen und außerdem wesentlich billiger war. Bosch mußte

1896 wurde der 1 000. Magnetzünder fertiggestellt. Die Firma Bosch machte zur Feier des Tages einen Ausflug ins Remstal. Max Rall (2) und Arnold Zähringer (3) waren Boschs (1) wichtigste Mitarbeiter.

sich umstellen, produzierte zwar seinen Zünder weiter – für Lastwagen, Flugzeuge, Traktoren und Schiffsmotoren –, aber in kleineren Stückzahlen. Der Verlust mußte durch Neuentwicklungen aufgefangen werden: Anlasser, Bosch-Licht, Schluß- und Kennzeichenleuchten und Suchscheinwerfer. 1921 wurde das »Bosch-Horn« *die* Sensation der Berliner Automobilausstellung. Mitte der zwanziger Jahre kamen Scheibenwischer, Stopplichter und Richtungswinker dazu. Mit diesem Produktionsprogramm kam die Firma einigermaßen gut über die Weltwirtschaftskrise. Und trotzdem hätte die ganze Produktionspalette nicht ausgereicht, wäre nicht eine Neuentwicklung dazugekommen, an der seinerzeit Rudolf Diesel gescheitert war und die für den Dieselmotor den endgültigen Durchbruch bedeuten sollte: die Einspritzpumpe.

Bosch war durch einen Geschäftsfreund auf die Möglichkeiten aufmerksam gemacht worden, die im Dieselmotor steckten. Zwar war der »Diesel« in der ganzen Welt verbreitet, jedoch eben nur als Schiffs- und Flugzeugmotor, aber »sehen Sie, Herr Bosch, wenn es Ihnen und Ihren tüchtigen Mitarbeitern gelingen würde, eine Einspritzpumpe zu konstruieren, damit die sperrige Preßluftflasche wegfallen würde, dann könnte man den Diesel auch in Personenkraftwagen einbauen, wäre das ein Geschäft? Das wäre vielleicht ein Geschäft!« Also sprach der Geschäftsfreund und meinte wohl, wer so schöne Sachen wie den Hochspannungs-Magnetzünder erfinden konnte, für den mußte die Einspritzpumpe eine Kleinigkeit sein. So ähnlich dachte auch Robert Bosch.

Aber die neue Konstruktion erwies sich als die schwierigste Aufgabe, die Bosch-Ingenieure je zu lösen hatten. Eugen Diesel, der Sohn Rudolf Diesels, beschrieb das so: »... denn es handelte sich darum, die fast ungeheuerliche Aufgabe zu lösen, in ganz kleinen Pumpen sehr hohe Gegendrücke zu beherrschen, zwanzig- und mehrmal in der Sekunde winzige, kaum stecknadelkopfgroße Brennstofftröpfchen in die Einspritzdüse des Motors zu fördern, sie in die glühende Luft im Zylinder zu jagen, dabei auf das feinste zu zerstäuben und obendrein in der Quantität und in der Zeit so zu regulieren, daß die Einspritzungen den im Fahrzeug unaufhörlich wechselnden Belastungen und Fahrbedingungen entsprachen. Diese unerhört schwierige Aufgabe ließ sich nur durch das vollendete Zusammenspiel von Wissenschaft, Technik, Gemeinschaftsgeist und Geduld meistern.

1927 wurden die ersten Probefahrten mit der Bosch-Einspritzpumpe unternommen. Der erste Personenkraftwagen mit Dieselmotor und Einspritzpumpe wurde einem ganz besonderen Härtetest unterzogen. Die Probefahrten fanden auf den zwölf schwierigsten Pässen statt, die damals für den Autoverkehr freigegeben waren. »Ganz wohl war unserer Mannschaft nicht gerade zumute«, schrieb Bosch später, »beim Anblick der verwegenen Haarnadelkurven des Grimsel- oder des Furkapasses. Sie fühlte sich aber beruhigt, weil dem Diesel ein wackerer BMW-Dixi, natürlich mit dem altbewährten Ottomotor, folgte, der notfalls als Retter einspringen konnte. Dazu kam es aber nie, wodurch das Selbstvertrauen unserer Mannschaft mächtig gestärkt wurde.«

Der Dieselmotor nahm den Aufschwung, den sich sein Erfinder immer gewünscht, aber nicht mehr erlebt hat. Die Entwicklung der Einspritzpumpe hat alles in allem länger gedauert als die Entwicklung des »Diesel« selbst.

Die Firma Bosch wuchs und gedieh weiter. Zum Autozubehör kamen andere Produkte: der legendäre »Bosch-Hammer«, Kühlschränke, Preßformteile, Aluminiumspritzguß, Haushaltsgeräte und vieles andere. Jedes Jahr konnte ein besonderes Bosch-Jubiläum gefeiert werden: 1936 wurde die einmillionste Einspritzpumpe, 1937 der fünfmillionste Magnetzünder geliefert, 1937 die hundertmillionste Zündkerze, 1938 der fünfmillionste Scheinwerfer. Robert Bosch war zu einem der bekanntesten Industriellen der Welt geworden.

Seine gesellschaftlichen Verpflichtungen wuchsen ihm allmählich über den Kopf. Er wurde mit Einladungen zu Empfängen überhäuft. Jede Stadt, in der er länger als zwei Monate gearbeitet hatte, trug ihm die Ehrenbürgerschaft an. Die Einladungen umging er, soweit es die Höflichkeit erlaubte; als er jedoch eines Tages die Einladung ins Führerhauptquartier erhielt, gab es keine Ausrede, das war ein Befehl. Hitler, der genau wußte, was Bosch von ihm hielt, nämlich nichts, begrüßte den Gast aus dem Schwabenland äußerst kühl: »Sie wünschen?«

Mit dieser frostigen Begrüßung konnte er Bosch nicht beeindrucken. »Ich wünsche gar nichts«, antwortete er kühl, »Sie haben mich hergebeten.«

Darauf fiel dem Herrn mit dem Bärtchen nichts mehr ein, und eine peinliche Pause entstand, bis Bosch das Schweigen brach. »Es muß Ihnen seltsam zumute sein«, sagte er, »auf dem Stuhl Bismarcks zu sitzen.«

Eine solche Bemerkung hätte den Normalbürger seinerzeit ins Konzentrationslager gebracht, aber Bosch war schon damals Legende, mit ihm konnte man das nicht so ohne weiteres machen. Hitler ging zum Fenster und schlug mit den Fingerspitzen einen Trommelwirbel auf die Scheibe, wie er es immer tat, wenn er wütend war. Die Unterredung war weit vor der Zeit beendet, und Bosch setzte dem ganzen die Krone auf, als er zum Abschied auf gut schwäbisch »Grüß Gott, Herr Hitler« sagte. Die damals angeordnete deutsche Grußform »Heil Hitler« wäre ihm auch da nicht über die Lippen gegangen. Das war der andere, der »rote Bosch«, kein industrieller »Herrenmensch« vom Schlage der Ruhrbarone, sondern Demokrat und »Volksmann« (Bosch über Bosch). Demokrat sein, das hatte er vom Vater gelernt, dem Land- und Gastwirt Servatius Bosch. Der hatte im Revolutionsjahr 1848 einem Besenbinder zur Flucht verholfen, der wegen »staatsfeindlicher Umtriebe« verhaftet worden war. Was hatte der Besenbinder verbrochen? Er war Sozialist, und das war in den Augen von Servatius Bosch kein Verbrechen. Der Kronenwirt in Albeck bei Ulm wurde wegen »Fluchthilfe« zu zwei Monaten Festungshaft verurteilt, was ihm zu einem gewissen Ruhm verhalf. 1869 verkaufte Servatius Bosch seinen Hof und seine Wirtschaft und setzte sich in Ulm zur Ruhe. Der kleine Robert war zu jener Zeit neun Jahre alt. Robert wäre gerne Zoologe oder Botaniker geworden, aber seine stark ausgeprägte Abneigung gegen die Schule verhinderte das Abitur. »In Mathematik war ich immer sehr schwach«, schrieb Bosch später, »das hat mich seinerzeit aus der Schule getrieben. Da ich in der Logik nicht so schwach bin, müssen wohl die Schule oder besser die Lehrer daran Schuld gehabt haben. Jedenfalls: Im sogenannten Einjährigenexamen, mit dem ich abging, habe ich den pythagoreischen Lehrsatz nicht beweisen können. Um den Mangel später auszugleichen, war ich wohl zu faul, und so bin ich durch mein Leben gegangen und habe sogar Erfolge gehabt, die ich eigentlich nicht hätte haben sollen. Es war lediglich ein technisches Gefühl, das mir durchgeholfen hat.«

Bosch wurde Feinmechaniker, nicht aus Neigung, sondern weil weder ihm noch seinem Vater etwas Besseres einfiel. Beim »Mechanikus und Optikus Maier« in Ulm absolvierte er seine Lehre, und was er dort gelernt hat, scheint nicht allzuviel gewesen zu sein. Später erzählte er, daß er in seinen Lehrjahren »eigentlich verbummelt« gewesen sei, gelernt habe er nichts.

Nach der Lehre ging Bosch zu Fein nach Stuttgart, einer Firma für elektrotechnische Artikel, bei der er viel hätte lernen können, wenn er genug Sitzfleisch gehabt hätte. Aber schon nach einem Jahr zog er weiter nach Hanau zu einer Spezial-

Die Einspritzpumpe. Rudolf Diesel hatte sich ein Leben lang vergeblich daran versucht. Der »Diesel« kann jetzt auch in Autos eingebaut werden.

firma für Kettenmaschinen. Auch dort hielt es ihn nicht lange. Bis zu seiner Militärzeit arbeitete er bei seinem Bruder in Köln, dem Mitinhaber der Installationsfirma Haag und Bosch, wo er die »Kaufmannschaft« erlernen sollte.
Nach der Militärzeit arbeitete er noch ein Jahr bei Schuckert in Nürnberg, dann noch einige Monate in Göppingen in einer Fabrik für Bogenlampen. Schließlich kehrte er nach Ulm zurück und überdachte seine Lage. Was konnte er? Wenig. Was kann man mit dem wenigen Wissen anfangen? Nicht sehr viel. In keiner Firma hatte man versucht, ihn zu halten, was Bosch schon verstand. Mechaniker wie ihn gab es genug, wozu sollte man ihn zum Bleiben auffordern?
Bosch entschloß sich, mehr Wissen zu erwerben. Er trug sich als »außerordentlich Studierender« in der Technischen Hochschule in Stuttgart ein. »Ich hatte für ein solches Studium«, schrieb er später, »zwar nicht die nötigen Vorkenntnisse, und ich hatte auch nicht die richtige Tatkraft, um meine mangelhaften Kenntnisse in Mathematik nun endlich wenigstens in den Grenzen des Möglichen zu vervollmmnen. Was ich in der Schule in Stuttgart lernte, das war, die Furcht

vor technischen Ausdrücken zu verlieren. Ich wußte nachher, was Spannung und Stromstärke, was eine Pferdekraft war.« Das war das erstaunliche Geständnis eines Mannes, in dessen Werk später wahre technische Wunderwerke entstehen sollten. Die hatten allerdings nicht Bosch, sondern seine Mitarbeiter, die Honolds, Ralls und Zähringers, erfunden.

Viel mehr als Experimentalphysik, Elektrotechnik, Telegraphie, das Eisenbahnsignalwesen und Englisch interessierten Bosch die Vorlesungen des Medizinprofessors Gustav Jaeger, eines bekannten Homöopathen, der die Schulmedizin in Grund und Boden verdammte. Bosch begann, sich ganz in Wolle zu kleiden, weil Jaeger, als »Chefideologe des Wollregimes«, jedes andere Material auf dem Körper als schädlich abqualifizierte. Der Einfluß Gustav Jaegers auf Bosch hielt bis ins hohe Alter an.

Nach dem »Preßkurs« auf der Technischen Hochschule, die ihm außer der Bekanntschaft mit Jaeger wenig gebracht hatte, reiste Bosch in das Land der unbegrenzten Möglichkeiten, in die Vereinigten Staaten. Dort hatten es schon so viele Emigranten zu etwas gebracht, warum sollte es gerade ihm nicht gelingen?

Nun, es gelang ihm nicht. Er arbeitete für einen Wochenlohn von acht Dollar bei Sigmund Bergmann, an dessen Fabrik Edison beteiligt war. Der weltberühmte Erfinder machte auf Bosch übrigens keinen besonderen Eindruck oder einen schlechten, wie man will. An seine Braut, Anna Kayser, schrieb Bosch über Edison: »Eines Tages kam ein schlanker, großer Mann in einem blau und weiß gestreiften Kittel in die Werkstatt gestürzt. Er stürzte an einen Betriebsmotor und beschmutzte sich ausgiebig die Hände mit Öl, um gleich darauf einige Herren zu begrüßen, von denen gesagt wurde, sie seien zu bearbeiten für die Übernahme von Anteilscheinen unserer Gesellschaft. Edison machte sich sonst bei uns nie schmutzige Hände.«

Nach einigen Monaten war Boschs Gastspiel in der Neuen Welt zu Ende; er wurde arbeitslos. Amerika hatte ihn beruflich nicht weitergebracht, ja es war ein rechtes Fiasko gewesen. Das einzige, was er da drüben gelernt hat, war, daß die frühkapitalistische Produktionsweise nichts für ihn war, für den Arbeiter Bosch nicht und auch später für den Industriellen nicht. »Denn siehst Du«, schrieb er wenige Tage, bevor er seine Stellung verlor, »ich bin Sozialist. Wenn ich jetzt nicht den Lehren, denen ich anhänge, gemäß leben kann, so mußt Du mir das nicht verübeln, denn unter jetzigen Umständen müßte ich auf Dich und auf mein ganzes Liebes- und Lebensglück verzichten. Und wenn es auch das Edelste und Beste eines Menschen ist, wenn er sein eigenes Wohlergehen hinten ansetzt, um der Menschheit zu dienen, so bin ich eben doch viel zu sehr Mensch und Egoist, um das zu tun.

Jedermann hat zu arbeiten, solange er arbeitsfähig ist. Wird er krank, so erhält ihn der Staat. Nahrungssorgen und Hunger werden niemanden quälen, denn es wächst stets so viel, daß Alles vollauf hat, und da alles international ist, wird

Bei Bosch konnte nur Facharbeiter werden, wer einen besonderen Eignungstest bestanden hatte.

Europa Amerika, dieses Asien usf. aushelfen. Daß es kein Unrecht ist von den Arbeitern, auf den sozialistischen Staat hinzuarbeiten, wirst Du mir zugeben, wenn Du bedenkst, daß unsere Mitmenschen doch jedenfalls die Maschine nicht nur für die Leute erfunden haben, die sie bezahlen können, und da jeden Tag weiter vorgeschritten wird, und die Maschinen immer mehr leisten, infolgedessen immer mehr Menschen brotlos werden, so ist es gar nicht zu begreifen, wie man sich gegen den Gedanken sträuben kann, daß Alles gründlich geändert werden muß. Soll der verhungern, der kein Geld hat?

Der Sozialismus ist etwas Großes, Edles und ihn vollständig und erschöpfend zu ergründen und zu erklären, dazu sind Bände nötig, die allerdings da sind, aber von unserer Regierung verboten sind und somit nicht leicht zugänglich. Kannst Du Dich nicht damit befreunden, so halte mit Deinem Urteil zurück, d. h. dann denke, daß ich Dich nicht gut unterrichtet habe, mündlich will ich Dir die Sache dann ganz klarlegen. Sage auch Niemandem, Eugen natürlich ausgenommen, davon, denn Du könntest leicht in Gefahr kommen, mich gegen ungerechtfertigte Angriffe verteidigen zu müssen, und wenn man etwas nicht ganz kennt, ist es schwer zu verteidigen.«

Wieder in Ulm, arbeitet Bosch dort für eine Magdeburger Firma und gründet noch im selben Jahr seine »Werkstatt für Feinmechanik und Elektrotechnik«. Der Anfang der Weltfirma war denkbar bescheiden: ein Mechaniker, ein Lehrjunge und der Meister. Die Umsätze waren entsprechend: 1888 betrugen sie 9 000 Mark und ein Jahr später 15 000 Mark. Bosch hatte in der Zwischenzeit geheiratet und zwei Kinder, Margarete und Paula, bekommen. Später erzählte er gerne aus dieser Zeit, als er Rudolf Diesel zum erstenmal begegnet war.

Bosch hatte den Erfinder auf dessen Wunsch in Augsburg besucht, und als die beiden essen gingen, fürchtete er, daß ihn der »vornehme Herr Diesel« ins teuerste Restaurant Augsburgs, in die »Drei Mohren«, führen würde. Er hätte nichts gegen das Lokal gehabt, besaß aber nur noch 3 Mark. Bosch war erleichtert, als sie in einem kleinen Landgasthof einkehrten, so konnte er sich ein Mittagessen leisten und hatte noch genug Geld für die Rückfahrkarte nach Ulm.

Bosch hat diese Zeiten der manchmal bitteren Armut nicht vergessen, obwohl er kaum 15 Jahre später, nachdem er von finanziellen Engpässen der Materialprüfungsanstalt der Technischen Hochschule in Stuttgart erfahren hatte, Briefe wie diesen schreiben konnte: »Die Mittel, die Sie erhalten, haben, soweit ich unterrichtet bin, bisher kaum zur Befriedigung der unmittelbaren Bedürfnisse ausgereicht; Forschungsarbeiten konnten mit ihnen so gut wie nicht durchgeführt werden. Damit entfiel auch mehr oder minder vollständig der befruchtende Einfluß solcher Arbeiten auf den Unterricht. Ich betrachte diesen Zustand als den Aufgaben und Zielen einer Technischen Hochschule nicht entsprechend und habe mich deshalb entschlossen, der Technischen Hochschule die Summe von einer Million Mark zu einer Robert-Bosch-Stiftung zu übergeben.«

Bemerkenswert an dieser Geschichte ist, daß ihn der Direktor der Technischen Hochschule nicht einmal um Hilfe gebeten hatte. Bosch hat diese Spende im übrigen büßen müssen: Die Hochschule verlieh ihm umgehend die Würde eines Ehrendoktors. Der also Geehrte wehrte sich so gut es ging, konnte aber am Ende nicht verhindern, daß er zum Doktor ehrenhalber gemacht wurde. Fortan verbat sich Bosch bei Spenden jeden Dank der Empfänger. Als er während des Ersten Weltkrieges dem Stuttgarter Oberbürgermeister Lautenschlager ohne jedes Brimborium 100 000 Mark für Stuttgarter Kriegswaisen zur Verfügung stellte – bar auf die Hand –, konnte sich der Oberbürgermeister einen schwülstigen Dankesbrief an den Spender nicht verkneifen, und Bosch schrieb zurück: »Ich verkenne Ihre gute Absicht nicht, ich will bloß sagen, daß Sie jetzt Wichtigeres zu tun haben, als Danksagungen zu schreiben. Ich sage dies im Hinblick auf künftige Fälle, denn sonst hätte es ja keinen Zweck.«

Überhaupt litt Bosch unter dem Krieg, was man nicht von allen Unternehmern der Rüstungsindustrie sagen konnte. Bosch, der Pazifist, war gezwungenermaßen zum Kriegslieferanten geworden, nur so konnte der Verlust des Exportgeschäftes ausgeglichen werden, aber: »Als nun der Krieg und mit ihm die Kriegslieferungen kamen, in welcher selbst Leute Geld verdienten, die von der Erzeugung von Waren keine Ahnung hatten, drückte mich der Verdienst, den ich machte, während andere ihr Leben einbüßten. Ich faßte Ende 1916 den Entschluß, meinen Kriegsgewinn zu einer Stiftung für die Erbauung des Neckarkanals zu verwenden.«

Das waren nicht weniger als 13 Millionen Mark. Weitere 7 Millionen spendete er, um die unmittelbare Not von Kriegswaisen und Versehrten abzuwenden.

Bosch legte sich sogar mit der deutschen obersten Kriegführung an. Als sich die Niederlage der Deutschen abzeichnete, unterschrieb Bosch gemeinsam mit führenden Gewerkschaftern eine Denkschrift, in der, um weiteres Blutvergießen zu verhindern, die sofortige Kapitulation gefordert wurde.

»Nur Handeln bringt Erfolg«, schrieb General Ludendorff zurück, »der Angriff

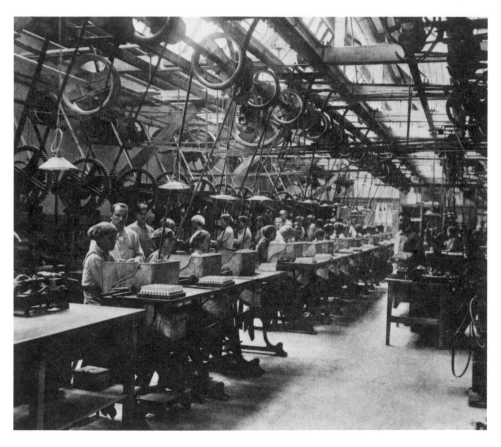

An diesen Transmissionsbändern wurden um 1920 Isolierkörper aus Speckstein für Zündkerzen hergestellt.

ist immer noch die Fechtweise der Deutschen gewesen.« So mußten noch Hunderttausende in den letzten Kriegsmonaten sterben.

Auch im Dritten Reich war Bosch auf der Seite der Opposition, und wie. Er stiftete bedeutende Summen für »verfolgte jüdische Landsleute«, und obwohl er der Kirche im allgemeinen reserviert oder sogar ablehnend gegenüberstand, unterstützte er auch die bekennende Kirche. In Boschs Haus gingen schwäbische Demokraten, wie Theophil Wurm, Staatspräsident a. D. Bolz und der Oberbürgermeister von Stuttgart, Dr. Karl Strölin, ein und aus. Und dort sah man dann auch den Kopf der deutschen Widerstandsbewegung, den ehemaligen Leipziger Oberbürgermeister Carl Goerdeler, mit dem sich Bosch anfangs überhaupt nicht verstand. Goerdeler war ein Preuße und ein Konservativer, eine Mischung, mit der Bosch, ein enger Freund des Marxisten Kautsky und der Sozialistin Clara Zetkin, nun wirklich nichts anfangen konnte. Die beiden rauften sich jedoch zusammen, und Bosch ermöglichte es Goerdeler, mittels eines lockeren »Beratervertrages«, Geschäftsreisen durch ganz Deutschland zu unternehmen und so den Widerstand zu organisieren.

Robert Bosch hat den Zusammenbruch des Dritten Reiches nicht mehr erlebt und nicht die Hinrichtung zahlreicher Freunde nach dem mißglückten Attentat auf Hitler. Er starb am 12. März 1942.

John Boyd Dunlop

Federleichtes Fahren auf eingeschlossener Luft

Der Veterinärassistent William Caldwell war verärgert. Die Arbeit in der Tierarztpraxis wuchs ihm langsam über den Kopf, Mr. McIntosh war wegen seiner kranken Kühe schon zweimal dagewesen, und was machte Mr. Dunlop, sein Chef? Er spielte auf dem Hof mit Holzrädern. Wie ein kleiner Junge rannte er einem kleinen Rad hinterher, dem er zuvor einen Schubs gegeben hatte. Caldwell schüttelte den Kopf. Fehlte nur noch, daß Dunlop mit Johnnies kleinem Dreirad spazierenfuhr! Jetzt ging sein Chef tatsächlich zum Dreirad. Wird er damit fahren? Nein, er schraubte nur das Vorderrad ab. Caldwell ging in den Hof und räusperte sich: »Mr. Dunlop«, sagte er, »Mr. McIntosh war schon zweimal hier . . .«

»Welches Rad rollt leichter, Caldwell?« unterbrach ihn Dunlop, »das kleine oder das größere?«

Er zeigte Caldwell das abmontierte Vorderrad von Johnnies Dreirad und eine etwas größere Scheibe aus unbehandeltem Holz.

»Das kleinere natürlich«, sagte Caldwell uninteressiert, »ich würde ja selbst zu Mr. McIntosh rausfahren, aber . . .«

»Und warum rollt es leichter, Ihrer Meinung nach?« unterbrach ihn Dunlop wieder.

»Ich bin Veterinär und kein Physiker, aber das kleine Rad ist einfach solider und schnittiger.«

Dunlop musterte ihn. »Kleine Wette, Mr. Caldwell?«

Caldwell schüttelte den Kopf. »Ich muß ins Labor zurück. Es ist eine Menge Arbeit liegengeblieben, seit Sie sich mit Ihrem neuen Steckenpferd beschäftigen.«

»Fünf Sixpence? Dann fahre ich auch sofort zu McIntoshs Kühen.«

»Also gut. Obwohl ich ungern Wetten abschließe, die ich mit Sicherheit gewinne.«

Dunlop schubste das kleine Rad mit einem kräftigen Stoß über den Hof. Nach etwa 20 Meter fing es an zu trudeln und nach weiteren 10 Metern fiel es zur Seite. Nun war die Holzscheibe an der Reihe. Sie sauste an dem am Boden liegenden

Rad vorbei und prallte nach etwa 40 Metern mit ziemlicher Wucht gegen das Hoftor. Dunlop hatte die Wette gewonnen und hielt die Hand auf.

Doch Caldwell gab sich nicht geschlagen.

»Zufall, Mr. Dunlop«, sagte er. »Sie haben das große Rad einfach kräftiger gestoßen.«

Dunlop hatte die beiden Räder in der Zwischenzeit wieder zurückgebracht.

»Kein Zufall, Caldwell, versuchen Sie es doch selbst.« Caldwell wiederholte das Experiment, das Ergebnis war das gleiche.

»Verblüffend, in der Tat«, gab er zu, während er seinem Chef die fünf Sixpence übergab. »Würden Sie mir Ihr Geheimnis noch verraten, bevor Sie zu Mr. McIntosh fahren?«

»Gerade damit hängt es zusammen. Jedesmal, wenn ich mit meinem Kabriolett über Land fahre, bin ich anschließend wie gerädert. Obwohl meine Kutsche gefedert ist.«

Caldwell nickte. Die Kreuzschmerzen nach längeren Kutschfahrten kannte er nur zu gut.

»Ich bin dann zu der Überzeugung gekommen«, fuhr Dunlop fort, »daß man die

John Boyd Dunlop, irischer Tierarzt und Tüftler, erfand den Luftreifen.

Erschütterungen dort abfangen muß, wo sie entstehen: zwischen der Straße und den Felgen. Ich hab mir schon vorher allerhand überlegt, elastische Speichen oder Spiralfedern. Alles falsch. Zwischen der Straße und den Felgen, das ist das Geheimnis.«

Inzwischen hatte Caldwell das Labor und McIntoshs kranke Kühe vergessen. »Das leuchtet ein, Sir, aber wie wollen Sie das bewerkstelligen?«

»Ich habe das schon bewerkstelligt. Schauen Sie her, Caldwell.« Dunlop stemmte eine Art Leinwandmantel von der Holzscheibe herunter. »Das ist nur ein Schutzmantel«, erklärte er, »das eigentliche Geheimnis ist dieser Gummischlauch. Ich habe ihn zusammengeklebt, ein Ventil von Johnnies Fußball und seine Fußballpumpe genommen, das Ganze aufgepumpt und den Leinwandmantel darübergezogen. Das ist alles.«

»Und die Luft im Gummischlauch fängt die Erschütterungen der Straße auf?«

»Genauso ist es.«

»Aber der Gummischlauch wird platzen, wenn das Gewicht einer ganzen Kutsche draufdrückt. Haben Sie das bedacht, Sir?«

Dunlop lachte. »Möglich ist das natürlich schon. Aber selbst wenn Sie recht haben mit Ihrer Befürchtung, habe ich mit meiner Erfindung schon fünf Sixpence Gewinn gemacht. Außerdem fange ich auch nicht gleich mit einer Kutsche an, sondern erst einmal mit Johnnies Dreirad.«

Gleich am nächsten Tag machte sich der Tierarzt John Boyd Dunlop wieder an Johnnies Dreirad zu schaffen. Johnnie, zehn Jahre alt, war Dunlops Sohn. Er hatte sich schon öfter über sein Dreirad beschwert. Bei Wettfahrten mit seinen Klassenkameraden war er immer nur unter »ferner liefen« ins Ziel gekommen. Außerdem mußte er an Markttagen, wenn die Buden die Straßen verstellten, zwischen den Straßenbahnschienen fahren. Der Streifen zwischen den Schienen war von der sparsamen Belfaster Stadtverwaltung nur mit Kies aufgeschüttet worden, was das Dreiradfahren nicht gerade erleichterte.

Dunlop legte zwei Streifen Ulmenholz ins Wasser, bis es sich biegen ließ. Dann klammerte er die Enden der Hölzer zusammen und montierte auf jeden Holzreifen einen Gummischlauch. Über den Schlauch zog er einen Mantel aus Leinwand. Dieser Schutzmantel wurde dann noch zusätzlich mit einer Gummischicht überzogen – fertig waren die ersten Luftreifen. Dunlop befestigte sie mit Kupferdraht an den Hinterrädern des Dreirads, und schon konnte Johnnie die erste Testfahrt unternehmen.

»Johnnie, der darauf brannte, mit seinem Rad den ersten Rennversuch zu unternehmen«, schrieb Dunlop später in seinen Lebenserinnerungen, »fuhr noch um zehn Uhr nachts los. Es war eine klare Vollmondnacht. Ich riet ihm, das Rad vor allem auf den neuen Macadam-Strecken auszuprobieren. Um elf Uhr war zufällig eine Mondfinsternis, und Johnnie kam nach Hause; aber sobald der Schatten vom Mond verschwunden war, fuhr er wieder los.«

Wegen dieses Dreirades mit Luftreifen wurde Dunlop anfangs ausgelacht, dann berühmt.

Johnnie fuhr in dieser Sommernacht des Jahres 1888 schneller und leichter als jemals zuvor. Der einzige Nachteil war, daß sein Dreirad nun durch die Pneus hinten um einiges höher war als vorne – Dunlop hatte die Ulmenholzringe einfach auf die Vollgummireifen montiert, so daß Johnnie während der Fahrt immer nach vorne rutschte. Aber sonst ... Johnnie war begeistert.

Am nächsten Morgen untersuchte Dunlop die Reifen: Sie waren noch prall mit Luft gefüllt, und auch der Gummiüberzug war wie neu. Erst jetzt begann Dunlop seine Erfindung ernst zu nehmen. Und als Johnnie nach der Schule von seinem glanzvollen Sieg im Dreiradrennen auf dem Schulhof berichtete, entschloß er sich, seine Erfindung patentieren zu lassen.

Schon am nächsten Morgen ging er aufs Patentamt. »Verbesserung von Radreifen für Zweiräder und andere Straßenfahrzeuge« lautete der Titel seines Patentes. Seine Erfindung beschrieb Dunlop so: »Ein hohler Reifen oder Schlauch aus Gummi und Stoff oder anderem geeigneten Material, der Preßluft enthält und der am Rad mit den dafür am geeignetsten erscheinenden Methoden befestigt wird.«

Der Patentingenieur erklärte Dunlop, daß genau dieses Prinzip schon patentiert sei, von einem Engländer namens William Thomson. »Aber nur keine Sorge«, beruhigte er den enttäuschten Erfinder, »das war schon 1845, und das Patent wurde nie erneuert. Und außerdem – ein Engländer!«

Als guter Ire mißtraute der Ingenieur der Erfindung eines Engländers von vornherein. Er erteilte Dunlop das Patent, und niemand hat es je angefochten. Hätte der Patentingenieur gewußt, daß John Boyd Dunlop gebürtiger Schotte und erst mit 27 Jahren nach Irland ausgewandert war, wer weiß, wer heute als Erfinder des Pneus gelten würde.

Nun hatte Dunlop keine Lust, weiterhin Gummischläuche selbst zusammenzukleben, und er fragte bei einer Belfaster Gummifabrik an, ob man ihm fertige Gummischläuche liefern könne. Könne man schon, lautete die Antwort, wolle man aber nicht, denn »die Idee mit den Gummischläuchen auf Rädern ist das Unpraktischste, was uns je untergekommen ist.«

Erst als Dunlop persönlich in der Fabrik vorsprach und im voraus bezahlte, wurde ihm die Lieferung versprochen.

Die ersten Luftreifen samt Gummiüberzug wurden auf Johnnies Dreirad montiert, und Dunlop ging damit zu Belfasts erstem Fahrradgeschäft. Dort erklärte er den beiden Inhabern seine Erfindung. Die Herren lachten ihn aus. Hatte man so etwas schon mal gehört? Auf der Luft fahren! Schon wollten sie den Spinner zur Tür hinauskomplimentieren, als Dunlop – wieder einmal – eine Wette anbot. »Ich sage Ihnen, daß mein Junge ein Wettrennen gegen sie beide gewinnen wird. Wer hält dagegen?«

Die zwei Geschäftsleute zögerten. Natürlich war es unter ihrer Würde, gegen einen zehnjährigen Jungen anzutreten, aber anderseits kann ein Ire keiner Wette widerstehen. Und wenn der Herr sein Geld unbedingt loswerden wollte – bitte sehr!

So erschienen eines Sonntagmorgens die Herren Edlin und Sinclair von der Firma Edlin & Co., um gegen Johnnie Dunlop ein Dreiradwettrennen auszutragen. Als Rennstrecke wurde die Belfaster Hauptstraße ausgewählt, die einzige Straße in Belfast, die nicht mit Kopfsteinpflaster, sondern mit Macadam belegt war.

Die drei fuhren los. Als nach einigen Minuten Mr. Sinclair wieder auftauchte, wurde Dunlop mißtrauisch. So schnell konnte er die Strecke nicht geschafft haben. »Hab ich auch nicht«, erklärte er dem »Rennleiter« Caldwell, »aber beim Tempo dieser beiden Verrückten bekomme ich ja einen Herzschlag.«

Wenige Minuten später fegten die zwei anderen Rennfahrer durchs Hoftor, Mr. Edlin eine Dreiradlänge vor Johnnie.

»Edlin hat geschnauft wie eine Lokomotive«, erzählte Dunlop später, »dabei war er zu der Zeit ein bekannter Rennfahrer.« Nun zwängte sich Edlin auf Johnnies kleines Dreirad und kurvte über den Hof. Er war begeistert von den Pneus.

»Selbstverständlich übernehmen wir die Reifen in unser Programm«, erklärte er. »Jetzt müssen wir nur kräftig die Werbetrommel rühren.«
Im Dezember 1888 erschien in der Sportzeitung »Irish Cyclist« die erste Anzeige für Luftreifen.

Pneumatisches Sicherheitsrad
Jede Erschütterung ausgeschlossen!
Alleinige Hersteller:
W. Edlin & Co., Garfieldst., Belfast

Der »Cyclist« spottete in derselben Ausgabe: »Wir nehmen die Geburt des pneumatischen Sicherheitsrades zur Kenntnis. ›Pneumatisch‹ – das heißt also wohl, es hat etwas mit Luft zu tun, nicht wahr? Stimmt. Und neue Ideen müssen gut gelüftet werden. Wir werden unseren Lesern mehr darüber berichten, wenn wir uns näher mit dieser luftigen Angelegenheit befaßt haben . . .«
Im übrigen wußte die Zeitung zu berichten, daß bei der nächsten Stadtmeisterschaft im Radrennfahren so ein Sicherheitsrad an den Start gehen würde, von keinem Geringeren gefahren als von dem bekannten Sportsmann William Hume.

Der Dunlop-Generaldirektor Max Browning fährt in Dublin für sein Produkt Reklame.

Hume hatte sich nach etlichen Stürzen geschworen, nie mehr ein Hochrad zu besteigen. Beim neuen Sicherheitsrad saß er jedoch nicht höher als auf unseren heutigen Rädern – das wollte er riskieren, und nach einigen Probefahrten auf Edlins Sicherheitsrad war er sogar überzeugt, gewinnen zu können.

Wie ein Zwerg stand Hume zwischen all den Hochrädern an der Startlinie zu den Belfaster Stadtmeisterschaften. »Als Hume am Start erschien«, erzählt Dunlop in seinen Lebenserinnerungen, »richteten sich alle Augen auf das kleine Sicherheitsrad. Bei der ersten Runde hörte ich, wie die Leute riefen: ›Der kleine fährt ja so rasch wie die Großen – wie funktioniert denn das?‹ und bei der letzten Runde rief ein englischer Buchmacher: ›In der Maschine muß der Teufel stecken!‹ Nach dem ersten Rennen mußte ich zum Ziel hinunterkommen und meine Erfindung erläutern ... Alles gratulierte mir, und eine riesige Menschenmenge ließ mich hochleben.«

Hume hatte alle vier Durchgänge gewonnen, und der geschlagene Favorit des Rennens, der Titelverteidiger Harvey du Cros, wollte ihm die Maschine gleich abkaufen. Aber Hume rückte sie nicht heraus, weder für gutes Zureden noch für viel Geld.

Du Cros, ein reicher Papierfabrikant, nahm Dunlop am Arm und zog ihn zur Seite. »Hören Sie, Mr. Dunlop«, sagte er, »ich bin ein besserer Rennfahrer als William Hume. Noch nie hat mich einer geschlagen. Also liegt's am Material. Sie haben das Patent, ich das Geld. Wie wär's, wenn wir eine Aktiengesellschaft gründeten?«

Die Gesellschaft wurde gegründet, florierte, und als sie nach einigen Jahren neu organisiert wurde, betrug ihr Kapital bereits 5 Millionen Pfund. Dunlop selbst hatte nicht viel davon. Er war bald wieder aus der Firma ausgestiegen. Der Grund: Der Mann auf den Reklameschildern, die für seine Erfindung warben, gefiel ihm nicht.

Der Herr auf dem Bild war von du Cros selbst ausgesucht worden, nach den neuesten Erkenntnissen der Werbepsychologie: ein älterer Herr, sportlich, erfolgreich, mit Gamaschen, Zylinder, Spazierstock und Monokel. Du Cros hielt das Konterfei für seriös und werbewirksam, Dunlop fand das Modell unseriös, ein »Geck und Nichtstuer«, wie er sagte; außerdem störte ihn der Gedanke, jemand könne den Herrn auf den Plakaten für den Erfinder des Pneus halten. Mit einer Firma, die mit solchen Reklamebildern arbeitete, wollte John Boyd Dunlop nichts mehr zu tun haben. Auch als du Cros sich um des lieben Friedens willen bereit erklärte, einen anderen Herrn auf die Litfaßsäulen zu kleben, gab Dunlop nicht nach. 1890 zog er sich zurück und fand endlich Zeit, das Fahrradfahren zu lernen. Mit 50 Jahren.

Auto-Auto

Die ersten Rennen

»Nein, nein und nochmals nein«, rief der Verleger des Pariser Blattes »Petit Journal«, »für einen solchen Unsinn gebe ich weder einen Sou noch eine Zeile meines Blattes.«

Pierre Giffard, der Chefredakteur, kannte die Ausbrüche seines Chefs und wartete geduldig, und richtig – es ging schon weiter. »Ein Wettbewerb für pferdelose Wagen, mon Dieu, Giffard, was denken Sie sich eigentlich? Die Engländer zum Beispiel, die ja nun wirklich auf dem Gebiet des technischen Fortschritts einiges mehr zu bieten haben als wir Franzosen – denken Sie nur an James Watt –, wissen Sie, was die Engländer über diesen mechanischen Unsinn denken? Wissen Sie, wie dort diese ... diese Automobilisten behandelt werden?«

Giffard wußte es. Die Gegner der pferdelosen Wagen hatten eine Anordnung aus dem Jahr 1865 ausgegraben, nach der »ein Mann mit einer roten Fahne mindestens 50 Meter vor jedem selbstgetriebenen Fahrzeug einhergehen muß, um vor dessen Nahen zu warnen«.

Aber in der Zwischenzeit sei die Anordnung ja geändert worden, stellte Giffard richtig, jetzt müsse der Mann nur noch 15 Meter vor dem Fahrzeug herlaufen und bräuchte nicht einmal mehr mit der Fahne zu winken. Das sei immerhin ein Fortschritt.

»Toller Fortschritt«, brummte Marioni, der Verleger, »die hatten einfach Mitleid mit dem armen Hund. Und die Höchstgeschwindigkeit ist immer noch begrenzt. Auf zwei Meilen innerhalb und auf vier Meilen außerhalb geschlossener Ortschaften. Die Engländer wissen schon, wie man solchen technischen Entgleisungen begegnet. Kein Wort weiter, Giffard. Keine Zeile im Blatt, von einer finanziellen Zuwendung ganz zu schweigen.«

Die Unterredung war von Marionis Seite aus beendet, und er wedelte seinen Chefredakteur mit einer ungeduldigen Handbewegung aus dem Zimmer. Giffard ging zur Tür, drehte sich aber noch einmal um und spielte seinen höchsten Trumpf aus.

Er selber sei der Sache gegenüber ja auch mißtrauisch gewesen, meinte er, aber der Graf de Dion habe ihn schließlich doch überzeugt. Der wolle im übrigen auch selbst mitmachen.

»Der Graf de Dion«, staunte Marioni, der einen starken Hang zur Aristokratie hatte, »Albert de Dion, der Dampfmaschinenfabrikant?«

Giffard nickte erleichtert. Er hatte ja gewußt, daß dieser Name seine Wirkung nicht verfehlen würde.

Albert de Dion war um die Jahrhundertwende eine der schillerndsten Figuren der »besseren Gesellschaft« in Paris. Der fast zwei Meter große Mann war ein leidenschaftlicher Spieler, der sich freilich auch einige Verluste beim Spiel leisten konnte. Außerdem ging das Gerücht um, daß der Graf Weltmeister im Duellieren sei, was ihm, neben einigen Strafen, die Bewunderung vieler — auch von Marioni — eingebracht hatte. Schon als Junge hatte Graf de Dion an Dampfmaschinen herumgebastelt und war später nach München gegangen, um dort am Polytechnikum alles über Dampfmaschinen zu lernen.

Eines Tages sollte er für einen Freund, den Duc de Morny, ein Geschenk besorgen und sah auf dem Boulevard des Italiens in einem Schaufenster eine Dampfmaschine in vollem Betrieb. Die Zylinder waren aus Glas, so daß man die Bewegung der Kolben deutlich sehen konnte.

»Bouton & Trépardoux«, erklärte ihm der Ladeninhaber, den der Graf nach dem Konstrukteur der Maschine fragte, und gab ihm die Adresse.

De Dion vergaß das Geschenk für seinen Freund, er vergaß über diesem »mechanischen Kleinod«, wie er es nannte, einfach alles, sprang in seine Kutsche und raste zu der angegebenen Adresse, kaufte sich in die Firma ein und war einige Jahre später mit seinem Partner Bouton einer der bedeutendsten Dampfmaschinenhersteller der Welt.

»So, so«, sagte Marioni, »de Dion. Das ändert natürlich die Sachlage. Wäre das nicht eine vorzügliche Reklame für unser Blatt? Was meinen Sie, Giffard?«

Giffard nickte ergeben. Genau das hatte er seinem Chef in der vergangenen Stunde klarzumachen versucht.

»Und jetzt, lieber Giffard, erklären Sie mir, wie Sie sich solch einen ›Concours des Voitures sans Chevaux‹ – einen Wettbewerb für pferdelose Wagen – eigentlich vorstellen.«

»Wir haben uns das so gedacht. Die Kollegen aus der Redaktion sind ebenfalls ganz begeistert von der Sache und würden unentgeltlich als Kampfrichter fungieren – also: Das ›Petit Journal‹ schreibt einen Wettbewerb für pferdelose Wagen aus und stiftet die Geldpreise. Gewinner soll derjenige sein, der die Strecke zwischen Paris und Rouen mit einem Wagen zurücklegt, der ungefährlich, leicht zu bedienen und wirtschaftlich im Betrieb ist.«

»Also keine Wettfahrt?«

»Auf keinen Fall, Monsieur Marioni, das wäre doch viel zu gefährlich. Der Graf de Dion erreicht mit seinem Dampftraktor eine Geschwindigkeit von über 30

Stundenkilometer. Auf gar keinen Fall eine Wettfahrt. Allerdings«, schränkte Giffard ein, »allerdings muß die Strecke in einer Mindestzeit zurückgelegt werden. Aber die werden wir großzügig bemessen. Und wir werden dafür sorgen«, Giffard hob den Finger, denn die Sache war wichtig, »daß nur betriebssichere Wagen an den Start gehen. Dafür verbürge ich mich.«
Marioni rieb sich begeistert die Hände. »Großartige Sache, mein lieber Giffard, mein Kompliment. Und die Konkurrenz, was meinen Sie? Die wird Augen machen!«

So reibungslos, wie sich Pierre Giffard die Sache gedacht hatte, ging sie allerdings nicht über die Bühne. Zweimal mußte der Start verschoben werden. Beim ersten Termin war der Verleger Marioni verhindert, beim zweiten Mal war die Mehrzahl der 102 gemeldeten Wagen nicht betriebsbereit, worauf der gestrenge Schiedsrichter Giffard sie für wettkampfuntauglich erklärte. Die Besitzer der disqualifizierten Autos, die mit Druckluft, Elektrizität, Hydraulik, kompliziert angeordneten Hebelsystemen, mit Hochdruckgas und mit kombiniertem Gas- und Pendelbetrieb angetrieben wurden oder vielmehr angetrieben werden sollten, traten verbittert die Heimreise an. Der Eigentümer eines »elektropneumatischen« Automobils drohte gar mit einer Klage vor Gericht, bekam daraufhin seine Starterlaubnis, blieb aber dann am Start stehen, weil sein Gefährt keinen Pieps von sich geben wollte.
Am 22. Juli 1894 war es dann aber doch soweit.
»Petit Journal, Petit Journaaaal!« riefen die Zeitungsjungen, »Petit Journal veranstaltet ersten Wettbewerb für pferdelose Wagen! Start acht Uhr an der Porte Maillot. Wagen ab sieben Uhr zur Besichtigung freigegeben! Petit Journaaaal . . . Erster Wettbewerb der Welt für pferdelose Wagen!«

An der Porte Maillot waren Tausende Schaulustige erschienen. Der riesige Dampftraktor des Grafen de Dion erregte bei den Zuschauern das größte Aufsehen, während die Fachleute beim Anblick der benzingetriebenen Wagen von Panhard & Levassor und den Modellen von Peugeot anerkennend mit der Zunge schnalzten. Ganz klar, das waren die Wagen der Zukunft, leicht, sicher und sparsam.
Ehrengast und Mittelpunkt am Start war ein älterer Herr mit Spitzbart, dem selbst der Graf de Dion seine Reverenz in Form einer Verbeugung erwies: Gottlieb Daimler war mit seinem Sohn Paul eigens von Stuttgart-Bad Cannstatt angereist, um den historischen Augenblick mitzuerleben. Schließlich fuhren die Wagen von Panhard und Peugeot mit einem Daimler-Motor mit Glührohrzündung.
Paul Daimler beschreibt die Stimmung am Startplatz:
»Am frühen Morgen jenes Renntages waren mein Vater und ich in der Nähe der Porte Maillot bei Paris. Eine riesige Menge strömte herbei, um das in damaliger

Zeit einzigartige Schauspiel, die Auffahrt der Wagen zum Rennen, sich anzusehen. Diese Rennwagen waren in Form, Art und Größe ganz verschieden;
schwere Dampfwagen mit Anhängern mit Riesenkräften konkurrierten mit den
leichtesten Dampfdreirädern und diese wiederum mit Benzinwagen; alle waren
zu demselben Zweck erschienen: als erste in Rouen einzutreffen. Wir selbst –
Paul Daimler und Gottlieb Daimler – begleiteten im Wagen das Rennen. Die
verschiedenen Wagentypen machten einen eigenartigen Eindruck; man sah auf
den schweren Dampfwagen die Heizer, schweißtriefend, von Ruß überzogen,
schwer arbeitend beim Aufschütten von Brennmaterial; man sah die Fahrer der
kleinen Dampfdreiräder, dauernd den Druck und den Wasserstand in dem kleinen, kunstvoll gefügten Röhrenkessel beobachtend und die Ölfeuerung regulie-
rend; man sah im Gegensatz dazu die Fahrer der Benzin- und Petroleumwagen
ruhig auf dem Lenksitz, hie und da einen Hebel betätigend, wie nur rein zum
Vergnügen fahrend. Ein ganz eigenartiges Bild und mir unvergeßlich! Emile Levassor, ein Pionier der Weiterentwicklung der Gedanken Gottlieb Daimlers in
Frankreich, hat aus den ersten Musterwagen, die er in Cannstatt in der Werkstätte Gottlieb Daimlers gesehen und nachdem er mit diesem mehrere Jahre zusammengearbeitet, mit scharfem Blick und tiefem Verständnis dasjenige heraus-
geholt und zusammengefaßt, was zur Schaffung eines brauchbaren Wagens notwendig war. In dem historischen Rennen von 1894 hat Levassor diesen Wagen
zum Siege geführt, und dieses Rennen hat dann auch den großartigen Aufschwung der französischen Automobilfabrik Panhard & Levassor begründet.«
Kurz vor dem Start nochmals Aufregung. Maurice LeBlant, Besitzer der »Belle
Jardinière«, des größten Pariser Warenhauses, hat zwei Dampf-Lieferwagen für
den Wettbewerb angemeldet, mit denen sonst Wäschelieferungen ausgefahren
werden. Einen der Lieferwagen fährt er selbst, den anderen soll ein Fahrer des
Kaufhauses steuern, der von Giffard jedoch nicht zum Rennen zugelassen wird,
weil er stockbetrunken ist. »Aber der ist doch jeden Tag besoffen«, tobt LeBlant,
»und bis heute ist noch nichts passiert!«
Aber Giffard bleibt hart. Zum ersten Mal in der jungen Geschichte des Autos
wird Alkohol am Steuer bestraft, und der Sünder schwankt tief getroffen davon. LeBlant erklärt seinem Bruder Etienne, der noch nie auf einem der Lieferwagen auch nur als Passagier mitgefahren ist, wie der Dampfwagen funktioniert.
Doch der 5-Minuten-Schnellkurs genügt für eine Wettfahrt nicht. Bereits beim
Aufstellen für den Start kommt Etienne von der Straße ab und fährt über den
Bordstein auf eine Rasenfläche, hinein in eine Parkbank, gestiftet von Verleger
Marioni.
Dann aber wird es ernst. Madame Marioni senkt die Fahne, und der erste Wa-
gen, der Dampftraktor des Grafen de Dion, setzt sich in Bewegung. Im Abstand
von je 30 Sekunden folgen die anderen: die Panhards und Levassors, die
Peugeots, der riesige achtsitzige Dampfomnibus des Mister Scotte aus Epernay,

Die »Victoria« kam im ersten Geschwindigkeitsrennen der Automobilgeschichte nur unter »ferner liefen« ins Ziel.

besetzt bis auf den letzten Platz, und all die anderen, denen wenig Siegeschancen eingeräumt werden. Der letzte in der Autokarawane ist Emile Roger auf einem Benz »Victoria«, der am nächsten Tag als der blasierteste Fahrer des ganzen Pulks beschrieben wurde. »Ein wahrer Herrenfahrer«, lobte ihn der Berichterstatter des »Petit Journal«, »dessen Haltung noch die des Grafen de Dion in den Schatten stellte.« Roger kam aber trotz seiner vorbildlichen Haltung nur unter »ferner liefen« am Ziel an.

Das Rennen läuft wie erwartet: De Dion fährt mit seinen überlegenen 20 Pferdestärken – gegenüber den dreieinhalb der Benzinautos – dem Feld auf und davon. Für ihn läuft das Rennen programmgemäß, bis sein Heizer über die Hitze klagt und eine Pause fordert. Der Graf muß die Prämie verdoppeln, um seinen »Chauffeur« – so das französische Wort für Heizer – vom Streik abzuhalten. Anderen Dampfmaschinenfahrern gelingt das nicht so ohne weiteres. Einige der Heizer lassen sich gar nicht erst auf Diskussionen ein und legen sich für ein Stündchen unter die Bäume, während die Fahrer nägelbeißend vor Nervosität auf ihr Erwachen lauern.

Der Heizer des Mister Scotte beschädigt beim Wasserauffüllen in Nanterre ein Ventil und kann gerade noch rechtzeitig abspringen, bevor der Kessel explodiert. Auch die Insassen kommen mit dem Schrecken davon. Diese kleine Panne hindert später das Preisgericht jedoch nicht, dem Omnibus einen Preis zuzusprechen für den besten Wagen, der *nicht* am Ziel angekommen ist.

Um die Mittagszeit erreicht die Spitze des Pulks Louviers, und dort läßt sich der

Heizer des Grafen de Dion nicht mehr durch Geld und nicht durch gute Worte abhalten, erst einmal zu Mittag zu essen. Der Graf muß mitansehen, wie Lemaître und kurz darauf Levassor an ihm vorbeifahren. Nach wenigen Kilometern überholt er die beiden jedoch wieder, höflich den Zylinder lüftend, eine Sitte, die heute auch nicht mehr in Mode ist.

Bei Léry beginnen für de Dion die Schwierigkeiten: Sein Dampf-Leviathan sinkt auf einer frisch geschotterten Straße bis zu den Achsen ein. Lemaître und Levassor ziehen auf ihren leichten Benzinern erneut an dem fluchenden de Dion vorbei. Einige Bauern ziehen und schieben den Dampftraktor über die Schotterstrecke, sogar ein Ochsengespann wird bemüht. Als man wieder festen Boden unter den Rädern hat, ist die Maschine defekt. De Dion hastet nach Léry und kommt mit einem Mechaniker zurück, der den Schaden schnell behebt. Man macht sich wieder auf die Verfolgungsjagd. Kurz vor dem Ziel überholt de Dion seine beiden hartnäckigen Rivalen. Unter dem Jubel der Bevölkerung fährt er als erster in Rouen ein. Den eigens für dieses Ereignis errichteten Triumphbogen durchfährt nach de Dion Lemaître auf seinem Peugeot und kurz darauf Levassor. Die beiden waren von Paris bis Rouen in Sichtweite gefahren, einmal Lemaître, einmal Levassor vorne. Dieses Duell war der wahre Höhepunkt der Wettfahrt gewesen.

Das Rennkomitee trat noch am selben Abend zusammen, um den Sieger zu küren. Das Reglement bestimmte ja nicht den schnellsten, sondern den sichersten und wirtschaftlichsten Wagen zum Sieger, und damit war der Graf de Dion mit seinem Dampfungetüm und dem zweiten Mann auf dem Tender aus dem Rennen. Also Peugeot?

»Nein«, sagte Giffard, der Chef der Wettkampfleitung, »wenn der ganze Wagen von der Firma Peugeot stammen würde, dann ja. Aber der Motor ist von Panhard & Levassor – und einen eigenen Motor sollte der Sieger schon stellen.« Weder Lemaître noch de Dion hatten gegen diese Regelauslegung etwas einzuwenden. De Dion war mit seinem zweiten und Lemaître mit seinem dritten Platz zufrieden. Der Sieger hieß Levassor.

Unzufrieden waren die Fahrer mit der Organisation des Wettkampfes. Sicher, Giffard hatte gute Arbeit geleistet, aber sonst ... Die Zeitnahme hatte überhaupt nicht geklappt, an manchen Stellen hatten die Streckenposten geschlafen, einige Fahrer waren in eine falsche Richtung geschickt worden und hatten den Irrtum erst einige Kilometer später bemerkt. So etwas durfte beim nächsten Rennen nicht mehr passieren. Und daß es ein nächstes Rennen geben würde, darüber waren sich alle Beteiligten einig.

»So geht das nicht«, sagte de Dion als Sprecher der Fahrer und gründete mit Freunden den »Automobile Club de France« (ACF), dem die Ausrichtung des ersten Geschwindigkeitsrennens der Automobilgeschichte übertragen wurde. Giffard sollte wieder Leiter des Rennkomitees werden. Seine erste Aufgabe war, bei Marioni abermals Geld locker zu machen, aber diesmal kam er an den Falschen.

»Nein, nein und nochmals nein«, rief der Verleger, »für einen solchen Unsinn gebe ich weder einen Sou noch eine Zeile meines Blattes.« Und diesmal machte er Ernst mit seiner Weigerung. Wettkampf ja, Wettrennen nein und nochmals nein. So mußten die Gründungsmitglieder des »Automobile Club de France« selbst tief in die Tasche greifen.

Die Fernfahrt Paris–Bordeaux–Paris begann am 11. Juni 1895 an der Porte Maillot: 23 Benziner, 13 Dampf- und zwei Elektrowagen wurden ins Rennen geschickt. Levassor, der Favorit, war der einzige, der die ganze Strecke ohne jede Pause selbst zurücklegte, alle anderen ließen sich von Zeit zu Zeit ablösen. Am Ende fuhr Levassor als strahlender Sieger mit mehr als vier Stunden Vorsprung in Paris ein und – wurde disqualifiziert. Er war in einem Zweisitzer gefahren, das Reglement schrieb aber mindestens vier Sitze vor. Um solche Kleinigkeiten hatte sich Levassor vor dem Rennen nicht gekümmert. So wurde Koechlin auf Peugeot zum Sieger des ersten Wettrennens gekürt. Für die Öffentlichkeit aber war Levassor der Gewinner, und noch heute wird er in den französischen Listen als Sieger geführt.

Die Rennfahrer
Schnelle Tage in Achères

Wer waren nun die Rennfahrer der ersten Stunde? Bis kurz vor der Jahrhundertwende mußten drei Bedingungen erfüllt sein: Franzose mußte man sein, dazu reich und möglichst adelig. Berufsfahrer – meistens Mechaniker der Automobilfirmen – waren die Ausnahme. Vorerst war man unter sich: Graf de Dion, Marquis Chasseloup-Laubat, Chevalier René de Knyff, Baron de Caters, Graf Zborowski, Marquis de Montagneé, Baron de Zuylen. Das waren die berühmtesten Motorsportler jener Zeit.

Der Wille zum Sieg war zwar bei den adeligen Herren ausgeprägt – einige waren echte Fanatiker –, aber es ging damals noch nicht um Hundertstelsekunden, und man nahm sich die Zeit, verunglückten Fahrerkollegen zu helfen.

»Wenn Sie die Güte hätten«, bat Charles Jarrott seinen Konkurrenten de Caters beim Gordon-Bennett-Rennen in Irland, »wenn Sie die Güte hätten, meiner Schwester auszurichten, daß ich wohlauf bin. Sie sitzt irgendwo auf der Tribüne.«

Jarrott war wegen eines Lenkungsdefektes von der Straße abgekommen, hatte sich überschlagen und dabei leicht verletzt. De Caters hatte den Vorfall beobachtet und sofort angehalten. Selbstverständlich suchte er die Schwester Jarrotts, um ihr die gute Nachricht zu überbringen. Er brachte sich damit zwar um jede Siegeschance, aber er konnte die junge Dame nicht im ungewissen über den Zustand ihres Bruders lassen.

»Ich werde fürs Fahren bezahlt und nicht fürs Parken.« Diese Bemerkung Niki Laudas, nachdem er an einem verunglückten Kollegen ohne anzuhalten vorbeigefahren war, wäre um die Jahrhundertwende unvorstellbar gewesen.

Viele der aristokratischen »Ritter der Landstraße« fuhren nur deshalb Rennen, weil sie sich ein Auto leisten konnten. Als die Bedienung der Wagen komplizierter wurde, das Fahrgestell immer leichter und die Motoren immer stärker, mußte ein Großteil dieser Fahrer passen.

Berufsfahrer wie etwa die Brüder Renault setzten sich langsam durch. Louis, der ältere, der wie Humphrey Bogart ausgesehen haben soll, war der Draufgänger der Familie. Er belastete seine Autos vom Start weg, schonte weder sich noch seine Maschinen und kam mit diesem Fahrstil fast nie ans Ziel. Sein Bruder Mar-

Graf Zborowski auf seinem Mercedes beim Start zum Turbie-Bergrennen 1903, bei dem er tödlich verunglückte.

cel war der besonnenste Fahrer seiner Zeit. Niemand konnte sich vorstellen, daß ihm je etwas passieren würde – bis er im Rennen Paris–Madrid zu Tode stürzte.

Die wenigen Aristokraten, die weiterhin mithielten, waren durchwegs ausgezeichnete Fahrer. Graf Eliot Zborowski, der vor seiner Rennfahrerkarriere ein berühmter Hindernisreiter gewesen war, galt als der Schrecken der Mechaniker. Wie Louis Renault war er ein Draufgänger; die Rennen, in denen er das Ziel erreichte, sind bequem an einer Hand abzuzählen, obwohl er von Rennen zu Rennen hastete. Bei der Fernfahrt Paris–Wien wurde er durch einen Fehler der Zeitnehmer um den Sieg betrogen. Die folgenden Rennen fuhr er noch riskanter, und beim Bergrennen von Le Turbie versuchte er mit allen Mitteln zu gewinnen. Er fuhr dabei einen Mercedes – und er fuhr zu schnell. »Mit unverminderter Geschwindigkeit«, erinnert sich ein Augenzeuge, der Reporter S. C. H. Davis, »fuhr der Graf auf eine Haarnadelkurve zu. Die Zuschauer bekreuzigten sich, aber umsonst. Der Graf prallte mit voller Wucht auf einen Felsen, wurde aus dem Auto geschleudert und starb auf der Stelle.«

Davis war aber auch der Meinung, daß Zborowski bei seinem Sturz keinen Fahrfehler begangen habe. »Ich glaube gesehen zu haben«, schrieb er, »und ich könnte es fast beschwören: Die Manschette des Grafen hatte sich am Gashebel festgehakt, deshalb die unverminderte Geschwindigkeit.« Das war eine plausible Erklärung, denn der Graf war der einzige Fahrer, der zum Rennen im Gesellschaftsanzug antrat. Alle anderen Fahrer trugen damals schon Overalls.

René de Knyff war weder ein besonders draufgängerischer noch ein besonders guter Fahrer. Er war das »Maskottchen« der Rennfahrergilde. Er kannte die besten Lokale in Frankreich und die besten Zigarrenläden. In wichtigen Rennen hat er nie gesiegt; wenn er das Ziel erreichte, was selten genug vorkam, dann nur unter »ferner liefen«. De Knyff fehlte das, was man heute »Timing« nennt. Vom Start weg fuhr er wie der Teufel und stand nach wenigen Kilometern schon mit seinem defekten Auto am Straßenrand, wo ihn mitleidige Kollegen bis zum nächsten Etappenziel mitnahmen. Seine Rennfahrerkollegen liebten ihn, denn seine kulinarischen Ratschläge waren wertvoll und seine Zigarren von der allerfeinsten Sorte.

Lemaître und Levassor verteilten keine Zigarren. Beide waren hervorragende Fahrer und Mechaniker, die bei Pannen auch mal selbst Hand anlegten, was bei ihren adeligen Kollegen undenkbar gewesen wäre.

Charron war ein berühmter Radrennfahrer gewesen, bevor er auf vier Räder umstieg. Auch als Autorennfahrer wurde er sehr erfolgreich. Er galt als der sensibelste unter den großen Rennfahrern seiner Zeit. Viele Rennen, in denen er aussichtslos zurücklag, gab er auf. Das galt damals als äußerst unsportlich – mit Würde verlieren zu können, war ein ungeschriebenes Gesetz. »Ach was, sensibel«, charakterisierte René de Knyff seinen Kollegen Charron einmal, »der ist sensibel wie ein Klodeckel. Der ist einfach empfindlich wie eine Mimose und kann keine Niederlage ertragen.«

De Knyff mußte es wissen. Er hatte Charron seinerzeit beim Rennen Paris–Bordeaux wieder einmal deprimiert am Straßenrand stehen sehen und ihn mit dem Hinweis zur Weiterfahrt überredet, er – de Knyff – habe in Bordeaux telegrafisch eine Fischsuppe bestellt, zu der er seinen Kollegen einlade. Daraufhin war Charron weitergefahren und hatte Bordeaux als einer der ersten erreicht. De Knyff aber kam nicht in Bordeaux an: Er hatte seinen Wagen wieder einmal zu Schrott gefahren.

Der Belgier Camille Jenatzky war das Idol aller Motorsportbegeisterten. Er galt als der reaktionsschnellste Fahrer und als hervorragender Mechaniker. Seinen Spitznamen »der rote Teufel« verdankte er seinem draufgängerischen Fahrstil, seinem feuerroten Haar und seinem sprichwörtlichen Glück. Beim ersten Ardennen-Rennen fuhr er mit voller Geschwindigkeit auf einen liegengebliebenen Wagen auf. »Minutenlang«, schrieb das »Petit Journal«, »war die Unglücksstelle in eine Staubwolke gehüllt. Als sich der Staub lichtete, sah man das ganze Ausmaß des Unglücks: Motor und Rahmenteile lagen im Umkreis von an die hundert Meter verstreut. Jenatzky selbst wurde von beherzten Bauern der Umgebung unter verbogenen Eisenteilen herausgezogen – das Gesicht zwar blutverschmiert, aber er praktisch unverletzt. Die Zuschauer sprachen von einem Wunder, daß der Meisterfahrer diesen Unfall überlebt hat.«

Mit einem Ochsenkarren ließ sich Jenatzky zum Etappenziel bringen und gab sofort seine Pläne bekannt: den Geschwindigkeitsweltrekord wollte er brechen. Den hielten bislang noch die Gebrüder de Chasseloup, der Marquis als Konstrukteur, sein Bruder Gaston als Fahrer. Auf einem schnurgeraden Straßenstück bei Achères, einige Kilometer von Paris entfernt, hatten die beiden den Weltrekord über einen Kilometer mit fliegendem Start auf 63,18 Stundenkilometer geschraubt, eine »beträchtliche Geschwindigkeit«, wie das Organ des ACF vornehm und anerkennend schrieb.

Diesen Weltrekord wollte Jenatzky brechen. Der ACF war für den Hochgeschwindigkeitszweikampf sofort mit einem Reglement zur Hand: spätestens einen Monat nach dem gültigen und anerkannten Rekord mußte der Herausforderer seinen Versuch fahren. Jenatzky ließ sich einen Spezialwagen konstruieren, der eher einem Zeppelin auf Rädern glich als einem Automobil. Angetrieben wurde die »Jenatzky-Zigarre«, wie die Franzosen den Wagen nannten, von einem Elektromotor, dessen Batterien nach dem Rennen leer waren. Die Chasseloups schickten ein Benzinfahrzeug namens »Jeantaud« ins Rennen. Am 19. Januar 1899 verbesserte der Belgier auf seiner »Zigarre« den Weltrekord auf 66,60 Stundenkilometer. Eine Stunde später antwortete Gaston Chasseloup mit 70,40 Stundenkilometer. Der enttäuschte Jenatzky forderte die Brüder sofort wieder heraus, und zehn Tage später traf man sich erneut bei Achères. Der belgische

Der »rote Teufel« Camille Jenatzky beim Katastrophenrennen Paris–Madrid im Jahre 1903.

Herausforderer mußte als erster ins Rennen und brachte es auf 80,40 Stundenkilometer: neuer Weltrekord.

Gaston Chasseloup kletterte siegessicher in seinen »Jeantaud«. In Testrennen war er schon wesentlich schneller gefahren, kein Zweifel für ihn: der Weltrekord würde in der Familie bleiben. Er fuhr tatsächlich schneller, aber nur 200 Meter weit, dann streikte sein Wagen. Neuer Weltrekordinhaber war Camille Jenatzky, der jedoch genau wußte, daß ihn die Brüder Chasseloup wieder herausfordern würden.

Am 4. März fand die Neuauflage des Duells statt, und Gaston Chasseloup holte sich den Rekord mit 92,7 Stundenkilometer zurück. Diesmal hatte Jenatzkys Auto gestreikt. Er mußte bis zum 1. April warten, bis man sich wiederum in Achères traf. Wie ein Besessener stob er davon, fuhr nach seinem Gefühl einen neuen Weltrekord und – wurde disqualifiziert. Was war geschehen? Der ungeduldige Jenatzky war losgefahren, ohne auf die Zeitnehmer zu achten. Die waren noch damit beschäftigt, ihre »Chronometer« aufzubauen, und konnten deshalb die Zeit für den Belgier nicht messen. Die Schiedsrichter des ACF billigten dem Herausforderer einen zweiten Versuch zu, aber dieser zeigte nur wütend auf seine

Batterien – sie waren leer. Von da an nannte Jenatzky sein Auto »Le Jamais Contente« – der ewig Unzufriedene.

Am 29. April 1899 kam Jenatzkys große Stunde: Mit 105,8 Stundenkilometer fuhr er einen aufsehenerregenden neuen Weltrekord. Die Gebrüder Chasseloup traten gar nicht erst an und gaben sich geschlagen. Jenatzky hatte sein Ziel erreicht. Er ist noch immer Weltrekordinhaber: Kein Auto mit Elektroantrieb ist bis heute schneller gefahren.

Rennen über die Grenzen
Gordon Bennett setzt aufs Auto

Autorennen wurden mit der Zeit weltweit beachtet. Man sprach in Moskau darüber wie in New York, in Rom und Madrid, dennoch aber blieben sie vorläufig eine rein französische Angelegenheit. Die Franzosen bauten die besten Autos, organisierten die Rennen »mit einer Perfektion, die man eher von den Deutschen erwarten würde oder den Engländern, nicht aber von den Franzosen«, wie Gordon Bennett meinte, der selbst einmal berühmte Rennen organisieren sollte.

Die Rennen führten – ähnlich wie heute die Rallyes – fröhlich übers Land, gingen über Straßen, auf denen bisher Pferdefuhrwerke das Schnellste gewesen waren, was einem begegnete, und auf denen Kinder bis dahin hatten gefahrlos spielen können. »Die französische Bevölkerung steht auf der Seite des Fortschritts«, formulierte Pierre Giffard einmal pathetisch, und solange nur Hunde überfahren wurden, konnten die Rennen ohne große Proteste durchgeführt werden. Sicher, es gab Unfälle, und es gab auch Proteste, aber ins Kreuzfeuer der Kritik gerieten die Rennen erst, als auf der Fernfahrt Paris–Roubaix die Frau des Abgeordneten Darracq angefahren wurde.

Der Innenminister schrieb an alle Präfekten der französischen Departements, daß Autorennen in Frankreich ab sofort verboten seien. Die französische Industrie und die Bevölkerung reagierten mit Protesten. Das Publikum wollte das Autospektakel nicht missen, und die Automobilhersteller waren der Meinung, »die gebrochenen Beine der Madame Darracq können nicht Anlaß sein, eine blühende Industrie zu ruinieren«, so bedauerlich der Unfall auch sei. Im übrigen sei Madame Darracq selbst schuld an ihrem Unglück, schließlich sei sie nicht gezwungen gewesen, dem Rennen in der Kurve zuzuschauen.

Die Industrie behielt das letzte Wort; bald nach dem Unfall wurden wieder Rennen durchgeführt, aber der alte Schwung war dahin. Die Fahrer wagten kaum noch, das Gaspedal richtig durchzutreten. Sieger wurden nicht die besten Autos und die besten Fahrer, sondern diejenigen, die die Gesundheit und das Leben der Zuschauer am gründlichsten mißachteten. Unter diesen Umständen verloren die Franzosen das Interesse an den Rennen.

Da holte der Automobile Club de France zum großen Schlag aus: Fernfahrten, das wäre doch was: Wenn die Ausländer nichts gegen Rennen in ihrem Land hätten, dann konnten auch die Franzosen nicht kleinlich sein, kalkulierten die adeligen Gründungsmitglieder des ACF, und sie kalkulierten richtig. 1901 wurde das Rennen Paris–Berlin ausgetragen, 1902 die Fernfahrt Paris–Innsbruck. Das Rennen Paris–Innsbruck wurde von Gordon Bennett organisiert, Besitzer, Herausgeber und Chefredakteur des »New York Herald«. Dieser Gordon Bennett hatte seine Zeitung nicht durch besonders erwähnenswerte journalistische Sorgfalt, sondern durch Reklamegags zum einflußreichsten Blatt der Ostküste gemacht. 1865 hatte er eine Polarexpedition finanziert, bei der das Schiff vom Packeis zerdrückt wurde. Zwei seiner Reporter waren dabei umgekommen, aber Bennett und sein Blatt wurden berühmt. Und Bennett war es auch, der den Journalisten H. M. Stanley im Auftrag des »New York Herald« 1889 nach Afrika auf die Suche nach Dr. Livingstone schickte. Nach zwei Jahren hatte Stanley den Forscher gefunden und ihn mit »Dr. Livingstone, wie ich vermute?« begrüßt. Die berühmte Begrüßungsfloskel stand einige Tage später exklusiv und als Schlagzeile im »New York Herald«.

Den größten Reklamecoup landete Bennett jedoch erst ein Jahr später, beim »Transatlantic Race«, der ersten Regatta, die von Europa nach Amerika führte. Seine »Dautless« landete zwar nur als vorletzte Yacht in New York, aber die Tatsache, daß Bennett von der ersten bis zur letzten Minute der Regatta seekrank in seiner Kabine gelegen hatte, machte ihn zu einer internationalen Berühmtheit.

Gordon Bennett haßte Autos. Niemals – nicht einmal zu Reklamezwecken – hat er ein Auto bestiegen, aber er erkannte, daß den pferdelosen Kutschen die Zukunft gehörte. Als er in Paris eine Europaausgabe des »New York Herald« herausbringen wollte, setzte das Reklamegenie Bennett auf das Auto: Er stiftete einen Pokal, der zum begehrtesten Preis in den ersten Jahren des 20. Jahrhunderts werden sollte. Er selbst nannte ihn den »Continental Cup«, seine Zeitungen schrieben vom »Cup International«, für die Rennfahrer und das Publikum war und blieb es der »Gordon-Bennett-Cup«. Die Trophäe stellte eine in Bronze gegossene Nachahmung eines Panhard-Rennwagens dar, in dem die Göttin der Geschwindigkeit am Steuer saß und auf dem Beifahrersitz – als Mechaniker – die Göttin des Sieges. Die Zeitungen schrieben über dieses Kunstwerk: »Sollte sie (die Trophäe) so begehrt werden, wie sie scheußlich ist, dann wird man über Monsieur Bennett noch lange sprechen.«

Der erste, der diesen Preis entgegennahm, war ein Australier namens Edge auf einem englischen Napier. Eine echte Sensation, denn daß ein anderer als ein Franzose mit einem französischen Auto gewinnen könne, schien damals ausgeschlossen. Das Reglement der Gordon-Bennett-Rennen schrieb vor, daß das nächste Rennen in dem Land stattzufinden habe, in dem das Siegerauto herge-

Das belgische Rennfahreridol Jenatzky siegte beim »Gordon-Bennett-Rennen« 1903 in Irland.

stellt worden war. So kam England zu seinem ersten »Grand Prix«. Als das bevorstehende Sportereignis im englischen Kabinett diskutiert wurde, legte sich der Innenminister quer. »Meine Herren«, sagte er, »solange ich in diesem Land etwas zu sagen habe, finden hier keine Autorennen statt. Wenn ich mir vorstelle, daß hier nur die Hälfte dessen passiert, was auf der Fernfahrt Paris–Madrid passiert ist, kann ich mir nicht denken, daß in England überhaupt jemals ein derartiges Rennen durchgeführt wird.«

Die Fernfahrt Paris–Madrid war – aus guten Gründen – der Alptraum aller Automobilclubs. Selbst der ACF hatte seinerzeit Bedenken gehabt, dieses Rennen durchzuführen. Aber der spanische König hatte größtes Interesse an einem Rennen in seinem Land gezeigt, und der Club wurde von der französischen Regierung, die seit dem Unfall der Madame Darracq Autorennen ablehnte, aus diplomatischen Gründen zur Durchführung dieser Fernfahrt gedrängt. Marcel Renault und sein Bruder Louis, der populärste Rennfahrer Frankreichs, warnten: Die Autos seien zu leicht für die starken Maschinen, Fahrer und Zuschauer würden stark gefährdet. Es ging sogar das Gerücht um, Marcel Renault habe in seiner Firma einen Streik provoziert, um zu verhindern, daß sein Auto rechtzeitig fertig würde. Aber am Morgen des Rennens stand der Wagen fahrbereit am Start. Er habe, schrieben die Zeitungen, mit seinem vollen schwarzen Bart und seiner Jagdmütze eine auffallend düstere Figur abgegeben.

Favorit der Fernfahrt Paris–Madrid war Charles Jarrott auf einem de Dietrich. Madame de Dietrich, Besitzerin einer kleinen, aber feinen Autofirma, war die erste Frau, die an einem Autorennen teilnahm. Sie habe, schrieb Giffard im »Petit Journal«, in ihrem enggeschnürten Korsett sehr attraktiv ausgesehen, »die Zweckmäßigkeit dieser Rennkleidung wage ich allerdings, bei allem Respekt und der für diese mutige Frau notwendigen Hochachtung, anzuzweifeln«.

Der Start war ein einziges Volksfest: Ein Hund mit einer Rennfahrerbrille – Maskottchen eines englischen Rennfahrers – wurde bestaunt, ebenso wie die geschnürte Taille der Madame de Dietrich. Die »Gesellschaft für gesunde Getränke« bot heiße Bouillon an, ganz Versailles war zugeparkt mit Pferdekutschen, Lastwagen und Rennautos. Im Fahrerlager waren die Pneus turmhoch aufgestapelt. Gegen zwei Uhr erschien eine Militärkapelle, um die Marseillaise zu spielen, als Startschuß sozusagen, konnte sich aber gegen den Autolärm nicht durchsetzen. Nach ein paar Takten brach der Dirigent die Darbietung ab, ohne daß jemand bemerkt hätte, daß überhaupt gespielt worden war. Marcel Renault hastete geschäftig durchs Gewühl, sein Bruder Louis hockte düster und mit schlimmen Vorahnungen auf seinem Trittbrett.

Um drei Uhr morgens startete Jarrott auf seinem de Dietrich. »Die Hauptschwierigkeit«, schrieb später Cecil Bianchi, Jarrotts Beifahrer und Mechaniker, »die Hauptschwierigkeit war die Zuschauermenge, die die hohen Geschwindigkeiten nicht als gefährlich erkannte. Nach dem Start ging es erst einmal 4 Kilometer geradeaus, die Straße war schwarz vor Menschen. Als wir starteten, sahen wir, wie sich die Menge langsam teilte, die einen schoben sich langsam nach links, die anderen langsam nach rechts. Es war unheimlich, in diese Menschenmenge hineinfahren zu müssen. Es standen zwar einige Polizisten an der Wegstrecke, aber viel zu wenige, um die begeisterte Zuschauermenge im Zaum zu halten. Erst wenn wir schon herangebraust kamen, bequemten sich die Menschen, ihre Kinder von der Straße zu zerren und ihre Hunde herbeizupfeifen.«

Kurz nach dem Start kam es zum ersten Zwischenfall. Ein Bauer, dessen Kind beinahe überfahren worden wäre, warf einen Stein nach dem nächstbesten Rennauto und traf den Fahrer. Der Stein zerschlug die Schutzbrille von Marcel Renault, der Staub entzündete seine Augen. Halbblind fuhr er weiter, überholte einen Konkurrenten, Leon Théry, an einer engen Stelle und fuhr mit den linken Rädern in einen Wassergraben. Der Wagen überschlug sich ein paarmal. Der Mechaniker wurde herausgeschleudert und landete unverletzt im Gras. Marcel Renault hatte sich am Lenkrad festgeklammert und war von seinem Auto begraben worden. Mehrere Zuschauer zerrten ihn unter dem Wrack hervor und brachten ihn ins Schulhaus. Dort starb er einige Stunden später.

Fast an derselben Stelle, an der Marcel Renault verunglückt war, wollte der Rennfahrer Stead seinen Konkurrenten Salleron überholen. Die beiden Wagen berührten einander, Steads Wagen wurde abgedrängt und überschlug sich.

Schwerverletzt wurde der Fahrer von Madame de Dietrich und ihrem Mechaniker befreit. Für Steads Beifahrer kam jede Hilfe zu spät.

Leslie Porter bremste vor einem geschlossenen Bahnübergang, kam ins Schleudern und prallte gegen das Bahnwärterhäuschen. Porter wurde schwer verletzt, sein Mechaniker starb an der Unfallstelle.

Tourant fuhr in die Zuschauermenge, als er einem kleinen Mädchen auszuweichen versuchte, das sich von seinen Eltern losgerissen hatte. Ein Zuschauer und ein Streckenposten starben.

Als diese Serie von Unglücksfällen in Paris bekannt wurde, stoppte man das Rennen sofort. Die spanischen Behörden ließen vorsichtshalber die Schlagbäume ihrer Grenzstationen herab. Diese »Mörderkarawane« wollten sie nicht in ihrem Land, so groß die Rennsportbegeisterung ihres Königs auch war.

Am Ende durften die Rennautos nicht einmal mit eigener Kraft nach Paris zurückfahren. Mit Pferdefuhrwerken wurden sie zum Bahnhof in Bordeaux geschleppt und von dort im Zug zurücktransportiert.

Solche Zustände wollten die Engländer auf ihren Straßen nicht. Aber Edge hatte das vorjährige Gordon-Bennett-Rennen auf einem englischen Wagen gewonnen, das Reglement hatte den Schwarzen Peter den Engländern zugespielt, und irgendwo – das erkannte das Kabinett Ihrer Majestät von England ganz klar –, irgendwo war es ja auch eine Ehre für das Vaterland. Gordon Bennett war es, der den Politikern schließlich aus dem Dilemma half. »Wie wär's«, schlug er einem eigens für dieses Problem geschaffenen Unterhausausschuß vor, »wie wäre es mit einer Rundstrecke? Eine Rundstrecke ist leicht abzustecken und für die Zuschauer ist es viel interessanter, die Rundrennen zu verfolgen, weil die Automobile nicht nur einmal, sondern mehrere Male an ihnen vorbeifahren. Verstehen Sie, meine Herren?«

Die Herren verstanden nicht. Autorennen waren für sie Fernfahrten. Was faselte der von Rundstrecken!

»Denken Sie doch an Ascot, meine Herren«, präzisierte Bennett, »dort laufen die Pferde doch auch im Kreis.« Er machte die entsprechende Handbewegung, und jetzt verstanden ihn die hohen Herren. Ein Rundstreckenrennen, aber natürlich, gute Idee. Nur, in England darf das Rennen nicht stattfinden. Der Herr Innenminister ist gegen jedes Autorennen, ob Fernfahrt oder Rundstrecke. Aber England ist nicht Großbritannien, und so überredeten die Mitglieder des Ausschusses den Innenminister, ein Rennen in Irland zu genehmigen.

Am Old Kulcullen geht's rund
Irland feiert Jenatzky

Die Fahrer und die Automobilhersteller waren nicht gerade begeistert. Irland lag schon etwas weit vom Schuß, man mußte die Wagen zweimal auf Schiffe verladen, und überhaupt – ob dort genügend Zuschauer kommen würden? Von der Vorstellung eines Rundstreckenrennens aber waren alle begeistert. Und Zuschauer sollten auch genügend kommen, doch das war nicht vorauszusehen.

Es sollte das größte Spektakel der noch jungen Automobilgeschichte werden. Favoriten waren der Vorjahressieger Edge auf Napier, Jenatzky auf Mercedes und Jarrott auf einem zweiten Napier. René de Knyff mit Panhard wurden Außenseiterchancen eingeräumt ebenso wie de Caters auf einem zweiten Mercedes.

Die meisten Iren hatten noch nie ein Auto gesehen, aber sofort brach ihre Wettleidenschaft durch. Sehr hoch wurde auf die Wintons aus den USA gewettet. Nicht, weil sie besonders schnell oder zuverlässig gewesen wären – das konnten die Iren damals nicht beurteilen. Aber der Besitzer des Winton-Fuhrparks hatte seine Wagen knallrot anstreichen lassen, und das gefiel den Iren. Die Mercedes-Modelle waren weiß, die Panhard-Wagen hellblau. Am höchsten wurde von den Dubliner Buchmachern Jenatzky auf seinem Mercedes notiert. Die 80-PS-Wundermaschine aus Cannstatt schien unschlagbar. Und dann die Hiobsbotschaft: Mercedes wird nicht starten! Warum nicht?

Am Morgen des 10. Juni 1903 war die gesamte Fabrikanlage in Stuttgart-Bad Cannstatt in Flammen aufgegangen. Die drei Rennwagen für das Gordon-Bennett-Rennen, die transportbereit in einer Lagerhalle gestanden hatten, waren nur noch verbogene und verschmorte Eisenteile. Wilhelm Maybach reagierte schnell. Er stellte seinen eigenen 60-PS-Tourenwagen zur Verfügung und schickte ein Telegramm an Mister Dinsmore, New York: »Dürfen wir Ihre Wagen, die auf dem Bahnhof Stuttgart zum Versand an Sie bereitstehen, für das Rennen benutzen?« Dinsmore kabelte sofort zurück, es sei ihm eine Ehre, dem berühmten Ingenieur Maybach und der Firma Daimler zu Diensten sein zu dürfen.

Während die eine Hälfte der Daimler-Arbeiter darangehen, das Werk neu aufzubauen, macht die andere Hälfte in Tag- und Nachtschicht aus den Tourenwagen Rennautos. Was keiner für möglich gehalten hat: Die Cannstatter schaffen es, alle drei Motoren umzufrisieren, und die irischen Buchmacher bekommen wieder Arbeit. Niemand hält es für wahrscheinlich, daß die in aller Eile umgearbeiteten Autos das Rennen durchhalten können. Nun gilt Edge als der große Favorit. Dann neue Aufregung: Die Mercedes-Wagen dürfen doch nicht starten, weil sie mit belgischen Pneus ausgerüstet sind. Das ist gegen das Reglement. Deutsche Reifen müssen aufgezogen werden, sonst wird das gesamte Team disqualifiziert. Doch die Cannstatter lösen auch dieses Problem und schicken ihre Autos mit nagelneuen Continental-Pneus an den Start.

Am Tag des Rennens steht Dublin Kopf. Halb Irland wandert hinaus in die Grafschaft Kildare, wo der Old-Kilcullen-Rundkurs abgesteckt ist. Die Zuschauer trauen ihren Augen nicht: Die Kurven am Start und am Ziel sind geteert. So was hatte man bisher noch nicht gesehen. Die Polizei hat alle Hände voll zu tun, um die Zuschauer von der Rennstrecke zu vertreiben. Am Startplatz ist eine sozialistische Abordnung erschienen, um gegen das Rennen auf irischem Boden zu protestieren; die Teilnehmer sind der Meinung, angesichts der Armut und der Not in ihrem Land hätten die Iren andere Sorgen, als solche Rennen auszurichten. Schon recht, meinen die Zuschauer, aber ein bißchen Abwechslung im tristen Alltag könne nichts schaden.

Die Buchmacher bekommen noch einmal Arbeit, als bekannt wird, daß die französischen Panhard-Wagen 20 PS mehr unter der Haube haben als die Mercedes und die Napiers. Die Wettquoten verschieben sich zugunsten von Panhard. Selbst die Wintons des Amerikaners Dinsmore ziehen an Mercedes vorbei, jedenfalls auf den Tafeln der Buchmacher. Den Napiers trauen die Iren rein gar nichts zu. Was kann aus England schon Gutes kommen, denken sie. Daß das Rennen überhaupt am Old Kilcullen stattfindet, weil Edge auf Napier das Vorjahresrennen gewonnen hat, interessiert sie nicht. Wenn ein Engländer irgend etwas gewinnt, ist das für die Iren Zufall. Oder Schiebung.

Unmittelbar vor dem Start erneut Tumult im Fahrerlager: Die Panhards sind 14 Kilogramm zu schwer. 1 000 Kilogramm sind als Höchstgewicht für Rennwagen festgelegt worden. René de Knyff tobt und vermutet Sabotage. Er verlangt, daß sein Auto unter seiner Aufsicht nachgewogen wird. Aber die Eichwaage steht mitten in Dublin; es ist zu spät für eine Nachkontrolle. Der wutschnaubende de Knyff montiert in aller Eile unnötige Stahlteile von seinem Wagen ab.

Punkt sieben Uhr senkt sich die Startflagge, und der erste Fahrer, der Vorjahressieger Edge, braust davon. In Abständen von jeweils sieben Minuten folgen: René de Knyff, auf den eigentlich Winton in einem Eigenbau folgen sollte. Der Wagen steht am Start, aber Winton selbst ist verschwunden. Für ihn fährt Owen eben sieben Minuten früher als geplant. Danach – das Publikum jubelt auf – Jenatzky auf Maybachs schneeweißem Mercedes. Er wird zwar nicht gewinnen, da sind sich die Zuschauer sicher, aber er hat rotes Haar, und mit rotem Haar hat man auf der grünen Insel von vornherein einen Bonus. Hinter Jenatzky kommt Jarrott auf Napier, dann der Franzose Gabrielle, der Amerikaner Mooers, de Caters auf Mercedes und als letzter – im dritten Mercedes – Foxhall-Keene. Einsam und verloren steht der Winton an der Ziellinie, vom Fahrer keine Spur.

Da – unter dem Auto bewegt sich etwas. Die Zuschauer recken die Köpfe und sehen den verschwundenen Winton, bis zur Unkenntlichkeit mit Öl verschmiert, unter dem Wagen hervorkriechen. Sein Motor war beim Starten nicht angesprungen, und Winton war deshalb unter seinem »Bullit« – die Gewehrkugel – verschwunden, um die Ölwanne anzuschrauben. Niemand hatte das im Starttrubel bemerkt. Jetzt wirft der Amerikaner seinen Motor an und braust unter dem Jubel des Publikums dem Feld hinterher.

Sein Landsmann Mooers hat schon nach wenigen 100 Metern Pech. Beim Übergang von der geteerten Fahrbahn auf die mit Schotter belegte Strecke verliert sein »Peerless« ein Hinterrad. Und auch Alexander Winton schafft die erste Runde nicht. Bei »Simon's Corner« schleudert er, kommt von der Straße ab und fährt in einen Zaun. Bei Winton bricht das Schlüsselbein, bei seinem Wagen die Hinterachse.

Die beiden Amerikaner sind nicht die einzigen Pechvögel. Jarrott fährt eine Kurve zu schnell an, kommt von der Straße ab und rast einen steinigen Abhang hinab. Am Fuß des Hügels bricht sein Wagen auseinander. Jarrotts Mechaniker war rechtzeitig abgesprungen, aber wo war Jarrott? Der kriecht unverletzt unter dem Wrack hervor, das noch vor wenigen Minuten unter dem Namen »Napier« die Hoffnung der Engländer gewesen war.

René de Knyff hat Glück im Unglück. Sein Panhard touchiert einen Zaun, wird wieder auf die Fahrbahn zurückgeschleudert, dreht sich um die eigene Achse und – fährt weiter. Am gleichen Zaun landet Stocks mit seinem Napier, allerdings frontal. Stocks landet unverletzt im Gras. Maybachs Mercedes fährt wie ein Uhrwerk. Meter um Meter schiebt sich Jenatzky an die vor ihm gestarteten Edge und de Knyff heran. Schon sieht er den blauen Panhard vor sich und setzt zum Überholen an. De Knyff holt das Letzte aus seinem Auto heraus, aber aller Druck auf

Ein 150 PS starker Mercedes beim Großen Preis der Vereinigten Staaten im Jahre 1910.

das Gaspedal nützt nichts: Jenatzky zieht an ihm vorbei, bremst ab, kommt ins Schleudern und fährt in einen Straßengraben. Hinter ihm tritt de Knyff das Bremspedal voll durch, um nicht auf seinen Konkurrenten aufzufahren. Was war geschehen?

Die beiden hatten bei ihrem Überholvorgang nicht auf die Streckenführung geachtet und waren auf einer Nebenstraße gelandet. De Knyffs Panhard dreht sich, so kann der Franzose ohne zeitraubendes Manövrieren auf die Rennstrecke zurückfahren. Der fluchende Jenatzky verliert kostbare Zeit, bis er – mit seinem Beifahrer – den Mercedes aus dem Straßengraben herausgewuchtet hat. Dann braucht er noch einige Minuten, um auf dem engen Feldweg zu wenden, denn die Rennwagen hatten damals noch keinen Rückwärtsgang. Erst nach ungefähr zehn Minuten kann Jenatzky die Verfolgung wieder aufnehmen. Kaum ist er auf dem Old-Kilcullen-Kurs gelandet, fängt es zu gießen an. Hätte der Regen etwas früher eingesetzt, wäre es Jenatzky nie und nimmer gelungen, seinen Wagen aus dem Graben zu schieben, der in der Zwischenzeit zu einem kleinen Bach angewachsen war.

Wieder holt er Meter um Meter auf. Nach 6 Stunden und 39 Minuten fährt de Knyff über die Ziellinie, bremst ab und wartet auf Jenatzky. 14 Minuten war er vor dem Belgier gestartet, 14 Minuten muß er um den Sieg bangen. Aber Jenatzky erlöst ihn bald von der Ungewißheit: 9 Minuten nach de Knyff rast er über die Ziellinie. Die Iren werfen ihre Mützen in die Luft. Ihr Liebling, der »rote Teufel«, hat das Rennen gewonnen. Wer auf ihn gesetzt hatte, erzielte unglaubliche Quoten.

Jenatzky selbst war nach 592 Kilometer völlig erschöpft. Mit einem Stundenmittel von 89,2 Kilometer hatte er eine unglaubliche Durchschnittsgeschwindigkeit erzielt. (Edge war im Jahr zuvor im Schnitt 57 Stundenkilometer gefahren.) René de Knyff war Zweiter geworden. Edge fuhr lange nach Rennschluß ins Ziel und kam nicht in die Wertung.

Das erste Rundstreckenrennen der Automobilgeschichte war beendet. Der Name Jenatzky ging durch die Weltpresse, und noch heute weiß jedes Kind in Belgien, wer dieser Mann war.

1862 Nikolaus August Otto baut eine Viertaktgasmaschine, aus der sich 1877 der nach ihm benannte Viertaktmotor entwickelt.

1863 Jan Joseph Etienne Lenoir, der 1860 die nach ihm benannte Gasmaschine mit elektrischer Zündung erfunden hat, macht mit einem Fahrzeug, das von dieser Gasmaschine angetrieben wird, eine erste und letzte Fahrt. Die Lenoirsche Gasmaschine erweist sich dabei als grundsätzlich untauglich für den Einbau und Antrieb von Fahrzeugen.

1864 Siegfried Marcus in Wien konstruiert einen nach dem Prinzip der atmosphärischen Maschine arbeitenden Benzinmotor. Es ist der erste Benzinmotor der Welt. Marcus baut ihn in einen Wagen ein, der aber nicht zum Laufen kommt.

1865 Das britische Parlament beschließt die »Locomotive Acts«, auch »Flag Act« genannt, die erst 1895 wieder aufgehoben werden. Sie verhindern die Entwicklung des Automobils in England.

1872 In Köln-Deutz wird mit einem Stammkapital von 300 000 Taler die Gasmotorenfabrik Deutz gegründet. Direktoren sind die Gebrüder Langen und Nikolaus August Otto. Technischer Leiter wird Gottlieb Daimler, sein erster und engster Mitarbeiter ist Wilhelm Maybach.

1873 Amadée Bollée, der bereits einige Erfolge mit dampfgetriebenen Straßenfahrzeugen erzielt hat, baut den Dampfomnibus »L'Obéissante«, der 5 Tonnen wiegt und eine Spitzengeschwindigkeit von 40 km/h erreicht.

1877 Die im Viertakt arbeitende, direkt wirkende Maschine der Gasmotorenfabrik Deutz wird patentiert und erregt auf der Pariser Weltausstellung großes Aufsehen.

Gleichzeitig entwickelt Otto gemeinsam mit Daimler und Maybach aus Vorschlägen von Werner von Siemens, Direktor der Firma Siemens & Halske in Berlin, eine elektromagnetische Abreißzündung.

1878   Die Dampfwagentypen »L'Obéissante« und die daraus weiterentwickelte »Mancelle« der Firma Amadée Bollée in Le Mans sind die einzigen Wagen mit mechanischem Antrieb auf der Weltausstellung in Paris. Die »Mancelle« bietet Platz für 16 Personen, erreicht z. T. Durchschnittsgeschwindigkeiten von 42 km/h und bewährt sich in mehr als 50 Probefahrten.

1879   In der Silvesternacht läuft in der »Mechanischen Werkstätte« von Carl Benz in Mannheim zum erstenmal ein Gasmotor.

1882   Gottlieb Daimler und Wilhelm Maybach scheiden gemeinsam aus der Gasmotorenfabrik Deutz aus. Daimler gründet mit Maybach eine eigene Werkstatt in Cannstatt bei Stuttgart.
Carl Benz gründet mit einigen Geldgebern die »Gasmotorenfabrik Mannheim AG«, aus der er jedoch schon nach wenigen Monaten wieder ausscheidet, um in seine eigene kleine Werkstatt zurückzukehren.

1883   Daimler probiert die freie Glührohrzündung an einem liegenden Einzylindermotor von zirka 250 cm^3.
Benz gründet die Firma »Benz & Cie, Rheinische Gasmotorenfabrik in Mannheim«.
Gründung der Firma de Dion-Bouton in Frankreich.

1885   Daimler macht mit einem Motorzweirad erste Fahrversuche. Benz macht gleichzeitig Probefahrten mit einem Dreiradwagen.

1886   Das Reichsgericht hebt die Patentansprüche von N. A. Otto auf seinen Viertaktmotor auf. Damit werden der Otto-Motor und seine Wirkungsweise der allgemeinen Nutzung freigegeben.
Carl Benz erhält ein Reichspatent auf seinen »Selbstfahrer«.
Daimler und Maybach experimentieren mit ihrem ersten vierrädrigen Motorwagen. Gleichzeitig macht das erste Daimler-Motorboot auf dem Neckar Probefahrten, die erfolgversprechend verlaufen.
Robert Bosch gründet in Stuttgart seine »Werkstätte für Feinmechanik und Elektrotechnik Robert Bosch«.
Erste Versuche von de Dion-Bouton mit einem dampfgetriebenen Dreirad.

1887   Carl Benz zeigt auf dem Rhein sein erstes Motorboot. In seine neue Kraft-
wagenkonstruktion baut er erstmals ein Planetengetriebe ein.
Daimler führt am 4. März sein erstes Automobil mit eigener Motorkraft
vor und beginnt gleichzeitig mit dem serienmäßigen Bau von Verbrennungsmotoren. Eine mit einem Daimler-Motor ausgerüstete Straßenbahn
wird versuchsweise in Stuttgart in Betrieb genommen.
Robert Bosch entwickelt nach dem Vorbild des niedergespannten Ma-
gnetapparates der Gasmotorenfabrik Deutz eine neuartige Zündvorrichtung und führt sie auch Daimler und Maybach vor.

1888   Frau Benz fährt mit ihren beiden Söhnen auf dem Kraftwagen ihres Mannes von Mannheim nach Pforzheim und zurück. Es ist die erste Langstrek-
kenfahrt, die jemals von einem Kraftfahrzeug bewältigt wurde.
Carl Benz erhält auf der Gewerbe- und Industrieausstellung in München
für seinen Kraftwagen die Goldene Medaille. Benz läßt durch M. Roger
seine patentierten Errungenschaften in Frankreich auswerten.
John Boyd Dunlop führt den Luftreifen für Fahrräder ein und erhält darauf Patente.

1889   Gottlieb Daimler erhält Patent Nr. 50 839 auf seinen V-Motor. Der Anwalt Sarazin tritt in die Dienste von Panhard-Levassor und bringt die
Auswertungsrechte der Daimler-Patente für Frankreich mit ein. Nach Sa-
razins Tod bleiben die Verwertungsrechte bei seiner Witwe, die dann Levassor heiratet. So bleibt Panhard-Levassor die Nutzung des Daimler-
Motors und kann mit der ersten, auf Verkauf ausgerichteten Produktion
von Kraftfahrzeugen beginnen.
Auf der Weltausstellung in Paris werden ein Daimler-Vierradwagen (der
berühmte »Stahlradwagen« – eine Maybach-Konstruktion) zusammen
mit zwei Daimler-Motorbooten ausgestellt.
Emile Roger präsentiert gleichzeitig einen Benz-Kraftwagen.

1890   Friedrich von Fischer und Julius Ganß treten als Gesellschafter in die
Firma »Benz & Cie, Rheinische Motorenfabrik« ein, die nun hauptsäch-
lich mit dem Bau von Kraftwagen beginnt.
Die »Daimler-Motorengesellschaft« in Cannstatt wird mit einem Aktien-
kapital von 600 000 Mark gegründet.
Die »Société le Fils de Peugeot Frères« in Beaulieu erwirbt von Mme. Sarazin-Levassor Daimler-Lizenzen und beginnt ebenfalls mit der Fabrikation von Motorwagen.
Dunlop überträgt den von ihm erfundenen Luftreifen nun auf Motorfahrzeuge und führt seine Erfindung auch in Deutschland ein.

1891 Anläßlich des Radrennens Paris–Brest fährt ein Vierradwagen von Peugeot mit einem von Panhard-Levassor gebauten Daimler-V-Motor die Rennstrecke ab.

1893 Das Benz-Veloziped kommt mit einem 1½ PS starken Motor auf den Markt. Es ist der erste billige Kleinwagen (2 000 Mark) und findet reißenden Absatz.
Kraftwagen und Motoren von Benz und Daimler werden auf der Weltausstellung in Chikago gezeigt und beinflussen in starkem Maße die amerikanische Automobilentwicklung.
Daimler und Maybach entwickeln den Spritzdüsenvergaser, das Urbild des heutigen Vergasers. Außerdem verwenden sie zum ersten Mal Kugellager bei der Kraftfahrzeugkonstruktion.
Dion-Bouton führt die Kraftübertragung durch Kardan ein.
Diesel schließt mit den Firmen »Aktiengesellschaft Maschinenfabrik Augsburg« und Krupp einen Vertrag, der ihm die Einrichtung eines Versuchslaboratoriums ermöglicht, um an seiner spezifischen Motorkonstruktion weiterzuarbeiten.

1894 Pierre Giffard, Chefredakteur des »Petit Journal«, organisiert und veranstaltet das erste Automobilrennen der Welt von Paris nach Rouen. Die mit Daimler-Lizenzmotoren ausgerüsteten und in Frankreich von Panhard-Levassor und von Peugeot gebauten Kraftwagen siegen überlegen. Auch ein in Deutschland gebauter Benz-Wagen mit Emile Roger am Steuer nimmt erfolgreich teil. Desgleichen ein Dampfwagen mit dem Grafen de Dion sowie andere gas-, elektrisch- und halbmechanisch angetriebene Kraftfahrzeuge.
In Augsburg macht der erste Dieselmotor erfolgreiche Probeläufe.
Baron Liebig fährt mit einem Benz-Wagen von Reichenberg in Böhmen über Mannheim bis Reims.

1895 Carl Benz beginnt mit dem Bau von Spezialmotorfahrzeugen: Lieferwagen und Hotelomnibusse.
Auf der Fernfahrt Paris–Bordeaux–Paris (1 192 km) belegen Panhard-Levassor sowie Peugeot, beide wieder mit Daimler-Lizenzmotoren, die ersten vier Plätze. Fünfter wird ein 4-PS-Benz.

1896 Die »Daimler Motorengesellschaft« baut erstmalig Wagen mit vorne liegendem Motor und dem sogenannten Bienenkorbkühler. In England wird die »Daimler-Motor-Co. Ltd.« gegründet.

August Horch tritt als Betriebsleiter in die Firma »Benz & Cie« in Mannheim ein.

Die Firma Bosch stellt den 1 000. Magnetzünder her, der vornehmlich noch in stationäre Maschinen eingebaut wird.

In Frankreich bauen Dion-Bouton die ersten Motordreiräder.

Roger & Schneider bauen in Lyon die ersten eigenen Wagen nach Lizenzen von Benz. Sie haben außerdem die Generalvertretung von Benz in Frankreich.

Paul Meyan gründet die erste wöchentlich erscheinende Automobilzeitschrift: »La France automobile«.

Verschiedene Rennen in Frankreich wie etwa die große Fernfahrt Paris–Marseille, während der Paul Levassor einen Unfall erleidet, an dessen Folgen er ein Jahr später stirbt.

1897   Benz baut einen Zweizylinder-Contramotor in den erstmals mit Luftbereifung ausgerüsteten »Comfortable« ein. Seit ihrem Bestehen hat die Firma Benz bereits 1 000 Wagen hergestellt.

Auf der ersten »Autorevue« in Deutschland, veranstaltet vom neugegründeten deutschen »Mitteleuropäischen Motorwagenverein«, sind drei Automobilfirmen vertreten: Benz, Daimler und Lutzmann. Bei der Prüfungsfahrt schneidet überraschenderweise Lutzmann am besten ab.

Opel als Mitbegründer des »Mitteleuropäischen Motorwagenvereins« nimmt Lutzmann in seine Firma auf, um ab sofort in Rüsselsheim ebenfalls mit der Produktion von Kraftfahrzeugen zu beginnen. Der Engländer Simms, der schon mit Daimler in geschäftliche Verbindung getreten ist, gibt Robert Bosch den Auftrag, in ein mit einem (inzwischen neuentwickelten) Dion-Bouton-Motor ausgerüstetes Dreirad eine Magnetzündung einzubauen. Diese Anlage wird die Grundlage der späteren Boschzündung für Kraftfahrzeuge aller Art.

Der verbesserte Dieselmotor wird der Öffentlichkeit vorgestellt.

Panhard & Levassor wandelt sich in eine Aktiengesellschaft um.

Unter dem Kommando des Generals Négrier nimmt in einem 200-km-Versuch eine Gruppe von Automobilen an den großen Manövern der französischen Wehrmacht teil.

Die Zeitschrift »L'Echo de Paris« veranstaltet in Longchamps den ersten Wettbewerb für weibliche Autofahrer (»chauffeuses«). Erste »Schönheitskonkurrenzen« für die äußere Gestaltung (Karosserie, Ausstattung) von Automobilen in Frankreich.

1898   Carl Benz führt die Achsschenkellenkung ein.

Nach Fertigstellung des 100 000. Adler-Fahrrades nehmen die »Adler-

Werke« in Frankfurt am Main die Kraftfahrzeugproduktion in ihr Programm auf: ein Dreirad mit einem Einzylinder-Dion-Bouton-Motor.

Auf der Kollektivausstellung in München laufen je ein 20-PS-Diesel-Einzylindermotor der »Maschinenfabrik Augsburg« und der »Maschinenfabrik Nürnberg«, die sich anschließend zur »Maschinenfabrik Augsburg-Nürnberg« (M.A.N.) fusionieren.

Robert Bosch überträgt Frederic Richard Simms, u. a. Aufsichtsratsmitglied der Daimler-Motorengesellschaft, die Alleinvertretung seiner elektromagnetischen Zündung für England.

Der »Automobile Club of Great Britain and Ireland« wird gegründet.

De Dion baut zum ersten Mal Fahrzeugteile aus dem (leichteren) Aluminium in seine Produkte ein.

Der Automobilclub von Frankreich veranstaltet die ersten »Salons de l'automobile«, die großen Anklang beim breiten Publikum finden.

Verschiedene internationale Rennen und Langstreckenfahrten mit großer Beteiligung und über Ländergrenzen hinweg.

Neben zahlreichen anderen Firmenneugründungen nehmen auch die Brüder Renault den Kraftwagenbau industriell und serienmäßig auf, in dem sie de-Dion-Motoren verwenden.

1899   Die Daimler-Werke (Maybach!) beginnen auf Anregung des österreichischen Finanzmannes und Daimler-Vertreters Jellinek mit der Entwicklung eines völlig neuen Wagentyps (mit Boschzündung), der das beste Auto seiner Zeit wird und nach der Tochter Jellineks auf den Namen »Mercedes« getauft wird.

August Horch, ein hervorragender Konstrukteur, verläßt die Benz-Werke und macht sich in Köln-Ehrenfeld selbständig. Die Firma Opel in Rüsselsheim baut gemeinsam den ersten, von Lutzmann inspirierten »Opel-Patent-Motorwagen«.

Robert Bosch gründet mit dem Engländer Simms die »Automatic Magneto Electro Ignition Company« zur Auswertung des französischen und des belgischen Marktes.

In Italien werden die »Fiat-Werke« (Fiat: Fabrica Italiana Automobili Torino) in Turin gegründet. Kurz darauf folgen Isotta-Fraschini in Mailand und »Italy«.

In Frankreich wird die »Société Renault Frères« in Paris gegründet. Sie baut ihre Kraftwagen zunächst nach Lizenzen von de Dion-Bouton.

Verschiedene Werke und Fahrer schrauben den Geschwindigkeitsrekord immer höher. Jenatzy erreicht 80,5 km/h, bald darauf Chasseloup-Laubat 105,850 km/h. Ein Panhard-Levassor erreicht über 2 000 km einen Stundendurchschnitt von 48,5 km.

In Frankreich werden die ersten Gesetze zur Verkehrsregelung, z. B. Rechtsfahren und Geschwindigkeitsbegrenzungen in Ortschaften, erlassen.

In Frankreich steigt die Nachfrage nach Automobilen derart, daß Panhard-Levassor Lieferzeiten bis zu 20 Monaten hat. Dadurch wird die Konkurrenz interessant, werden Neugründungen ermuntert. Die französische Automobilindustrie erzielt in diesem Jahr einen Exporterlös von 4,2 Millionen Goldfranken.

Neben dem Pionier F. W. Lanchester, der englischen Daimler-Niederlassung und französischen und belgischen Importen entwickelt sich nun in England allmählich ein eigenständiges Interesse an der Automobilindustrie. Gemeinsam mit dem bekannten Radrennfahrer Selwyn Francis Edge beginnt der Aristokrat Montague Stanley Napier mit einer rein britischen Kraftfahrzeugkonstruktion. Als Vorbild benutzen sie einen Panhard No 8, den sie für 30 000 Goldfranken gekauft haben.

Neben anderen englischen Industriellen und Motorsportfanatikern tut sich besonders Charles Stewart Rolls, der jüngste Sohn von Lord Llangattock, mit einer umfassenden »Privatsammlung« kontinentaler Automobile hervor, gründet zunächst eine Importfirma für diese Erzeugnisse und assoziiert sich später mit Royce, um die weltberühmte Automobilfabrik Rolls-Royce zu gründen.

1900 Am 6. März stirbt Gottlieb Daimler. Sein Sohn und Maybach übernehmen die Firmenleitung.

Das Preußische Kriegsministerium erteilt Daimler den ersten Auftrag über acht Lastwagen als Truppentransporter.

Der erste komplette Horch-Wagen mit vorneliegendem Motor erscheint auf dem Markt. Der Motor hat bereits eine Andrehkurbel und Spritzdüsenvergaser. Die Konstruktion des stoßfreien Motors wird patentiert.

Die Brüder Opel trennen sich von Lutzmann und erwerben die Lizenzen der Firma Darracq & Co, Suresnes, die einen Einzylinder-Motorwagen mit 9 PS, ein »volkstümliches Modell«, bauen.

Gustav Branbeck gründet die humoristische Zeitschrift »Das Schnauferl«.

Auf der Pariser Weltausstellung wird der Radnabenmotorwagen von Lohner-Wien vorgeführt; Konstrukteur: Ferdinand Porsche.